집필진

【대표저자】

양경희 한국간호연구학회 고문
(전 원광보건대학교)

【집 필 진】

권은하 군장대학교

문인오 원광보건대학교

박요한 울산과학대학교

배영주 한영대학교

이명순 원광심리치유센터장

이은영 세명대학교

한은주 세한대학교

(가나다순)

머·리·말

이 세상에는 귀하고 존중받을 사람들만 있지만, 한편으로 너무도 상처받기 쉬운 사람들이 살아갑니다. 자신을 귀하게 여기듯 마주하는 사람들도 귀하다는 마음을 갖고 대화하며 산다면 세상은 평화롭겠지요. 건강한 의사소통은 가족에서 시작하여 타인과의 관계나 모든 사람, 세상과의 만남에서 더불어 행복해 질 수 있는 매우 중요한 개념이며 도구입니다.

'간호가 예술이다.' 라는 새내기 대학시절 교수님의 말씀을 임상에서 '정말 그렇다.'고 확증하게 되었습니다. 동료와의 관계에서는 물론, 의사와 환자와의 관계에서 내가 화기롭게 건넨 말 한마디가 신뢰관계를 맺게 하여 능숙하게 주사를 놓은 것보다 환자 치유에 엄청나게 도움이 되는 것을 보았습니다.

저는 대학에 부임하기 전에 8년 동안 사람들의 몸과 마음을 돌보는 직업을 갖고, 특히 대학원은 다니는 기간에는 응급실 야간감독으로 근무했습니다. 근무자들이 상호 전문직을 존중하는 우호적인 대화가 오가는 분위기에서 순한 환자뿐만 아니라 폭력성을 보이던 환자들도 순화되는 것을 보았습니다. 저와 같은 길을 걷기 위해 공부하는 학생들을 가르치면서 절실한 마음으로 다시 대학원에서 상담심리를 전공하고 상담을 하면서 첫 의사소통 관련 교재를 집필하였습니다.

따라서 본 교재『건강한 의사소통 The Art of Healthy Communication』은 그동안 수회의 의사소통 관련 교재 집필과 강의를 기초로 적지 않은 기간 동안 연마하여 발간되었기 때문에 아쉬운 점을 모두 싣다 보니 지면이 적지 않지만, 그만큼 풍성하고 명확한 집필이 되고자 심혈을 기울였음을 자부합니다.

단원 1에서 3까지는 필수적인 의사소통 내용을, 단원 4는 특정 대상자와 현장의 실제적인 내용과 사례를 수록하여 활용 대상이나 목적에 따라 선별 또는 중점 활용이 가능하게 집필하였으며, 임상에 나가는 간호대학생에게는 직접 도움이 되도록 정리하였습니다.

단원 1「인간의 이해」에서는 자기 개념을 확인하며 자신이 형성한 비합리적인 신념을 발견하고 자기 수용을 돕도록 하였습니다. MBTI와 에니어그램으로 자신과 타인의 성격을 이해하고 삶에서 조화롭게 활용할 수 있도록 하였습니다. 조력자의 자질과 자기개방 및 Eric Berne의 인생각본에서 생활자세와 교류분석을 통해 자신의 생활을 점검하게 하였으며 인간관계의 요구에 적합한 훈련프로그램을 소개하였습니다.

건강한 의사소통

The Art of Healthy Communication

한국간호연구학회 편

Pacific Books

The Art of Healthy Communication

단원 2「의사소통의 이해」에서는 의사소통의 기능과 감각경로에 따라 다양한 의사소통 종류와 모형을 소개하며, 혼동하기 쉬운 전달 표현 방식에 따른 분류와 감각경로에 따른 의사소통 등 구체적으로 구분하며 의사소통의 기본 지식을 명확히 정리하였습니다.

단원 3「의사소통의 전략과 기법」에서는 효과적, 비효과적 의사소통 기법 및 나전달법과 비폭력대화와 같은 성숙한 의사소통을 수록하였으며, 메타커뮤니케이션을 정리하여 유연한 의사소통과 여유로운 인간관계를 유지할 수 있는 전략을 실었습니다. 또한 의사소통 저해요인을 외부적 요소와 내부적 요인으로 체계적으로 구분하여 정리하였습니다.

마지막 단원 4「의사소통 적용의 실제」에서는 대상자 중심의 실제적인 의사소통 적용을 위해 세대별, 돌봄 현장의 일반적인 활용을 실었고, 보건의료현장에서 분야별로 가장 많이 발생하는 상황에 대한 의사소통의 적용 사례를 제시하였습니다. 임상상황에 접하게 되는 초보 조력자들인 학생들이 미리 연마하면 대상자를 편안하게 대하고, 자신도 성장하고 적응하는데 도움이 될 기본 사례를 실었습니다.

본 교재가 교수님들이나 학생들이 행복한 수업이 되고 아울러 개인생활에서도 활용되기를 바랍니다. 또한 각 분야를 살아가는 많은 분들에게 읽혀져서 우리와 함께 세상을 살아가는 모든 분들의 삶이 한층 여유롭고 편안해질 것도 기내해봅니나. 학생들은 워크북『소통저널』을 충실히 작성해봄으로써 자신의 언어 사용 습관을 통해 인생 전반에 대한 도식이나 습관을 성찰할 수 있는 계기가 되리라 생각됩니다.

바쁜 가운데 좋은 글을 주시고, 각지에서 오시어 함께 집필 작업에 동참해주신 교수님들께 감사의 인사를 드립니다. 아울러 신임교수 시절부터 곁에서 동고동락하며 이 책을 열심히 읽어주시고 의견주신 전 원광보건대학교 김영희 교수님, 훌륭한 AI 강의를 열어주시고 AI와의 의사소통 집필을 지원해주신 원광대학교 한성국 명예교수님, 임상에서의 상황별 의사소통의 적용을 검토해주고 좋은 의견 내주신 원광대학교병원 나형일 선생님, 그리고 지난해 의사소통 수강생으로 학생의 입장에서 이해도와 타당도를 검증해준 서연양 고맙습니다. 마지막으로 퍼시픽 임원여러분과 편집실 선생님의 섬세한 편집에 감사드립니다.

2025년

대표저자 양경희

CONTENTS

CONTENTS

CONTENTS

1 단원

인간의 이해

제1장 자기 이해 | 제2장 성격이해 | 제3장 인간관계 이해

우리는 다른 사람의 반응을 보고 자신에 대한 평가를 한다. 자신을 잘 이해하지 못하고 다른 사람을 평가하기 때문에 자신의 편견과 경험에 기초하여 다른 사람을 평가한다. 자신을 정확히 인식하지 못한 채 자신의 잣대로 다른 사람을 평가하고 그들의 반응으로 자신을 평가하고 감정과 생각에 영향을 받아 상상하며 마음 아파하거나 증오한다면 다른 사람과 원만한 관계를 형성할 수 없다. 자기 방식으로 생각하는 것이 때로는 행복해할 수 있겠지만, 그러한 행복은 오래 가지 못한다. 따라서 인간은 자신을 이해하고 타인을 이해하는 과정, 그리고 내 앞에 일어난 일을 나는 어떻게 해석하고 반응하며 관계를 맺어 가는지를 점검해보아야 한다.

The Art of Healthy Communication

01 장

자기이해

인간이 살아가는 데 가장 중요한 것은 무엇일까? 물론 살아가는 데 재물이나 인맥이 중요하다고 생각할 것이다. 윌리엄 글래서(William Glasser)는 인간의 기본적으로 사랑과 소속, 힘과 성취, 자유, 즐거움, 생존과 생식의 욕구를 가지고 태어난다고 주장하였다. 또한 많은 사람들은 존중받음, 자율성, 그리고 더 나아가 자기초월을 통해 인류사회에 헌신하는 욕구를 가질 것이다.

이와 더불어, 건강하고 행복하게 자신의 삶을 살아가기 위해서는 자신에 대한 이해가 반드시 선행되어야 할 것이다. 자기이해는 자신에 대한 정체성을 형성하게 하며, 자신의 삶의 목표, 대인관계 및 삶의 질에 매우 중요한 영향을 준다. 또한, 나는 어떠한 사람이고, 어떤 생각을 하고 살며, 나에게 주어지는 자극과 환경 등에 어떤 반응을 하고, 도대체 왜 그러한 반응을 보이는 것일까? 등에 대한 물음도 함께 이루어질 것이다. 이를 통해, 스스로 긍정적인 방향을 지향하며 능동적이고 진취적인 모습으로 나아간다면 행복하고 건강하며 만족스러운 삶을 살아갈 수 있게 될 것이다.

이 장에서는 자기개념을 탐구하여 자신의 가치 재인식과 주도적인 자기수용 전략을 다룬다.

학·습·목·표

1. 자기이해의 필요성을 설명한다.
2. 자기개념을 설명한다.
3. 자신의 자존감 수준을 평가한다.
4. 자기차이를 확인한다.
5. 자신의 비합리적 신념을 확인한다.
6. 자기수용방법을 설명한다.

주·요·용·어

- 자기개념
- 자아상
- 자존감
- 자기수용
- 자기차이
- 자기복잡성
- 자기정체성
- 비합리적 신념
- 논박

01 자기이해(self-understanding)

1 자기개념(self-concept)

자기개념은 인간이 자신에 대해 어떻게 인식하고 평가하는 지에 대한 모든 생각, 감정 그리고 가치관 등을 포함한 신념 등의 총합이다.

자기개념은 자신에 대한 생각과 태도 및 자신에 대한 스스로의 평가나 다른 사람들의 시각에서 보거나 다른 사람이 자신을 어떻게 평가하지에 대한 인식을 통해 형성된다. 자기개념은 고정적이지 않고 내·외적 환경의 변화나 개인의 노력을 통해 변화하거나 확장될 수 있다.

자기 또는 자아로 함께 혼용되는 'self'는 개인의 전반적인 존재 또는 자기 인식을 말하며, 'ego'는 특정한 부분 즉, 자아 방어와 관련된 'id'와 'superego'의 균형을 맞추어 주는 역할을 한다. 대개 'ego'는 자아로, 'self'는 자기로 엄격하게 구분하여 사용하면 혼란을 피할 수 있지만, 이미 익숙해진 이름을 사용하여 혼용되고 있다.

❶ 자아상(self-Image)

자신에 대한 개인적인 인식이나 외부에서 자신을 어떻게 보고 있는지 자신이 감각하는 바를 나타낸다. 자아상은 변화하는 경험과 사회적 맥락에 따라 지속적으로 형성되고 변화하며 발전한다. 에릭 에릭슨(E. Erikson, 1968)은 심리사회적 발달 이론에서 인간 발달의 전 과정에서 자기정체성이 형성되는데, 특히 청소년기는 "자아정체성 대 역할혼란"의 위기에서 자아상이 형성되고, 청소년기와 젊은 성인기에는 자아상이 자기정체감 형성에 핵심적인 역할을 한다고 설명했다. 자신에 대해 긍정적이고 수용적인 자아상을 가질 때, 건강한 심리적 상태를 유지할 수 있다.

1) 자아상의 형성 요인

(1) 가족 및 양육 환경

아동기 동안 부모나 주양육자에게서 안정적이고 긍정적인 애착을 경험한 아이는 자신을 가치 있고 사랑받을 만한 존재로 인식할 가능성이 높다. 부모가 긍정적이고 자녀를 존중하며, 독립성을 인정하는 태도는 긍정적인 자아상을 심어준다. 반대로 비판적이고 냉담한 태도는 부정적인 영향을 미칠 수 있다.

(2) 사회적 경험

학교와 또래 집단에서의 인정받거나 배척받은 경험은 자아상 형성에 큰 영향을 준다. 또한 자신을 다른 사람과 비교하는 사회적 경험 과정에서 받는 피드백을 통해, 자아상이 발전되며 주위의 칭찬이나 비판을 바탕으로 자아상이 형성되고 발전된다.

(3) 개인의 경험과 성취

성공적인 성취경험은 자신감을 키우고 긍정적인 자아상을 강화하는 반면, 실패의 경험은 부정적인 자아상을 형성할 수 있다. 만약, 실패에서도 배우고 성장하는 경험을 한다면 자아상에 긍정적인 영향을 준다. 개인이 목표를 달성하는 경험을 통해 자기 인식이 강화되어, 자기 효능감(self-efficacy)이 높은 사람은 자신을 더 긍정적으로 평가할 가능성이 높다.

(4) 미디어와 사회적 표준

영화, TV, 소셜미디어 등을 통해 접하는 이상적인 외모나 삶의 방식은 개인이 자신을 평가하는 기준에 영향을 준다. 즉 사회적 기준이 자아상 형성에 영향을 준다.

(5) 심리적 및 정서적 상태

자아상은 자존감(self-esteem)과 아주 밀접한 관계가 있다. 자존감이 높은 사람은 자신을 긍정적으로 평가하며 자아상이 건강하게 형성되지만, 낮은 자존감은 부정적인 자아상을 초래할 수 있다. 또한 우울증이나 불안은 자아상을 부정적으로 형성할 수 있다.

(6) 성격과 개인적 특성

외향적인 사람은 자신을 사회적인 면에서 긍정적으로 평가할 가능성이 높고, 내향적인 사람은 내면의 자아상을 더 중시할 수 있다. 자기 인식이 높은 사람은 자신의 강점과 약점을 잘 이해하고 이에 대해 현실적인 자아상을 형성할 수 있다.

(7) 문화적 요인

개인주의 문화에서는 개인의 성취나 독립성이 강조되며, 집단주의 문화에서는 가족이나 공동체와의 관계가 자아상 형성에 중요한 영향을 미친다.

모리스 로젠버그(Morris Rosenberg)는 자아상을 자기 자신에 대해서 개인이 습관적으로 지속적으로 내리는 평가라고 하였으며, 신체적 자아 또는 신체 이미지(body image)와 사회적 자아로 구분하였다. 신체적 이미지는 자신의 마음속에 형성된 신체적 모습이며, 사회적 자아는 타인과 상호작용하는 관계의 상황에서 나타나는 다양한 역할에 의해 형성된다. 마르코와 누리우스(Markus & Nurius, 1986)는 사람은 예견하거나 피하고 싶거나 소망하는 미래의 자아상인 가능한 자기(possible self)가 있어 자신이 구체적인 목표에 도달하도록 동기를 부여받는다고 하였다.

찰스 쿨리(Charles Cooly, 1902)는 자신이 다른 사람에게 어떻게 보이는가를 생각하는가(거울자아)에 근거하여 자아상을 형성하고, 타인과 교류하지 않고는 개성을 가질 수도 없으며, 오랫동안 고립되어 지내면 타인과 구별되는 자아상이 손상된다고 하였다. 이렇게 자아상은 인간관계에서 상호작용하며 계속 발전하고 변화하는 동적인 과정에 있다.

2 자존감(Self-esteem)

자존감은 자신을 얼마나 가치 있고 존중받을 만한 존재로 느끼는지를 의미한다. 자아상의 감정적 평가와 밀접한 관련이 있으며, 자신의 가치와 존엄성에 대한 전반적인 평가이다. 즉, 자신을 얼마나 존중하고 사랑하는지의 내적 감정이다. 자존감은 주관적인 평가인 동시에 타인의 행동과 평가에 의해 영향을 받는 상호교환적인 성격을 지니고 있다. 자존감은 의미 있는 타인에 의해 영향을 받으면서 대인관계 시 행동수행에 영향을 주고, 자아상과 관련이 깊어서 자존감이 높은 사람은 자아상도 긍정적이어서 외부적인 자극이 있어도 영향을 받을 가능성이 낮다. 자존감이 낮은 사람은 자신이 다른 사람에게 어떻게 보이는지 의식하기 때문에 타인의 반응을 거부하는 것으로 느껴 상처받기 쉽다. 유년기에 존중받을 기회가 있고 사랑받고 있다고 느끼는 경험이 자존감 형성에 중요한 역할을 하며 이를 바탕으로 대인관계 형성을 하게 되어 정신건강에도 기여한다.

자존심(pride)은 자존감과 비슷하나, 초점과 작용에 차이가 있다. 자존심은 자신의 능력, 성취, 체면을 중요하게 여기는 감정으로, 타인과의 비교나 사회적 평가 및 상황에 따라 변화할 수 있다.

건강한 자존감은 자존심을 긍정적으로 유지하는 데 도움을 준다. 자존감이 높은 사람은 자신을 적절히 표현하고 성공하면 기뻐하고 자랑스러워하지만, 자만하지 않아 주위가 함께 즐거워진다. 자존감이 높은 사람은 집단 내에서 대화에 활발하게 참여하고 설득도 잘 한다. 그러나 과도한 자존감은 오만이나 자기 과시로 이어져서 부정적으로 작용하여 대인관계를 손상시킨다. 또한 자존감이 낮으면 외부의 칭찬과 인정을 갈구하여 주위 사람들이 부담스러워 질 수 있다.

건강한 대인관계를 유지하는 데 자존감과 자존심은 매우 중요한 역할을 한다. 자존감 향상에는 자신의 강점과 약점을 수용하고 긍정적인 자기 대화와 실패를 통해 성공을 이루는 전략을 사용해야 한다. 자존심 면에서는 외부의 인정에 지나치게 의존하지 않고 자신의 기준을 정해 타인과의 비교를 줄이고 겸손한 태도를 가져 균형을 유지하는 점에 유의해야 한다. 높은 자존감을 바탕으로 하여 적절한 자존심을 표현하고 살면 삶이 평화롭고 건강해질 것이다.

대학생을 대상으로 한 자존감 측정도구로 쿠퍼스미스(Coopersmith, 1967)가 제작하고 강종구(1986)가 번역한 도구(Self-Esteem Inventory)는 자기 비하, 타인과의 관계, 지도력과 인기, 자기주장과 불안 등의 4가지 하위영역별로 구분하여 점수를 산정함으로써 개인의 영역별 수준을 확인하여 자존감의 향상에 구체적으로 활용할 수 있다.

본 장에서는 행동, 경험, 사회적 상호작용 또는 환경적 요인에 의해 영향을 받을 수 있어 일시적이고 가변적인 특성을 지니며, 특정 사건에 따라 크게 변화할 수 있는 상태자존감을 측정하여 자존감을 확인해보고자 한다. 상태자존감 측정도구는 히더턴과 폴리비(Heatherton & Polivy, 1991)가 개발하고 대학생을 대상으로 박홍석과 이정미(2015)가 번안하여 타당화한 한국형상태자존감(K-SSES) 측정도구이다**[표 1-1]**. 이 도구는 수행자존감(성과자존감) 8문항, 일반자존감 8문항, 사회자존감 4문항의 3요인으로 특정 상황에서 순간적으로 변화하는 자존감 수준을 의미하기 때문에 측정할 때 지금 현재 느끼는 것을 표시하도록 하며, 점수가 높을수록 자존감이 높다.(각 문항은 5점 척도로 평가하며, 전혀 그렇지 않다 1점, 매우 그렇다 5점으로 표시한다.)

표 1-1 한국형상태자존감(K-SSES) 측정도구

문항	1	2	3	4	5
1. 나는 내 능력에 대해 자신이 있다고 느낀다.					
2. 나는 내가 성공한 이로 여겨질지, 실패한 이로 여겨질지 걱정한다.*					
3. 나는 지금 내 몸매가 만족스럽다고 느낀다.					
4. 나는 내 수행에 대해 좌절스럽거나 당황스럽게 느낀다.*					
5. 나는 내가 읽은 것을 이해하는 데 어려움이 있다고 느낀다.*					
6. 나는 다른 이들이 나를 존경하거나 존중한다고 느낀다.					
7. 나는 내 체중이 불만족스럽다.*					
8. 나는 남의 시선을 의식한다.*					
9. 나는 다른 이들만큼 영리하다고 느낀다.					
10. 나는 나 자신이 못마땅하다고 느낀다.*					
11. 나는 나 자신에 대해 좋다고 느낀다.					
12. 나는 지금 내 외모에 흡족해한다.					
13. 나는 다른 사람들이 나를 어떻게 생각하는 지에 대해 걱정한다.*					
14. 나는 일들을 이해하는데 자신감을 느낀다.					
15. 나는 지금 이 순간 다른 사람들에 비해 열등하다고 느낀다.*					
16. 나는 매력이 없다고 느낀다.*					
17. 나는 내 인상에 대해 염려한다.*					
18. 나는 지금 이 순간 다른 이들보다 학업능력이 부족하다고 느낀다.*					
19. 나는 내가 일을 잘 하고 있지 않은 것 같다고 느낀다.*					
20. 나는 바보같이 보일까봐 걱정한다.*					

* : 역채점 항목(2,4,5,7,8,10,13,15,16,17,18,19,20)
출처 : 박홍석과 이정미. 한국판 상태자존감척도(K-SSES)의 타당화 연구. Korean Journal of Psychology: General, 2015, Vol. 34, No. 1, 133-158.

※ 자존감 측정 결과를 『소통저널』 2-1을 작성합니다.

❸ 자기차이(Self-Discrepancy)

자기차이 이론은 토리 히긴스(E. Tory Higgins)가 제안한 개념으로, 개인이 자신을 바라보는 여러 관점 간의 불일치나 간극이 정서적 고통과 심리적 불편을 초래할 수 있음을 설명한다. 자

기차이가 해결되지 못하면 신체적 증상까지 유발될 수 있다(강혜자, 2000; 전겸구, 2000).

자기차이는 크게 실제 자기(Actual Self), 이상적 자기(Ideal Self), 당위적 자기(Ought Self)로 구분된다.

- **실제 자기**: 현재 자신이 인식하는 모습
- **이상적 자기**: 자신이 되고자 하는 희망과 열망에서 비롯된 이상적인 모습
- **당위적 자기**: 자신이 되어야 한다고 느끼는 의무감이나 책임감 때문에 형성된 모습

이 중 당위적 자기는 가족, 친구, 사회적 규범 등 외부의 기대에 영향을 받으며, 이상적 자기는 개인의 목표나 자아실현과 관련이 깊다. 자기차이가 클수록 정서적 불편이 증가하는데, 실제 자기와 이상적 자기 간의 차이가 클 경우 우울, 슬픔, 실망과 같은 낙담 정서가 유발되고, 실제 자기와 당위적 자기 간의 차이가 클 경우 불안과 같은 불안 관련 정서가 발생할 가능성이 높다(Higgins, 1987).

이를 관리하기 위해서는 현실적인 목표를 설정하고, 자기 수용을 높이며, 가족과 친구의 지지를 통해 심리적 부담을 줄이는 것이 중요하다. 또한, 이상적 자기와 당위적 자기에 대한 인식을 재구성하는 과정이 필요하다. 자기차이가 해소되지 않을 경우 신체적 건강에도 영향을 미칠 수 있다(강혜자, 2000; 전겸구, 2000; 강혜자, 한덕웅, 2005).

부모의 측면에서는 자녀에게 자신이 이루지 못한 것을 강요하거나, 자신의 불완전함을 자녀에게 투영하는 것을 경계해야 한다. 부모가 자기 자신을 수용하고, 자녀에게 완벽을 요구하는 대신 따뜻한 메시지를 전달하는 것이 중요하다.

④ 자아정체성(Self-Identity)

자아정체성이란 '나는 누구인가?'라는 질문에 대한 답으로, 개인이 자신의 개념을 설명하는 핵심 요소이다. 이는 시간과 상황이 변해도 지속적으로 유지되는 특성이 있으며, 개인의 신념, 가치관, 역할, 사회적 정체성을 포함하여 삶의 중요한 방향성을 제시한다.

자아정체성에는 두 가지 측면이 있다.

- **개인적 정체성**: '나는 책 읽기를 좋아하고 근면하다.'와 같이 개인의 성격, 성향, 능력 등 자신만의 고유한 특성을 반영

- **사회적 정체성(Social Identity)** : '나는 간호대학생이고, 호스피스병원 봉사 동아리회원이다.'와 같이 소속, 역할 등 사회적 관계와 관련된 자기개념

자아정체성이 명확하고 긍정적일수록 자아상이 뚜렷해지고, 자존감이 높아진다. 반대로 자기차이가 클 경우 정체성의 통합이 어려워져 스트레스와 불안을 초래하고, 대인관계에서도 어려움을 겪을 수 있다. 특히 청소년 시기의 자기정체성 확립은 성인기 인간관계 형성에 중요한 영향을 미친다. 이 시기의 혼란을 잘 극복하면 자기정체성이 명확해지고, 친밀한 인간관계를 형성하는 데 도움이 된다(Erikson, 1968). 따라서 자신의 가치관과 목표를 명확히 재정립하는 노력이 필요하다.

5 자기복잡성(Self-Complexity)

자기복잡성이란 개인이 자신을 얼마나 다양한 차원에서 정의하는지를 나타내는 개념이다. 즉, 자신이 여러 가지 역할과 정체성을 가지고 있는 정도를 의미한다.

자기복잡성이 높은 경우, 스트레스 상황에서도 유연한 대처가 가능하다. 한두 가지 영역에서 만족을 얻지 못하더라도 다른 영역에서 충족을 얻을 수 있기 때문에 심리적 충격이 완화된다. 반면, 자기복잡성이 낮을 경우, 특정 역할이나 정체성에 과도하게 의존하게 되며, 해당 영역에서 충족되지 않을 때 심리적으로 큰 타격을 받을 수 있다.

자기복잡성을 높이는 방법은 다음과 같다.

- **다양한 역할 탐색** : 다양한 분야에 관심을 갖고 취미 활동을 개발한다.
- **새로운 환경 도전** : 새로운 경험을 통해 자아의 다양한 측면을 확장한다.
- **내면 탐구** : 자신의 감정을 다양한 관점에서 관찰하고, 자신을 수용하며 자아의 가치를 재평가한다.

이러한 노력을 통해 자기복잡성을 향상시키면 심리적 회복탄력성이 높아지고, 삶의 다양한 측면에서 만족감을 경험할 수 있다. 예를 들어, 하루종일 업무로 스트레스를 받고 귀가하여 밤새 혼자 그 생각에 묶여 있는 사람보다 자녀들을 즐겁게 돌보는 사람이나 취미활동을 하는 사람은 직장에서의 스트레스도 쉽게 해소될 것이다.

2 비합리적 신념(Irrational Beliefs)

1 왜 비합리적 신념인가?

신념은 사전적으로 "굳게 믿는 마음"(국립국어원 표준국어대사전) 또는 "사실로 받아들이거나 간주하는 것"(Britannica Dictionary)이라는 의미를 가진다. 신념은 개인이 삶의 방향을 설정하고 행동을 결정하는 데 중요한 역할을 한다. 신념은 심리적 안정과 삶의 의미를 제공하며, 사회적 연결과 성장의 동력이 된다. 이를 통해 자아정체성이 확립되고, 목표 설정과 동기 부여가 이루어지며, 스트레스와 역경에 대한 저항력이 강화된다. 또한, 신념은 대인관계를 형성하고 공동체 의식을 고취하여 변화와 도전에 적응할 수 있도록 돕는다.

그러나 신념이 절대적인 표현, 강한 요구, 특정 상황이나 대상을 단편적으로 평가하는 방식으로 형성될 경우, 이는 비합리적 신념이 된다. 비합리적 신념은 과도한 일반화를 포함하며, 현실과 동떨어진 사고방식을 강화하여 심리적 스트레스와 정서적 어려움을 초래할 수 있다.

비합리적 신념의 대표적인 형태는 "~해야 한다(musts)", "~해야만 한다(shoulds)", "~하지 않으면 안 된다(have to's)[1]", "~를 반드시 해야 해(got to's)", "항상(always)" 등의 절대적인 표현과 비난(condemnations), 책망(blaming) 등의 방식으로 나타난다. 이러한 신념은 현실을 왜곡하고 부정적인 시각을 고착화시켜 심리적 부담을 가중시킨다.

비합리적 신념을 해결하기 위해서는 인지를 재구성하여 보다 현실적이고 유연한 합리적 신념으로 변화시키는 과정이 필요하다. 합리적 정서적 행동치료(Rational Emotive Behavior Therapy, REBT)의 창시자인 엘리스(Albert Ellis, 1962)는 인간 사회에서 가장 보편적으로 나타나는 11가지 비합리적 신념을 제시했으며, 이후 여러 연구자들이 이를 확장하여 정리해왔다. 본 장에서는 가장 많이 활용되는 13가지를 제시하고자 한다.

2 비합리적 신념과 합리적인 수정

Ellis의 비합리적 신념을 구분할 때 자신, 타인, 세상에 대한 당위적 사고에 깊이 관련됨을 알 수 있다.

1) to's : 관용적 표현으로 명사화, 복수형으로 꼭 해야하는 것들의 의미로 쓰임

1) 인정에 대한 욕구(Demand for Approval)

자신에게 중요한 모든 사람에게 사랑과 인정을 받아야 한다고 믿는 것은 비합리적이다. 모든 사람의 인정을 받는 것은 현실적으로 불가능하며, 이러한 기대는 실망과 불안, 패배감을 초래할 수 있다. 합리적인 사람은 타인의 인정에 집착하지 않고, 자신의 가치와 선택을 존중한다.

비합리적 신념 모든 사람이 나를 인정해야 한다.

합리적 신념 모든 사람이 나를 인정하지 않아도 괜찮다.

2) 개인적인 완벽성(Personal Perfection)

모든 영역에서 완벽한 능력을 갖추고 성공해야 한다는 신념은 비합리적이다. 인간은 누구나 한계와 약점을 가지고 있으며, 강박적인 완벽 추구는 오히려 열등감과 무기력감을 초래한다. 합리적인 사람은 자신의 약점을 인정하고 과정 속에서 성장하는 것에 가치를 둔다.

비합리적 신념 나는 모든 것을 완벽하게 해내야 한다.

합리적 신념 나는 모든 것을 완벽하게 하지 않아도 괜찮다.

3) 비난 경향(Blame Proneness)

어떠어떠한 사람은 무조건 비난받고 처벌받아야 한다고 생각하는 것은 비합리적이다. 선악의 기준은 상대적이며, 타인의 실수를 이해하지 못하고 비난하는 태도는 인간관계를 악화시킨다. 합리적인 사람은 타인의 실수를 포용하고 자신의 성장의 기회로 삼는다.

비합리적 신념 그 사람은 잘못했으니 반드시 처벌받아야 해.

합리적 신념 모든 사람은 실수할 수 있으며, 실수를 통해 배울 수 있어.

4) 좌절, 파국화(Catastrophizing)

일이 뜻대로 되지 않을 때 인생이 끝났다고 생각하는 것은 비합리적이다. 모든 상황이 원하는 대로 될 수는 없으며, 좌절 속에서도 해결책을 찾을 수 있다. 합리적인 사람은 어려움을 인정하고 현실적인 대안을 보색한다.

비합리적 신념 나는 이제 끝장이야.

합리적 신념 어렵지만 방법이 있을거야.

5) 정서적인 무책임(Emotional Irresponsibility)

자신의 감정이 타인이나 환경에 의해 결정된다고 믿는 것은 비합리적이다. 감정은 개인의 내면에서 비롯되며, 합리적인 사람은 자신의 감정을 인정하고 스스로 조절할 책임이 있다.

비합리적 신념 남편(아내)이 나를 행복하게 해주어야 해.

합리적 신념 행복은 내 책임이야.

6) 과잉 불안(Anxious Over Concern)

실패나 실수를 과도하게 걱정하는 것은 비합리적이다. 과도한 걱정은 오히려 상황을 악화시키며, 합리적인 사람은 실수를 성장의 기회로 받아들인다.

비합리적 신념 내가 말실수를 하면 모두 나를 바보라고 생각할 것이다.

합리적 신념 누구나 말실수를 한다. 진심으로 최선을 다하면 괜찮아.

7) 문제 회피(Problem Avoidance)

어려운 문제나 책임을 회피하는 것은 비합리적이다. 일시적으로는 편할 수 있지만, 장기적으로는 불안을 초래하며 문제를 악화시킬 수 있다. 합리적인 사람은 문제를 직면하고 해결책을 모색한다.

비합리적 신념 시간이 지나면 저절로 해결될 것이다.

합리적 신념 시간이 지난다고 문제가 해결되지는 않는다. 방법을 찾아보자.

8) 의존성(Dependency)

타인에게 의존해야만 한다고 믿는 것은 비합리적이다. 건강한 인간관계는 상호 의존적일 수 있지만, 지나친 의존은 자아정체성과 독립성을 약화시킨다. 합리적인 사람은 자율성을 유지하면서도 타인과 건강한 관계를 맺는다.

비합리적 신념 나는 누군가 의존할 사람이 필요해.

합리적 신념 내가 독립적으로 해낼 때 건강한 관계를 형성할 수 있어.

9) 무력감(Helplessness)

과거의 실패가 현재와 미래에도 동일한 결과를 초래할 것이라고 믿는 것은 비합리적이다. 합리적인 사람은 과거의 경험을 교훈 삼아 변화의 가능성을 탐색한다.

비합리적 신념 나는 아무리 노력해도 소용없다.

합리적 신념 내가 노력하면 금방 변하지 않더라도 상황은 좋아질 수 있다.

10) 완벽한 해결(Perfect Solution)

모든 문제에는 완벽한 해결책이 있어야 한다고 믿는 것은 비합리적이다. 세상에는 절대적인 해결책이 없으며, 적절한 해결책을 찾아 유연하게 대응하는 것이 중요하다.

비합리적 신념 내가 계획한 대로 완벽하게 달성해야 해.

합리적 신념 완벽하지 않아도 충분한 성과를 이루었다면 성공하는 것이다.

11) 지나친 타인에 대한 염려(Excessive Concern for Others' Evaluation)

타인의 평가나 기대에 지나치게 신경 쓰는 것은 비합리적이다. 모든 사람을 만족시킬 수 없으며, 자신이 옳다고 믿는 길을 가는 것이 중요하다.

비합리적 신념 다른 사람을 화나지 않게 하려면 그들의 요구를 다 들어줘야 한다.

합리적 신념 나의 행동과 진정성을 존중하는 것이 중요하며, 이를 어기면서까지 모든 사람의 요구를 들어줄 필요는 없다.

12) 공정성에 대한 요구(Demand for Fairness)

세상은 공평해야 하며, 나는 성실하게 노력했으므로 반드시 좋은 결과가 나와야 한다고 생각하는데 이 기대가 충족되지 않을 수 있다. 이때 세상은 불공평하며 썩었다고 생각하며 강한 좌절과 분노를 느낄 수 있다. 하지만 세상은 절대적인 공평이란 없으며, 상대방의 입장에서 보면 또 다른 요소들이 고려될 수 있음을 이해하는 것이 중요하다.

비합리적 신념 내가 성실하니까 반드시 승진해야 하는데, 세상은 모두 부조리해.

합리적 신념 승진은 성실함뿐만 아니라 여러 요소가 작용하는 것이니, 다음 기회에는 더 다른 부분들도 살펴보도록 해야겠다.

13) 안락함에 대한 요구(Demand for Comfort)

삶은 편안해야 하며, 힘든 일을 견디기 어렵다는 신념을 가진 경우이다. 새로운 일을 시작할 때는 어려움이 따를 수 있다. 그러나 시간이 지나면서 익숙해지면 더 잘 해낼 수 있다. 따라서 단순히 힘들다는 이유로 포기하는 것은 비합리적이다.

비합리적 신념 내가 이렇게까지 힘든 일을 하면서 살아야 하나?

합리적 신념 지금은 어렵지만, 시간이 지나면 익숙해져서 더 수월해질 거야.

비합리적 신념을 합리적 신념으로 전환하는 것은 자기 성장과 정신적 건강을 위해 필수적이다. 각자의 신념을 점검하고 유연한 사고를 통해 긍정적인 변화를 시도하는 것이 중요하다.

3 자기수용(Self-Acceptance)

자기수용은 자신의 강점과 약점, 생각, 감정, 행동을 깊이 이해하고 있는 그대로 인정하는 것이다. 이는 긍정적이고 균형 잡힌 삶을 살아가는 데 가장 기본이 된다. 내가 나를 진정으로 수용하지 않으면 누구도 나를 온전히 수용할 수 없다. 자기수용을 위해서는 먼저 자신에 대한 이해가 선행되어야 하며, 이를 위해 다음과 같은 방법을 실천해볼 수 있다.

❶ 현재 상태 인정하기

자신의 강점과 약점을 객관적으로 인식하며, 지금의 상태를 있는 그대로 받아들인다. 자신의 단점에서도 2가지의 강점을 찾을 수 있을 것이다.

예 "나는 지금 이 상태로도 충분히 괜찮아." (그대로 받아들임)
"나는 마음이 너무 여려서 손해만 본다." 대신 "나는 마음이 부드러워." 또는 "나는 정말 강해야 할 때는 결단력도 있어." (2가지 강점 발견)

② 다른 사람과 비교하지 않기

자신만의 고유한 경험과 성장 속도에 집중하며, 타인과 비교하는 습관을 줄인다.

예 "나는 내 속도대로 잘 성장하고 있어."

③ 자기와의 긍정적 대화 연습

자신을 비판하기보다 긍정적인 문장을 사용하여 스스로를 격려한다.

예 "실수는 나를 성장시키는 기회야. 지금도 잘하고 있어."

④ 감사 일기 작성

하루 동안 자신에게 감사한 점이나 자랑스러운 순간을 기록한다. 사소한 것부터 작성하나 보면 사소한 것이 너무 소중하다는 것을 알게 되고 스스로 힘을 얻게 된다.

예 "오늘 힘든 대화에서도 솔직하게 내 생각을 표현한 점이 자랑스러워."

⑤ 완벽주의 내려놓기

완벽하지 않은 자신을 인정하고, '충분히 좋은 상태'를 목표로 삼는다.

예 "항상 최선을 다하지 않아도 괜찮아. 행복한 마음으로 즐기면서 일해야지."

⑥ 성찰 일기 쓰기

자신이 느낀 감정과 행동의 원인을 기록하고, 스스로에게 위로와 조언을 한다.

예 "오늘 힘들었던 일 : ________________. 그 이유: ________________.

내가 할 수 있는 것은 : ________________."

7 명상과 마음챙김(Mindfulness) 실천

현재 순간에 집중하는 연습을 통해 자신을 판단 없이 바라본다.

예 "1~5분 동안 조용히 앉아 호흡에 집중해보자."

8 감사 카드 작성

작은 일이라도 감사한 순간을 찾아 적는다.

예 "나는 문제 해결할 때 창의적인 면이 있다."

9 정체성 재발견 활동

자신의 정체성을 구성하는 요소(취미, 역할, 목표 등)를 정리하고 시각적으로 표현한다.

예 "다이어그램을 그려서 내 정체성을 탐색해보자."

10 행동 변화 계획 세우기

자기 이해를 바탕으로 새로운 행동 패턴을 시도한다.

예 "스트레스를 받을 때 산책하는 습관을 들여야겠어."

자기수용은 단번에 이루어지는 것이 아니라 지속적인 연습과 노력이 필요한 과정이다. 비합리적인 신념을 논박하여 합리적 신념으로 수정하면서 위의 방법을 활용하며 자신을 긍정적으로 바라보고 인정하는 연습을 해보자.

※『소통저널』 2-2에 자신의 비합리적 신념을 적고, 그 비합리적 신념을 반박하여 수정합니다.

R/E/F/E/R/E/N/C/E

- 강종구(1986). 자아개념, 진로의식성숙 및 학업성취도가 직업포부수준에 미치는 영향. 서울대학교 석사학위논문.
- 강혜자(2000). 자기차이, 정서 및 신체증상의 관계. 한국심리학회지 : 건강, 2000.5(2). 193-208.
- 강혜자, 한덕웅(2005). 자기차이에 따른 우울과 불안의 경험. 한국심리학회지 : 건강, 10(3). 349- 374.
- 국립국어원 표준국어대사전 https://stdict.korean.go.kr/search/searchResult.do
- 곽윤경, 김윤경, 노지영, 배영주 외(2017). 인간관계와 의사소통. 의학서원.
- 박홍석, 이정미(2015). 한국판 상태자존감척도(K-SSES)의 타당화 연구. Korean Journal of Psychology: General. 34(1). 133-158.
- 안효자, 이영내, 김명자, 김현미, 송민선 외(2015). 인간관계와 의사소통. 서울 : 수문사.
- 양경희, 강서영, 김명희, 김윤주, 김은자 외(2019). 건강한 인간관계를 위한 의사소통 기술. 한국간호연구학회, 서울 : 퍼시픽북스.
- 양경희, 최귀윤, 정기언, 정춘화, 장효열 외(2022). 건강생활과 사회심리학. 서울 : 현문사.
- 양경희, 강서영, 김정호, 김한나, 박선정 외(2022). 건강한 인간관계를 위한 의사소통 기술 3판. 한국간호연구학회, 서울 : 퍼시픽북스.
- 이경순, 이미경, 김경희(2014). A to Z 인간관계와 의사소통. 서울 : 현문사.
- 전성숙, 변은경, 김미영(2018). 인간의 이해와 의사소통. 서울 : 수문사.
- 전겸구(2000). 분노의 종합적 이해를 위한 시도. 미술치료연구(특집호), 7(1). 1-31.
- 한규석(2013). 사회심리학의 이해. 서울 : 학지사.
- 한덕웅, 성한기, 강혜자, 이경성, 최훈석, 박군석, 김금미, 장은영(2005). 사회심리학. 서울 : 학지사.
- 한평실(2006). 건강한 자아상 회복을 위한 내적 치유에 관한 연구. 안양대학교 대학원 목회학 석사학위 논문.
- Charles Cooley-Looking glass self, Individuals and Society, MCAT, Khan Academy
- Coopersmith, S.(1967). The antecedents of self-esteem, San Francisco, W/H. Freeman.
- Erikson, E. H.(1968). Identity : Youth and crisis. New York : W. W. Norton & Company, 1968.
- Higgins, E. F.(1987). Self-discrepancy theory relating self and affect, *Psychological Review*, 94, 319-340.
- John W. Santrock(2008). Adolescence. 12th. McGraw-Hill. 134-154.

R/E/F/E/R/E/N/C/E

- William Glasser(1998). *Choice Theory: A New Psychology of Personal Freedom.* Harper Perennial Publishers
- Society and the Adolescent Self-Image [Morris Rosenberg, 1965].pdf
- https://www.alleydog.com/glossary/definition.php?term=Possible%2520Selves
- https://www.britannica.com/dictionary/BELIEF

02장

성격이해

성격은 일반적으로 사교성, 효율성과 관련하여 대인관계에서 긍정적인 반응을 유도하는 능력으로(Walter Mischel W., 1998), 심리학에서는 시간과 상황을 통해 상대적으로 안정적이고 일관된 개인의 심리적 특성과 행동 패턴의 총합으로 정의한다. 성격심리학자인 퍼빈(Lawrence A. Pervin, 1977)은 "성격(personality)은 환경에 적응하려는 과정에서 나타나는 개인의 고유한 사고, 감정, 행동 패턴의 복합체로, 시간과 상황에 걸쳐 비교적 안정적으로 유지된다."고 하였다.

성격은 대체로 일관되게 나타나지만, 새로운 경험 또는 환경 변화로 점진적으로 변화되거나 특정상황에서 다르게 나타날 수 있다. 성격은 환경과의 상호작용 및 적응 과정을 거쳐 변화하는 적응적 특성으로 치료, 상담, 교육에서 개인이 환경에 적응하도록 돕는 데 중요한 기초를 제공한다.

성격은 한 개인에게서 보이는 독특한 생각, 감정, 행동 패턴을 나타내는 지배적인 특성으로 타인과 구별되는 고유성(Uniqueness)과 경향성을 포함하며 개인의 정체성을 형성하고 환경 변화에 대한 개인의 적응 과정을 반영하여 통합되어 나타나는 것이다.

인간은 자신의 고유한 기질적 성격유형을 가지고 있으면서 다른 성격을 가진 사람들과 교류하며 살기 때문에 자신의 성격유형을 파악하고, 살아간다면 환경의 변화를 인식하고 적응하는 과정에 조화롭게 성장할 수 있으며, 더욱이 타인의 성격을 이해한다면 그들과의 상호작용도 조화롭게 하여 인간관계도 건강하게 유지하며 살아갈 수 있을 것이다.

성격 유형을 처음 분류한 히포크라테스(Hippocrates, BC 460?~BC 377?)는 인간의 성격 유형은 네 가지 체액의 균형과 관련된다고 하였는데, 이는 산-염기(pH)의 변화가 기분과 성격에 영향을 준다는 현대 생리학 이론과 연결된다. 셀던(William Sheldon, 1942)은 체형(배형)이 인간의 성격과 연관된다고 하였다. 분석심리학자 융(Carl Jung)의 내향적, 외향적인 분류가 가장 많이 사용되고 있고, MBTI의 유형이론 등의 기초가 되었다.

이 장에서는 비진단성 성격유형검사인 MBTI와 에니어그램을 측정하여, MBTI 성격유형과 선호기능을 확인하고 에니어그램 유형을 이해하여 자신의 성격유형을 확인함으로써 자기이해를 높이고, 타인과 소통하며, 자기성장을 돕도록 한다.

학·습·목·표

1. 성격유형의 의미를 이해한다.
2. MBTI 성격유형의 구조를 이해한다.
3. MBTI 성격유형을 확인하고 심리기능의 계발을 이해한다.
4. 에니어그램의 성격유형을 이해한다.
5. 에니어그램 성격유형을 통해 자기계발 방법을 확인한다.

주·요·용·어

- MBTI
- 선호기능
- 에니어그램
- 성격유형
- 심리기능
- 헥사드
- 선호 지표
- 대극
- 역동성

02 성격이해

1 MBTI(Myers-Briggs Type Indicator)

1 MBTI 이해

MBTI 검사는 세계에서 가장 널리 사용되고 있는 심리검사이며, 개인의 선호도와 성격유형을 검사하는 비진단성 검사이다. 검사의 결과는 옳고 그름이 없이 개인의 선천적인 경향을 이해하고 타인의 심리적 특성을 이해하며 성격특성과 행동의 관계를 이해하도록 돕는다.

MBTI 검사는 Carl Jung(1921)의 심리유형 이론을 근거로 1920년대 캐서린 쿡 브릭스(Katherine C. Briggs)으로부터 개발된 성격유형지표이다. 1940년대 그의 딸 이사벨 브릭스 마이어스(Isabel B. Mycrs)가 실생활에 적용할 수 있는 도구를 개발하였고, 이사벨의 아들 피터 브릭스 마이어스(Peter Briggs Myers)가 현대적인 심리학 연구 및 데이터 분석방법과 접목하여 신뢰도와 타당도를 개선하여 체계화하였다. 심리학자인 마리 멕콜리(Mary McCaulley)는 연구, 저술, 상담 분야에서 적용하도록 하였다.

MBTI의 목적은 자신과 타인의 성격을 더 잘 이해하고 개인 간의 차이를 긍정적으로 받아들이고 갈등을 줄이며, 장래 직업 선택과 학습 스타일 등에서 더 나은 결정을 내리는 데 활용된다.

MBTI는 Jung의 심리유형론에 기초되었고, 선호경향은 인간에게 선천적으로 잠재되어 있는 경향성이 자연스럽게 나타난 것이다. 의식하지 않고 갑자기 손을 내밀어야 하는 상황에서 각자 편안한 손이 먼저 나가는 것처럼, 어떤 상황에서 사람들은 자기가 편한 쪽을 사용하려는 경향이 있으며, 그렇게 하는 것이 능률도 오른다. 이처럼 사람은 자기가 좋아하는 기능이나 태도를 먼저, 그리고 자주 사용하게 되는데, MBTI 검사는 반대되는 두 가지 성향 가운데 어떤 것을 주로 사용하는가를 알아보는 선호검사이다.

MBTI 지표는 4가지의 특징으로 나타난다. 첫째 지표는 태도유형이며, 정신적 **에너지의 방향성**을 나타내는 외향(E)과 내향(I)이다. 둘째는 **인식기능**인 감각(S)과 직관(N)으로, 이는 사물, 사람, 사건이나 생각을 자각하는 모든 방식을 의미한다. 정보 수집, 감각 또는 영감, 추구나 집중하려는 자극의 선택을 포함하며, 감각과 영감은 자유롭게 선택하거나 활동하기 때문에 비합리적인 기능이다, 셋째는 **판단기능**이며 사고(T)와 감정(F)이다. 판단기능은 수집된 정보를 평가하거나 가치를 매기기 때문에 합리적 기능이다. 판단기능의 판단형은 판단기능(사고나 감정)을 외부로 쓰기 때문에 결정이 중요하고, 인식형은 인식기능(감각과 직관)을 외부로 쓰기 때문에 계속적으로 정보를 수집한다. 인식기능과 판단기능을 심리기능 또는 심리과정으로 부르는데, 네 가지 심리기능[1]의 하나가 전문화되어 정신활동을 지배하여 주기능이 된다. 넷째, 실생활에서 적용되어 외부세계에 대처하는 **생활양식**을 보여주는 판단(J)과 인식(P) 지표가 있다**[그림 2-1]**. 생활양식은 판단과 인식으로 대별되어 판단기능의 판단이라는 단어가 중첩되는 감이 있으나, 생활양식은 외부세계에 대한 태도나 대처하는 양식을 의미하며, 판단을 선호하는 사람은 결론이나 종결에 빨리 도달할 가능성이 높고, 인식을 선호하는 사람은 끝까지 정보 수집을 하며 결정을 미룬다.

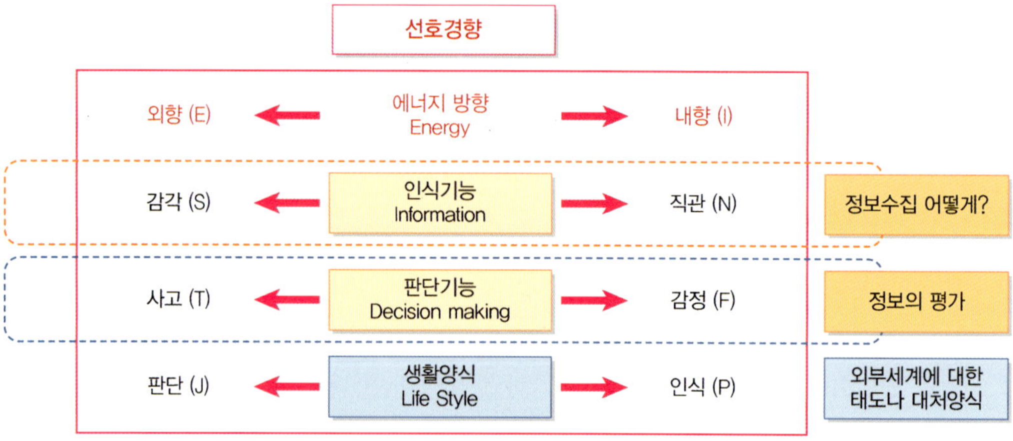

그림 2-1 MBTI의 4가지 선호 지표(Myers, Kirby&Myers, 1998)

1) 4가지 심리기능 : 인식기능(감각과 직관)과 판단기능(사고와 감정)

4가지 지표들은 대극[2]의 쌍을 이루어 두 가지 반대되는 경향 가운데 어떤 것을 주로 사용하는 가를 나타낸다. MBTI의 선호경향을 인용하여 에너지 방향, 인식기능, 판단기능 및 생활양식별로 이해하기 쉽게 도식화하면 다음과 같다**[표 2-1]**.

표 2-1 성격유형에 따른 대표적 표현들

에너지 방향	
외향형(E, Extroversion)	**내향형(I, Introversion)**
사람을 만나고 활동할 때 에너지가 생긴다.	자신의 내부에 주의 집중한다.
다양한 사람들과 폭넓은 관계를 형성한다.	내부 활동에 집중력을 보인다.
대인관계가 폭 넓다.	소수의 사람들과 밀접한 관계를 갖는다.
말로 표현하는 것을 선호한다.	글로 표현하는 것을 선호한다.
소모하며 에너지 충전한다.	비축하여 에너지 충전한다.
정열적, 활동적이다.	조용하고 신중하다.
행동 후 생각한다.	곰곰이 생각하고 행동한다.

참고: Myers Briggs Type Indicator 전문자격교육 초급과정 교재. 한국 MBTI 연구소(www.mbti.co.kr)
김정택, 심혜숙. 16가지 성격유형의 특성 개정판(2015). 서울: 어세스타.

인식기능	
감각형(S, Sensing)	**직관형(N, iNtuition)**
오감(시각, 청각, 미각, 촉각, 후각)을 통한 정보를 신뢰한다.	예감이나 직감(육감)을 신뢰한다.
지금 현재에 주의 초점을 둔다.	미래, 가능성에 주의 초점을 둔다.
실제의 경험을 중시한다.	이론적이고 개념적인 정보를 잘 받아들인다.
사실적이고 구체적으로 표현한다.	추상적으로 표현한다.
실태를 파악한다.	가능성과 의미를 추구한다.
현실 수용을 한다.	미래지향적이다.
정확하고 철저하게 일처리를 한다.	신속하고 비약적으로 일처리를 한다.
전통적인 가치를 중요하게 여긴다.	새로운 변화와 다양성을 선호한다.
사실적인 사건을 묘사한다.	비유적, 암시적인 묘사를 한다.
가꾸고 추수한다.	씨 뿌린다
나무를 보려는 경향이다.	숲을 보려는 경향이다.

2) 대극(對極): 서로 마주대하는 극. MBTI에서는 맞은 편, 즉 같은 지표 중 반대성향

표 2-1 성격유형에 따른 대표적 표현들 (계속)

판단기능	
사고형(T, Thinking)	**감정형(F, Feeling)**
의사결정 시 인과관계에 따라 객관적으로 판단한다.	의사결정 시 주관적 가치에 근거해 판단한다.
객관적 진실을 따른다.	보편적 선을 따른다.
원리와 원칙이 중요하며 이성적이다.	주관적 가치가 중요하고 감성적이다.
진실과 사실에 주된 관심을 갖는다.	사람들과의 관계에 주된 관심을 갖는다.
간단명료하게 설명한다.	정상을 참작하여 설명한다.
무엇이 잘못 되었는지 분석을 잘 한다.	다른 사람의 의견에 잘 공감한다.
목표 달성이 사람들과의 관계보다 우선이다.	사람들과의 관계가 목표달성보다 우선이다.
규범과 기준을 중요시 한다.	나에게 주는 의미가 중요하다.

생활양식	
판단형(J, Judging)	**인식형(P, Perceiving)**
조직적이고 구조화된 환경을 선호한다.	새로운 것에 대해 유연하고 개방적이다.
어떤 일을 시작 전에 계획을 잘 세운다.	일을 할 때 먼저 시작하고 본다.
미리 미리 준비해서 여유있게 지낸다.	마지막 순간에 집중해서 끝낸다.
신속한 결론을 내린다.	결정을 보류하고 정보를 수집하고자 한다.
통제와 조정을 잘 한다.	융통과 적응을 잘 한다.
분명한 목적의식이나 방향을 갖고 있다.	목적과 방향은 바꿀 수 있다고 생각한다.

참고 : Myers Briggs Type Indicator 전문자격교육 초급과정 교재. 한국 MBTI 연구소(www.mbti.co.kr)
김정택, 심혜숙. 16가지 성격유형의 특성 개정판(2015). 서울 : 어세스타.

이 지표들 즉, 각각 짝을 이룬 외향(E)－내향(I), 감각(S)－직관(N), 사고(T)－감정(F), 판단(J)－인식(P)은 개인의 선호에 따라 한 쪽씩 선택되어 ISTJ나 ESTJ 등과 같이 4개의 알파벳 코드 조합이 나온다. 즉 양쪽에서 더 선호되는 유형들이 조합되어 MBTI 16가지 성격유형으로 나타난다[그림 2-2][표 2-2].

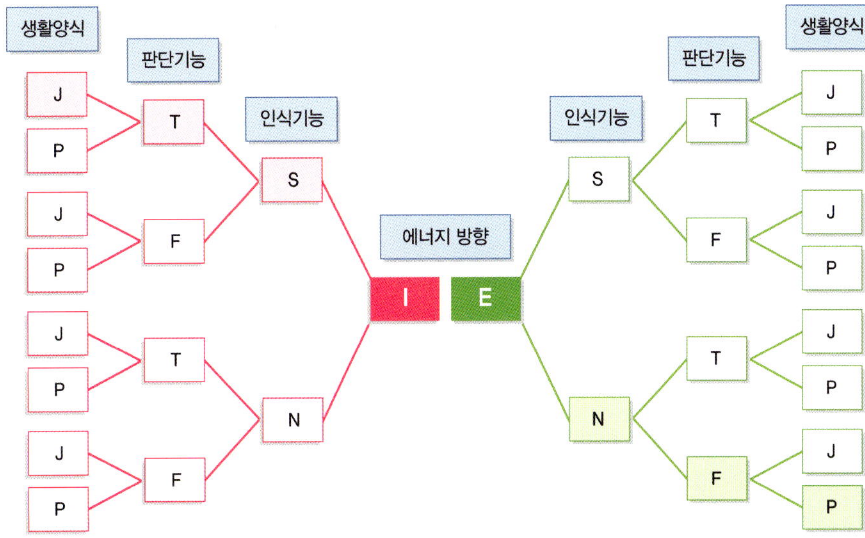

그림 2-2 MBTI 4가지 선호지표

참고: Myers, I.B. Kirby, L.K,&McCaulley, Myers, k.d(1998). Introduction to typeR (6th).

표 2-2 16가지 성격유형의 특징과 장점

ISTJ	ISFJ	INFJ	INTJ
준법자	수호천사	예언자형	과학자형
현실적, 논리적, 체계적, 일관성 있고 끝까지 책임짐	성실, 온화, 헌신적, 치밀함, 인내, 조직에 안정감 줌	통찰과 창의력, 대인관계 진실성, 종교성, 예술성	행동과 사고의 독창성, 독립적, 단호함, 결단력
ISTP	ISFP	INFP	INTP
백과사전형	성인군자형	이상주의자형	아이디어뱅크형
논리적, 낙천적, 소식화, 일상생활적응력, 개척자	적응적, 관용적, 겸손함, 온정을 행동으로 표시	내적 성실성, 이해심 많음, 신념이 위협받으면 강해짐	과묵, 동칠, 객관적 비평, 아이디어 관련, 소수인과 소통
ESTP	ESFP	ENFP	ENTP
다방면 활동가형	사교적 유형	스파크형	발명가형
친구, 운동, 음식 등 다양한 활동을 선호, 문제해결사	친절, 우호적, 개방적, 사람들에 관심이 많음	열정과 창의, 순간적 에너지, 타인의 성장가능성 파악	풍부한 상상력을 가지고 새로운 것에 도전하는 사람들
ESTJ	ESFJ	ENFJ	ENTJ
사업추진가형	친선도모형	언변능숙형	전략가형
사업, 조직, 분명한 규칙대로 행동, 집행을 잘함	친절, 재치, 양심적, 봉사성, 정리정돈, 명분 존중	동정과 동료애, 인화와 공동선 중시, 타인의 성장에 협동	활동적, 행정적 계획, 비전을 가지고 활력적으로 이끎

참고: 김정택, 심혜숙(2015). 16가지 성격유형의 특성 개정판. 서울: 어세스타

② MBTI의 성격유형과 선호기능

Jung의 심리유형 이론에 따르면 성격유형의 핵심요소는 사람들이 세상을 인식하고 의사결정을 내리는 감각(S)과 직관(N)의 인식기능과 사고(T)와 감정(F)의 판단기능의 네 가지 선호경향으로 구분되며, 그 중 가장 강하게 발달되어 있고 가장 자주 사용하며 자연스러운 기능으로 특별한 노력이 필요 없이 발휘되는 기능이다.

선호기능을 확인할 때 해당지표 항목의 가장 높은 점수가 아니라, 산출된 자신의 검사표에 나타난 선호유형 4자리(ISTJ 등)를 가지고 확인한다. 인식기능이나 판단기능 중 한쪽이 주기능이면 동일지표 중 다른 쪽의 기능이 열등기능이 된다. 그러나 기본적으로 외부세계와 상호작용하는 방식인 생활양식인 판단(J)과 인식(P)이 외향적 기준에서 어떤 성격을 띠는지에 각각 주기능을 찾기 시작한다. 외향형을 기준으로 하였기 때문에 내향형일 때라면 에너지 방향이 반대이므로 그 옆의 기능이 주기능이 된다. J인 경우에는 바로 앞 지표가 주기능인데, ESTJ인 경우는 외향형이라서 J의 바로 앞에 기능인 사고(T)가 주기능이지만, ISTJ는 내향형이기 때문에 사고(T)가 주기능이 되지 못하고 그 옆자리의 감각(S)이 주기능이 된다. 즉 인식기능에서 감각(S)이 주기능, 주기능의 대극인 직관(N)이 열등기능이 된다. 주기능의 옆에 있는 판단기능인 사고(T)가 두 번째 선호기능이기 때문에 사고는 부기능이 되고 부기능 다른 쪽의 기능인 감정(F)은 삼차 기능이 된다. ISTP인 경우는 생활유형이 인식(P)이다. 인식형의 주기능은 P의 두 자리 앞에 놓인 기능이 주기능이 되는데 내향형이기 때문에 감각(S)이 주기능이 되지 않고 그 옆자리 지표인 사고(T)가 주기능이 되며, 감정(F)이 열등기능, 감각(S)이 부기능 및 직관(N)이 삼차기능이 된다.

심리기능은 주기능, 부기능, 3차기능, 열등기능 순으로 발달된 기능이지만, 부기능은 주기능에 대해 균형을 맞추는 역할을 하며, 이 기능들은 순차적으로 개발되며 기능을 자신있게 활용하는 정도에 있어서 차이가 있을 뿐이다. 사람들은 인생의 전반기인 성인초기까지는 주기능을 사용한다. 가장 발달이 덜 된 열등기능도 어린 시절 부터 자신의 유형을 잘 인식하고 수용하게 되면 나이가 들면서 열등기능도 잘 쓸 수 있도록 발달하게 된다.

③ MBTI의 심리기능의 활용

MBTI 결과는 자신의 성격적 강점과 약점을 파악하고, 삶의 다양한 영역(일, 학업, 대인관계)에서 자신을 더 잘 활용할 수 있도록 돕는다. 주기능은 개인의 성격과 밀접한 관련이 있으므로, 자신의 행동이나 의사결정 과정을 성찰하며 스스로에게 이렇게 질문해본다. 어떤 방식이

나에게 가장 자연스럽게 느껴지는가? 어려운 상황에서 가장 먼저 사용하는 사고방식이나 태도는 무엇인가? 타인과의 관계에서 자주 드러나는 나의 강점은 무엇인가? 내가 스트레스를 받을 때 어떤 패턴으로 행동하는가, 에너지를 충전하기 위해 무엇이 필요한가를 이해하는 것이다. 또한 타인의 성격 유형을 이해함으로써 갈등을 줄이고, 서로 존중하며 효과적으로 소통할 수 있는 방법을 찾는다. 내향형의 친구에게는 혼자만의 시간이 필요하다는 점을 이해하여, 그들에게 갑자기 과도한 사회적 활동을 요구하지 않는다. 팀워크, 의사소통, 문제 해결 등을 할 때는 외향성인 구성원이 발표나 아이디어 브레인스토밍을 맡고, 내향성(I) 구성원이 세부 사항을 조율하여 구성원의 역할을 최적화한다.

이부영(2012)에 의하면 Jung은 서양문화의 외향적 사고방식이 정신문화의 가치를 발굴하여 내적 가치를 높게 사는 한편, 동양문화의 내향성이 서양의 외향적 문화에 비해 값진 부분이 있음을 강조하고 있다. 또한 현재 동양은 극단적 내향성에 대한 반작용으로 과장된 외향을 지향하고 있어, 오히려 자신에 대한 정체감이 왜곡되어 나타나는 경향이 있다. 이러한 역기능적인 외부 적응은 자신의 자연스러운 성향과 거리가 멀기 때문에 심리적 불균형을 초래하며, 대인관계 갈등 및 건강문제까지 초래될 수 있다. 역기능을 피하기 위해서는 앞에서의 자기성찰과 주기능을 부기능으로 보완하며, 자신의 환경을 성격과 조화롭게 선택하고 비선호적인 기능을 무리하게 사용하지 않도록 해야 한다. 열등기능에 사로잡힌 사람들이 있는데, 이들은 열등기능을 극복하려고 무리하게 극단적인 방식을 사용하여 평소의 자기 모습과 전혀 다른 행동을 보이면서 오히려 과도한 스트레스를 경험하기 때문에 자아상의 혼란을 초래한다. 열등기능인 직관에 사로잡힌 ISTJ는 과도한 걱정을 하거나 비현실적인 최악의 상황을 상상하게 되며, 감각이 열등기능인 ENFP는 과거에 집착하거나 실패한 경험에 몰두하는 어려움을 겪는다.

※『소통저널』 16~17쪽에 나의 MBTI 유형과 심리기능에 대하여 작성합니다.

2 에니어그램(Enneagram)

❶ 에니어그램의 이해

에니어그램의 용어는 그리스어에서 기원한 것으로 9를 의미하는 에니어(Ennea)와 그림이나 점을 의미하는 그라모스(Grammos)를 합한 것이다. 9개의 점은 인간의 성격유형을 표현한 것이다.

에니어그램은 고대 신비주의적 전통 중 중동의 수피(Sufi)교의 영향을 받았고, 우주와 인간 본성을 이해하는 데 숫자와 기하학적 형태가 기초로 간주된 피타고라스와 신플라톤주의 사상에서 유래한다. 러시아의 신비주의자 구르지예프(Gurdjieff)가 1915부터 1,2년간 파리에서 연구 결과를 발표하며 에니어그램을 소개하였다. 이들의 철학은 신비주의이며 상징적 세계관을 공유한다. 숫자, 우주적 조화, 내적 깨달음에 관심을 가지고 있으며, 현대심리학이 이를 통합하여 발전시켰다. 볼리비아의 이차조(Ichazo)가 1960년대에 에니어그램 시스템을 기반으로 9점을 특정 심리적 패턴 및 자아 고착과 연결하여 성격과 성격의 성장 잠재력 이해 시스템을 개발했다. 1970년대에 칠레의 정신과 의사인 클라우디오 나랑호(Claudio Naranjo)가 심리치료에 적용하고 프로이드와 융의 이론과 접목하여 심리학적으로 신뢰성을 갖추게 하였다.

에니어그램의 주요 목적은 자기이해, 다른 사람과의 관계 조화, 심리적이며 영적인 성장을 하는 것이다. 자기이해는 자동적인 행동 패턴, 내면의 동기, 두려움이나 욕구를 이해하여 자신의 성격을 명확하게 들여다보고 이해함으로써 성장과 발전을 이룰 수 있으며, 다른 사람과 다름을 인정하고 공감과 소통을 강화하는 것이다. 특히 자신의 자아(ego)에 기반한 행동 패턴을 초월하여, 높은 의식 상태에 도달하여 인간의 본질적 존재에 연결되도록 영적인 성숙을 추구하며, 각 유형의 성장 경로를 제시한다. 특히 자아 통합과 균형을 유지하여 자신의 기질적 재능과 소질을 개발하고, 조직 구성원의 이해를 통하여 공동체가 성장하도록 한다. 다시 말해 에니어그램을 활용은 다양한 구성원들로 이루어진 조직의 역동을 이해하고 긍정적인 상승효과를 이룰 수 있는 조직 역동을 만드는데 기여할 수 있다.

에니어그램은 9가지 유형의 성격을 통해 세상을 어떻게 보는가, 가치관은 어떠한가, 인간관계는 어떻게 맺는가 등 세상과 상호작용하는 독특한 방식을 보여준다. 지능 센터[3]는 머리(사고), 심장(감정), 장(본능) 유형으로 구분되며, 날개(wing)와 화살표는 유형 간 연결을 통해 성격의 뉘앙스와 성장 경로를 알려준다. 에니어그램은 성장, 변화 및 자신의 유형을 초월할 가능성을 강조한다.

자신의 성격유형을 성찰하고 타인의 성격유형을 이해하는 것은 성공적 의사소통의 큰 자원이다. 최근 학교에서 학생의 진로지도 및 효율적 의사소통을 위한 기본 검사로 많이 활용하고 있고, 기업체에서도 조직간 이해와 효율적 조직관리 및 팀워크에 활용한다.

---

3) 지능센터(center of inltelligjence) : 사람이 정서를 처리하고 반응하는 방식을 나타내는 방식

❷ 에니어그램 상징과 힘의 중심

에니어그램은 3가지 도형의 상징이 있고, 인간존재의 통합과 변형 과정을 나타낸다[그림 2-3].

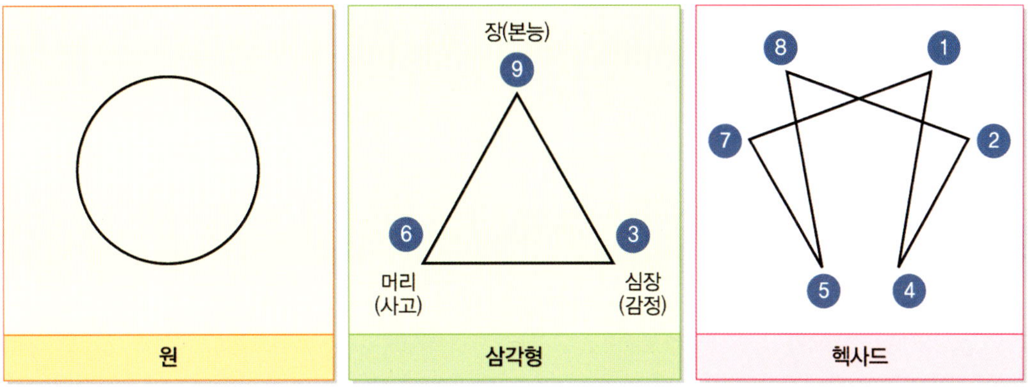

그림 2-3 에니어그램의 상징 요소

참고 : https://www.enneagraminstitute.com/

1) 원(The Circle)

원은 하나의 선으로 이루어진 도형이며, 전체성, 통합, 연결을 상징한다. 9점이 연결된 상태인데, 이는 각 유형이 독립적이면서도 상호 연관되어 있으므로 개인이 성장하기 위해서는 자신의 유형을 넘어서서 통합된 자아로 나아가는 것을 의미한다. 즉 인간은 자기 자신과의 관계에서, 자신과 타인과의 관계에서 그리고 자신과 사물과의 원만한 관계를 바라는 인간 내면의 잠재의식이 원형으로 상징된다.

2) 삼각형(The Triangle)

삼각형은 안정성과 균형을 강조하며, 변형 과정에서 핵심적인 역할을 한다. 3, 6, 9를 연결하는 삼각형은 이상적인 인간상에 다다를 수 있다는 것을 표현하고 있다. 세 점은 개인의 어느 신체 부위를 중심으로 에너지가 순환하는지에 따라 세 가지 주요 에너지 중심(심장, 머리, 장)을 상징한다. 균형 잡힌 성장하기 위해서는 사고(머리), 감정(심장) 그리고 본능(장)의 세 중심을 통합하는 것이 중요하다. 다시 말하여, 인간이 원만하고 이상적인 존재가 되기 위해서는 자신의 삶에서 세 가지 힘이 균형을 이루는 것이 중요하다고 본다.

(1) 장 중심(본능)

장 중심 유형은 9유형을 중심으로 8유형과 1유형이 해당된다. 하복부가 발달된 형으로 뇌 기능에서 본능과 습관을 관장하는 영역이 발달되어 힘이 중요하다고 생각한다. 장 중심의 감정은 분노나 격노이다.

- 9유형(평화주의자)은 평화 유지를 위해 본능을 사용하여 갈등 상황을 감지하여 멀리하며 조화를 추구한다. 따라서 자신의 의견을 표현하는데 소극적일 수 있다. [평화]
- 8유형(도전자)은 분노를 외부로 표출하며 갈등을 두려워하지 않고 직면하여 통제와 권력을 중요시 한다. [힘]
- 1유형(완벽주의자)은 분노를 내면화하여 자기비판이나 완벽주의로 나타난다. 높은 기준을 가지고 자신이 이 기준에 미치지 못할 때 자신을 책망한다. [완벽]

(2) 심장 중심(감정)

심장 중심 유형은 3유형을 중심으로 2유형과 4유형이 해당된다. 심장중심 감정은 수치심이다.

- 3유형(성취주의자)은 강인하고 능숙하여 언제나 목표를 달성하는데, 이는 인정에 대한 깊은 욕구에서 기인되며, 이를 통해 수치심에 대처한다. [성공]
- 2유형(조력가)은 타인의 욕구를 민감하게 감지하고, 도움을 주는 것에서 수치심을 조절한다. 친절하고 배려심이 많으며, 타인과의 관계에서 인정과 사랑을 받으려 하며, 자신의 욕구를 무시한다. 타인에게 지나치게 의존할 수 있고, 도움을 거절하거나 인정받지 못할 때 상처를 받을 수 있다. [사랑]
- 4유형(개인주의자)은 자신의 독특함과 정체성을 강조하며, 깊은 감정과 내면의 경험에 집중한다. 예술적이고 창의적인 성향을 지니며, 낭만적인 환상의 삶을 만들어내며 수치심을 관리한다. [독특함]

(3) 머리 중심(사고)

머리 중심 유형은 6유형을 중심으로 5유형과 7유형이 해당된다. 사고 중심형의 감정은 두려움이다.

- 6유형(충성가)은 안전과 지지를 추구하며, 불확실한 상황에서 불안을 느낄 수 있다. 신뢰

할 수 있는 관계와 구조를 중요시하며, 충성심이 강하고 자신의 가치와 원칙에 헌신적이나, 자신을 안심시키기 위해서 관찰을 사용한다. [안전]

- 5유형(탐구자)은 외부세계와 그에 대처하는 능력에 대해 두려움을 가지고 있다. 지식과 이해를 추구하며, 독립적이고 관찰적인 태도를 보인다. 에너지를 절약하고 사생활을 중시한다. [유능]
- 7유형(열정가)은 내면의 세계에 대한 두려움을 가지고 있다. 이에 대처하기 위해 흥미로운 가능성과 선택지에 마음을 두고 자신의 관심사에 에너지와 시간을 투자하고 싶어 하며, 자극에 즉각적으로 반응한다. 자신의 선택이 제한되거나 어떤 식으로든 구속받는 느낌에 견디기 힘들어한다. [행복]

3) 헥사드(The Hexad)

헥사드는 순서대로 연결한 육각형의 형상으로 나타나고 개방성과 부분적으로 대칭되는 특성을 갖는다. 헥사드는 변화의 방향성과 연속성을 의미하며 인간의 심리적 상태가 어떻게 역동적으로 변화하는지 보여준다. 즉, 9가지 성격유형은 고정된 패턴이 아니고 상호작용하여 의식 흐름이 음양 변화와 조화 그리고 분열과 통합됨을 의미한다.

❸ 에니어그램의 성격유형

1) 성격유형과 의사소통 성향

에니어그램은 개인의 성향과 행동패턴을 이해하는 도구로 모든 유형은 고유한 대화 스타일을 가지고 있다. 자신이 당연하게 생각하는 것과 타인이 인식하는 성격이나 대화스타일이 다르기 때문에 상대방과 이야기를 할 때 자신과 타인의 대화스타일을 이해하면 좀 더 효과적인 의사소통을 할 수 있다. 성격 유형에 따른 힘의 중심, 대화의 주제, 대화 방식 또는 좋아하는 것과 싫어하는 것을 인식하면 인간관계에 많은 도움이 될 것이다.

2) 성격유형과 날개(Wing) 방향

에니어그램에서 '날개'는 각 성격 유형의 양옆에 위치한 번호에 속하는 유형이다.

각 유형은 두 개의 날개를 가지며, 이 날개를 통해 성격의 복잡성과 다양성을 더 깊이 이해할 수 있다. 날개는 원형적인 분석을 통한 고대의 자기인식 수련법과 연관되어 있는데, 자신의

표 2-3 에니어그램 성격유형별 의사소통 성향

유형	대화 스타일	좋아하는 것	싫어하는 것	힘의 중심
2유형 (조력가)	칭찬, 개인적 질문, 붙임성 있는 태도	친밀한 관계, 인맥, 자선, 타인에 도움을 줌(사랑)	과학적 증거, 이론, 통계, 경제 동향	심장
3유형 (성취주의자)	대화 주도형, 자신의 평판 중시, 성과와 성취에 대한 대화	효율성, 성취감, 출세, 승리, 경쟁, 성공을 중시함(성공)	감정의 동요, 타인과 보조 맞추기	
4유형 (개인주의자)	의미 깊은 침묵, 내면 탐구와 그 경험을 공유하는 대화	창의력, 자기표현, 고상한 취향, 감동(독특함)	관례, 평범한 삶, 반복적인 일	
5유형 (탐구자)	지식과 정보 중시. 감정이 아닌 분석적이고 생각에 대한 대화	지성, 과학적 방법, 지적 경쟁, 정보와 대가(유능)	무의식적 충동, 감정에 빠짐, 사회적 기대	머리
6유형 (충성가)	상황분석의 말로 대화 시작 자신감과 주저함이 나타남	명분, 권위, 체계, 분석, 위험 예감(안전)	이유 없는 복종, 톡톡 튀는 것, 일탈, 속임수, 허세	
7유형 (열정가)	말이 빠르고 즉흥적임. 명랑, 매혹적임. 부정적 대화 피함	모험, 흥미를 끄는 것, 여행과 이벤트(행복)	의무, 관례, 신중함, 지속성	
8유형 (도전자)	대담, 고압적 자세, 통제적 발언. 노골적인 분노 표현	자기의 영향력, 정의로움, 대결과 의리(힘)	권모술수, 결단력 부족, 잘난 척, 연약한 모습	배
9유형 (평화주의자)	공평한 경청, 동의를 구함. 자신의 의견을 명확히 표현하지 않음	평화로움, 공정함, 이타심, 화합(평화)	경쟁, 권위, 갈등 상황, 최종 마감일	
1유형 (완벽주의자)	명료한 언어사용과 직설적 표현. 교정하기 좋아함. ~해야 한다.	완벽한 일처리, 도덕성, 의무, 절대가치, 조화와 대칭(완벽)	즉흥성, 근거 없는 결정, 무책임한 행동	

참고 : 이은하(2014). 성인용 성격검사를 활용한 성인인성 패턴에 관한 연구. 에니어그램 심리역동연구. 1(1).

주된 성격 유형과 날개를 이해하면, 개인의 행동, 가치관, 신념은 물론 주변 사람들에 대한 통찰력도 얻을 수 있다. 이러한 자기인식을 통해 장단점을 파악하여 삶에 긍정적인 변화를 만들고 타인과 더 나은 관계를 구축하는 데 도움이 된다.

에니어그램에서 날개는 사람이 성장하는 가운데 자신의 유형이 가진 단점을 보완하는 과정에서 형성된 성격의 일부로 볼 수 있는데, 삶에 긍정적인 변화를 만들고 타인과 더 나은 관계를 구축하는 데 도움이 된다. 날개는 환경이나 필요에 따라 두 날개의 특성을 모두 발휘할 수 있다. 예를 들어, 1번 유형의 경우 9번과 2번 유형이 날개가 되며, 그 중 좀 더 특성을 보이는 유형이 있기는 하나, 개인은 상황에 따라 이 두 날개의 특성을 모두 활용할 수 있다.

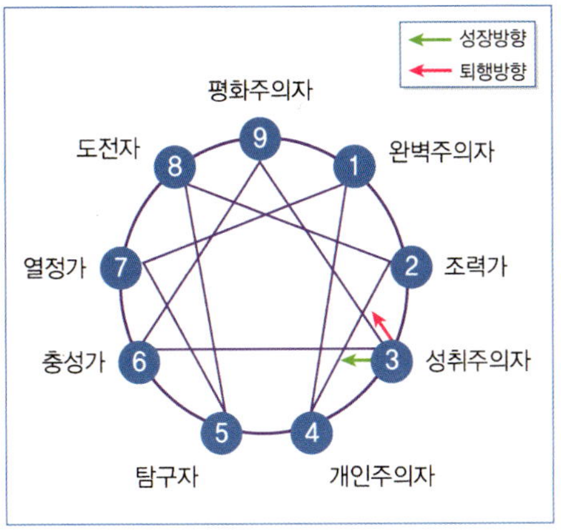

그림 2-4 성격유형

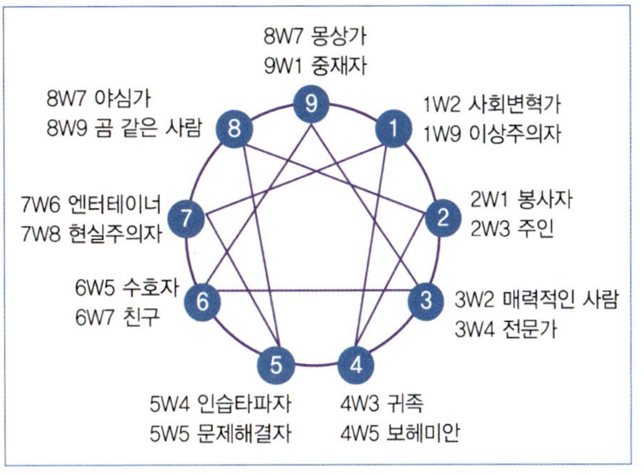

그림 2-5 성격유형별 날개

참고 : https://www.enneagraminstitute.com/how-the-enneagram-system-works/#h-your-basic-enneagram-personality-type
https://www.keca9.com:44306/web/?top=enneagram&sub=use

3) 성격유형의 역동성과 유형별 성장(통합) 및 퇴행 방향

(1) 3 → 6 → 9 → 3의 삼각형 순환

삼각형 순환은 세 가지 중심(감정, 사고, 본능) 간의 상호작용을 나타내며, 이는 안정성과 균형을 이루는 과정과 관련이 있다. 이 순환은 각 중심에서의 성격적 역동성[4]과 성장 방향을 보이는 내면의 균형과 조화를 추구하는 과정을 나타낸다. 3 → 6 → 9 → 3은 성장 또는 통합(integration) 방향이며, 반대로 3 → 9 → 6 → 3은 퇴행(disintegration) 방향이다.

① 3 → 6 (성취주의자 → 충성가)

3유형 성취주의자는 자기 이미지와 성취를 중시하며, 외부의 인정과 성공을 통해 가치를 확인하려 한다. 내면의 불안정을 느끼면, 의심이나 안전 추구의 사고 과정으로 이동하여 자신이 단순히 성취나 외형적 성공만으로 평가되지 않음을 깨닫고, 6유형 충성가처럼 내적 안전과 정체성을 찾으려 노력하면 성장방향으로 가는 것이다. 성과에 대한 집착이 심해지면, 9유형 평화주의의 방향으로 가서 무기력에 빠지는 것은 퇴행으로 가는 것이다.

3유형에게 도움이 되는 것은 일이나 직업적인 면에서 뿐 아니라 개인적인 삶을 위해서도 좋은 일을 찾도록 하며 일중독이나 경쟁의식에 빠지지 않도록 한다, 또한 인간관계에서 목적이 아닌 깊은 인간관계를 맺도록 한다.

---

4) 역동성 : 각 유형은 다음 유형으로 이동하면서 자신의 약점을 보완하고 새로운 강점을 발달시킨다.

② 6 → 9 (충성가 → 평화주의자)

6유형 충성가는 안전과 확신을 추구하며, 불확실함에 대한 두려움을 해결하려는 사고 중심의 활동을 보인다. 이 과정에서 혼란을 느끼거나 과부하가 걸리면, 두려움을 수용하고 9유형 평화주의자처럼 조화와 균형을 통해 내적 평화를 이루려 하면 성장 방향으로 가는 것이다.

스트레스 상황에서 3유형 성취주의자의 경쟁심과 성과중심의 행동을 하며 외부의 기대에 맞추려하며 실패에 대한 두려움이 증가하는 것은 퇴행하는 것이다.

6유형에게 도움이 되는 것은 신체활동을 통해 불안과 스트레스를 환기하도록 하며 두려움, 미래에 대한 불안감, 이로 인한 일에 대한 결과가 좋지 않을까 걱정하지 않도록 긍정적인 생각을 하도록 격려한다.

③ 9 → 3 (평화주의자 → 성취주의자)

9유형 평화주의자는 갈등을 피하고 조화로운 상태를 유지하려는 본능적 성향이 강하지만, 지나치게 무관심하거나 자신을 잃어버릴 때, 자신의 내적 에너지를 깨우고, 3유형 성취주의자처럼 삶의 목적과 의욕을 되찾으며 의미 있는 목표를 향해 나아가면 성장 방향으로 가는 것이다.

6유형 충성가 방향으로 이동하여 갈등을 피하려하며 결정을 회피하고 우유부단함을 보이고 과도한 걱정과 불안을 갖는 것은 퇴행하는 것이다.

9유형에게 도움이 되는 것은 불만이 있으면 표현하고 거절할 줄도 알게 하며, 자신의 욕구도 표현하고, 화내는 사람 앞에서 다른 사람을 두둔하지 않도록 한다.

(2) 헥사드 순환

헥사드 순환은 특정 유형의 성격이 스트레스나 성장 상황에서 어떻게 움직이고 변화하여 통합하는지를 설명한다. 헥사드는 특정 유형이 자신을 넘어 새로운 특성을 통합[5]함으로써 더 성숙하고 균형 잡힌 사람이 되는 과정을 나타낸다. 각점은 변화의 흐름 속에서 성격의 특정 면을 극복하고 통합하는 내면의 변화와 순환과정으로 연결된다. 성장 또는 통합방향은 1－7－5－8－2－4－1이며, 퇴행방향은 1－4－2－8－5－7－1이다.

① 1 → 7 (완벽주의자 → 열정가)

1유형 완벽주의자는 완벽성이 있어 책임감이 강하여 주어진 일을 열심히 하지만 타인에게

5) 통합 : 헥사드의 순환은 자신이 속한 유형에 고정되지 않고, 삶의 다양한 측면을 경험하며 통합적 성장을 추구하도록 안내한다.

배려가 약할 수 있다. 정직하고 확실하게 일하나, 스트레스를 받을 때, 7유형 열정가의 유연함과 즐거움을 수용하면 성장 방향으로 가는 것이다.

퇴행방향인 4유형 개인주의자 방향으로 가면, 과도한 자기비판에서 벗어나지 못하고 감정 기복과 우울함을 경험할 수 있다.

1유형에게 도움 되는 것으로는 사람은 항상 완벽하지 않아도 됨을 인식시키고, 자신의 감정을 표현하고 건강한 논쟁도 필요하다는 점, 그리고 자신의 휴식, 취미생활이나 여행을 하여 주위를 환기하도록 한다. 혹시 실수를 하더라도 평가나 비난보다는 감정을 공감해준다.

② 2 → 4 (조력자 → 개인주의자)

2유형 조력자는 사랑 욕구가 강하고 타인에게 도움이 되려는 성격으로 주변을 배려하고 봉사를 잘 한다. 스트레스를 받을 때, 4유형 개인주의자의 자기 인식과 감정 표현을 시도하면 성장방향으로 가는 것이다.

퇴행 방향인 8유형 도전자 방향으로 가면, 통제 욕구로 인해 타인을 지나치게 통제하려는 경향이 나타날 수 있다.

2유형에게 도움 되는 것으로는 자신도 도움이 필요할 때 도움을 요청하도록 하고 타인이 듣고 싶은 말보다는 자신의 느낌을 이야기 할 수 있는 용기를 갖도록 한다.

③ 4 → 1 (개인주의자 → 완벽주의자)

4유형 개인주의자는 개성이 강하고 자기 표현을 잘하며 자기만족을 추구하기 위해 에너지를 많이 소비한다. 스트레스를 받을 때, 1유형의 객관성과 자기 규율을 수용하여 내면의 균형을 찾게 되면 성장방향으로 가는 것이다.

퇴행 방향인 2유형 조력가 방향으로 가면, 인정 욕구에 집착하여 타인의 관심을 지나치게 갈망할 수 있다.

4유형에게 도움 되는 것으로는 자신을 이해해주면서도 직언을 해줄 수 있는 멘토나 친구를 갖도록 한다. 방종이나 자기 연민에 빠지지 않고도 즐거움을 찾을 수 있도록 격려하고 창의적인 일을 통해 역량을 발휘하도록 한다.

④ 5 → 8 (탐구자 → 도전자)

5유형 탐구자는 자신의 생각을 객관적으로 정리하며 주관적인 통찰력이 있어 방안을 제시한다. 스트레스를 받을 때, 8유형의 도전자로 가면, 자신감과 결단력을 갖추어 외부 세계에 참여하여 적극적으로 상호작용하는 것은 성장 방향으로 가는 것이다.

퇴행방향인 7유형 열정가 방향으로 가면 충동성과 산만함으로 인해 집중력을 잃고 불안정해질 수 있다.

5유형에게 도움 되는 것으로는 다른 사람들과 함께 독서나 관람을 하며 공유하는 기회를 갖도록 하며, 때로 혼자 시간을 보내는 시간을 가질 수 있도록 한다. 다른 사람의 의견을 경청하며 공동체 활동을 할 수 있도록 한다.

⑤ 7 → 5 (열정가 → 탐구자)

7유형 열정가는 즐거움과 행복을 추구하며, 다른 사람도 즐겁게 해주려고 계획을 세운다. 스트레스를 받을 때, 5유형 탐구자의 집중력과 깊이를 통해 내면의 안정감을 갖게 되면 성장방향으로 가는 것이다.

퇴행방향인 1유형 완벽주의자 방향으로 가면, 비판성으로 인해 자기 자신과 타인에 대해 지나치게 엄격해질 수 있다.

7유형에게 도움 되는 것으로는 충동적인 약속이나 행동을 하지 않도록 하며, 자신의 진정한 감정을 성찰하고 직면하도록 한다. 가치 있는 목표를 세우고 실천하도록 격려한다.

⑥ 8 → 2 (도전자 → 조력가)

8유형 도전자는 자기주장을 잘하며 적극적, 주도적인 태도로 활동하며 책임을 다 하려고 하나, 단독적이고 거친 말투는 사람들과 맞서는 일이 많다. 스트레스를 받을 때, 2유형 조력가의 공감과 배려를 통해서 타인과의 관계를 유연하게 형성하면 성장방향으로 가는 것이다.

퇴행방향인 탐구자 5유형 방향으로 가면, 고립과 감정 억제로 인해 타인과의 단절을 경험할 수 있다.

8유형에게 도움 되는 것으로는 다른 사람의 말에 경청하며 부드럽게 대하며 정면으로 맞서지 않도록 한다. 자신의 문제나 단점을 편안하게 보여주도록 한다.

※『소통저널』 18~20쪽에 자신의 에니어그램 성격유형을 확인하고 작성합니다.

R/E/F/E/R/E/N/C/E

- 김교헌, 한덕웅(1996). 자기 노출의 목표, 자발성 및 분노억제경향이 생리적 각성, 정화 및 평가에 미치는 효과. 한국심리학회지 : 건강, 1(1). 66-88.
- 김수진, 김광순, 강명옥, 권영란 외(2018). 정신건강간호학. 서울 : 현문사.
- 김정택, 심혜숙(2015). 16가지 성격유형의 특성. 서울 : 어세스타
- 도복늠, 강미경, 안황란, 김명자 외(2016). 인간관계와 커뮤니케이션. 서울 : 정담미디어.
- 신완수, 변창진(1980). 자기노출훈련프로그램. 경북대학교 학생지도연구, 13(1). 17-50.
- 양경희, 강서영, 김명희, 김윤주, 김은자 외(2019). 건강한 인간관계를 위한 의사소통 기술. 한국간호연구학회, 서울 : 퍼시픽북스.
- 양경희, 강서영, 김정호, 김한나, 박선정 외(2022). 건강한 인간관계를 위한 의사소통 기술 3판. 한국간호연구학회, 서울 : 퍼시픽북스.
- 이경순, 이미경, 김경희(2006). 인간관계와 의사소통. 서울 : 현문사.
- 이광자, 고성희, 이숙, 김경희, 민소영, 최윤정, 이경희 외(2018). 인간관계와 의사소통의 실제. 서울 : 신광출판사.
- 이부영(2012) 분석심리학 제3판. 서울 : 일조각.
- 이은하(2014). 성인용 성격검사를 활용한 성인인성 패턴에 관한 연구. 에니어그램 심리역동연구, 1(1).
- 임숙빈, 김덕희, 배정이, 김현숙, 손행미, 박광희, 박영숙(2014). 간호실무 의사소통. 엘스비어코리아.
- 임희수(2016). 모듈5 Berne의 교류분석. 치료적 의사소통과 간호상남. 대한간호협회 온라인 RN 보수교육.
- 전북지역 간호대학교수협의회 2002년 하계학술자료. 에니어그램(Enneagram).
- Miller, N. E.(1980). A Perspective on the effects of stress and coping on disease-health. In S. Levine and H. Ursin(Eds.), *Coping and health*. New York : Plenum Press.
- Mischel W.(1999). Introduction to Personality, Harcourt Brace College Publish. 손정락 역(2005), 성격심리학 4판. 서울 : 시그마프레스.
- Myers Briggs Type Indicator 전문자격교육 초급과정 교재. 한국 MBTI 연구소(www.mbti.co.kr)
- Myers, I.B. Kirby, L.K, & McCaulley, Myers, k.d(1998). Introduction to type® (6th). Palo Alto. CA : CPP. Inc.
- Pennebaker, J. W.(1989). *Confession, inhibition, and disease*. New York : Academic Press.

R/E/F/E/R/E/N/C/E

- Pennebaker, J. W., & Beall, S. K.(1986). Confronting a traumatic event : Toward and understanding of inhibition and disease. *Journal of Abnormal Psychology*, 95(3). 274-281.
- Pervin, L. A.(1997) The Science of Personality. New York: wiley.
- Reis, H. T., & Shaver, P.(1988). Intimacy as an interpersonal process. In S. Duck(Ed.), *Handbook of Personal Relationships*(pp.367-389). Chichester, England : Wiley.
- http://apps.cfli.wisc.edu/johari/support/JohariExplainChapman2003.pdf
- http://s-f-walker.org.uk/pubsebooks/pdfs/Carl_Rogers_On_Becoming_a_Person.pdf
- http://talkingta.com.au/wp-content/uploads/2013/11/Chart-03.jpg
- https://www.enneagraminstitute.com/
- https://www.keca9.com:44306/web/?top=enneagram&sub=use

03 장

인간관계 이해

인간관계란 가족, 친구, 동료, 연인, 사회 집단 등 다양한 관계 등에서 자신이 다른 사람들과 관계를 형성하고 유지하는 정서, 사회, 행동적으로 연결된 복잡한 과정이다. 긍정적인 인간관계는 정서적 지지와 위안을 제공하며 스트레스를 줄이고, 사회적 존재로서 타인과의 관계를 통해 소속감을 느끼게 하며, 상호 피드백을 통해 자신을 이해하고 개선할 기회를 제공하여 인간을 성장하게 한다. 이러한 인간관계는 행복감과 신체적 건강에 직접적인 영향을 미친다.

인간관계에 있어 명확한 의사소통은 갈등과 오해를 줄이고 신뢰를 증진시킨다. 적절한 의사소통은 자신의 감정을 표현하고 타인의 감정을 이해하는 데 도움을 주어 계속적으로 좋은 인간관계를 유지하거나 상호 욕구도 충족시키며 상호 성장해 나갈 수 있어 매우 중요하다.

그러나 아무리 좋은 생각을 가지고 있어도 자신과 타인에 대한 이해가 부족하거나 소통방식을 이해하지 못하여 상호작용을 잘 하지 못한다면 좋은 생각과 의도가 올바로 전달되지 않거나 왜곡되어 전달된다. 따라서 타인과의 관계에서 자신이 사람을 대하는 스타일이나 자신의 의사소통 패턴에 대해서 이해하고 건강하게 적용할 수 있어야 한다.

이 장에서는 타인과의 원만한 관계 형성을 위해 자기개방, 에릭 번(Eric Berne)의 인생각본을 통해 생활자세와 교류분석을 다루어 대인관계에서 소통에 필요한 기본적인 이해와 행동양식을 점검해볼 수 있도록 한다.

학·습·목·표

1. 인간관계의 중요성을 설명한다.
2. 자기개방의 의미와 방법을 설명한다.
3. '조하리창'의 자기개방 유형과 특징을 설명한다.
4. 에릭 번의 교류분석 모형에서 제시한 자아상태의 특성을 설명한다.
5. 다양한 상황에서의 교류패턴을 분석한다.

주·요·용·어

- 인간관계
- 조하리창
- 생활자세
- 자기개방
- 인생각본
- 교류분석

03 인간관계 이해

1 인간관계 유형

인간관계 유형은 심리학적 관점이나 사회적 상호작용 면에서 관계의 특성과 방식이 달라진다. 각 관계의 유형은 사람마다 다르며, 상황이나 환경에 따라 다르게 발전하거나 변화할 수 있다. 이러한 관계들을 이해하면, 자기개방이나 교류분석을 통해 인간관계를 더욱 건강하고 효과적으로 개선할 수 있다. 인간관계 유형은 관계의 특성에 따른 유형과 깊이에 따른 유형 등으로 구분할 수 있다.

❶ 관계의 특성

1) 친밀한 관계(Intimate Relationships)

상호 신뢰와 애정이 바탕이 되는 관계이다. 가족, 연인, 친한 친구들 사이에서 나타나며, 깊은 감정적 결속이 존재하며, 서로의 감정과 욕구를 잘 이해한다.

2) 친구 관계(Friendship)

서로의 기쁨과 슬픔을 나누며, 감정적 지원을 제공하는 관계이다. 친밀한 관계보다는 깊지 않아도 신뢰와 존중이 바탕된다.

3) 직장 내 관계(Workplace Relationships)

직장 내에서 발생하는 상호작용으로, 주로 업무 중심의 관계이다. 상사와 부하, 동료 간의 협력관계이며, 직장 내에서 목표와 역할 분담이 중요하지만, 인간적인 연결도 이루어질 수 있다.

4) 사회적 관계(Social Relationships)

동호회나 모임에서 이루어지는 관계로, 가족이나 친구보다는 더 넓고 덜 깊다. 다양한 사람들과 표면적이고 예의 바른 상호작용이 중심이 되는 관계이다.

5) 권위적 관계(Authority Relationships)

권위나 힘이 중요한 관계로, 상명하복식의 구조가 있다. 부모-자녀, 교사-학생, 또는 상사-부하 관계 등이다. 인격적으로는 존중하지만, 업무나 역할의 차이를 구분하는 관계이다.

6) 상호 의존적 관계(Interdependent Relationships)

부부나 장기적인 파트너십을 가진 관계는 서로 의존하면서, 각자의 삶에서 중요한 역할을 하는 관계는 균형이 중요하며, 서로의 독립성과 자율성을 존중하면서도 협력해야 한다.

7) 갈등 관계(Conflictual Relationships)

부부나 동료 간에 상호 존중과 이해가 필요한데, 이것이 부족하여 갈등과 불화가 중심이 되는 관계이다.

❷ 인간관계의 상호작용 수준에 따른 분류

1) 스침의 관계(Passing Relationships, Superficial Interactions)

일시적이고 표면적인 관계로, 자신의 생각이나 느낌을 드러내지 않아 감정적인 교류가 거의 없는 관계이다. 따라서 서로의 삶에 큰 영향을 미치지 않으며, 관계가 단순한 인사나 정보 교환 같은 형태로 존재한다. 이러한 관계는 칭찬이나 인사를 받기 위한 의도가 있어 가식적인 관계가 유지된다. 우연히 길에서 만난 사람, 상점에서의 짧은 대화, 엘리베이터에서 마주친 이웃 등과의 관계에서 보이는 상호작용의 수준이다.

2) 만남의 관계(Meaningful Relationships, Deep Connection)

감정적이고 심리적으로 깊은 관계로, 상호 이해와 신뢰를 바탕으로 형성된다. 시간이 지나면서 관계가 지속되고, 상호작용이 점점 더 깊어지며, 개인의 삶에 중요한 영향을 미치게 된다. 즉, 가족, 친한 친구, 연인 등, 서로의 가치관과 감정을 공유하고, 서로를 이해하는 관계이다. 그런데 가족이나 친구 또는 동료와의 관계에서 심리적 교류가 없다면 이는 스침의 관계이며, 진정한 만남의 교류가 없어서 함께 있어도 일반인보다도 거리감을 느낄 것이다.

3 조력적 인간관계(Helping relationship)

1) 조력적 인간관계란?

조력적 의사소통은 조력적 인간관계를 형성하는데 필수적인 요소이다. 조력적 인간관계란 대상자자 안전하다고 느끼면 신뢰를 형성하고 자기 성찰을 하도록 환경을 조성하는 것을 의미한다. 로저스(C Roger)는 사람중심접근(Person-Centered Approach)이 단순한 치료 뿐 아니라 교육, 조언, 상담, 돌봄 등 다양한 인간관계에서 적용될 수 있어 치료적 인간관계와 조력적 인간관계를 아울러 사용하고 있다.

조력자는 대상자의 감정과 경험을 공감하며 자아실현, 상호작용성을 잘 이해하여야 한다. 대상자가 솔직한 표현을 함으로써 조력자는 더 깊은 이해와 공감을 할 수 있어 적절히 지지를 제공할 수 있다. 만약 임상에서 대상자와의 관계가 서로 한 팀이 되어 문제를 잘 해결하는 동반자 관계가 되면 치료적 동맹(therapeutic alliance)[1)]이 되었다고 말할 수 있다. Roger는 조력자의 진정성(genuineness)과 자기성찰(self-awareness) 및 치료적 동맹의 중요성을 강조하며 다음과 같은 조력자의 자질을 제시하였다.

2) 조력자의 자질

(1) 공감(Empathy)

대상자가 자신의 감정을 안전하게 표현할 수 있도록 돕는 능력으로, 신뢰관계를 형성하게 한다.

(2) 무조건적 긍정적 존중(Unconditional Positive Regard)

대상자를 판단하지 않고, 있는 그대로 수용하고 존중하는 능력으로, 자신을 솔직하게 탐구할 수 있는 환경을 제공한다.

1) 치료적 동맹(Therapeutic alliance) : 상담자와 내담자(환자) 사이에 신뢰하고 협력하는 관계. 서로 한 팀이 되어 문제를 해결하는 동반자 관계가 되면 치료나 상담이 효과적으로 이루어진다.

(3) 진정성(Congruence or Genuineness)

조력자 자신의 감정이 행동과 일치하며, 진솔하고 투명한 태도를 유지하는 능력으로, 대상자와의 관계에서 신뢰와 안정감을 제공한다.

(4) 적극적 경청(Active Listening)

대상자의 말뿐만 아니라 비언어적 신호까지 주의 깊게 듣고 반응하는 능력으로, 대상자가 자신의 이야기를 진지하게 받아들여진다고 느끼게 한다.

(5) 감정 조율(Emotional Attunement)

대상자의 감정에 민감하게 반응하고, 적절히 반영하는 능력으로 대상자가 자신의 감정을 더 명확히 이해하도록 돕는다.

(6) 비지시적 태도(Non-Directive Stance)

대상자가 스스로 대화를 주도하고 문제를 해결하도록 격려하는 태도로 대상자의 자율성과 책임감을 강화한다.

(7) 유연성(Flexibility)

대상자의 다양한 요구와 상황에 따라 접근 방식을 조정할 수 있는 능력으로, 개별 대상자에게 맞춤형 지지를 제공한다.

(8) 수용적 태도(Acceptance)

대상자의 감정, 경험, 및 사고방식을 있는 그대로 받아들이는 태도로, 대상자가 안전하게 자신을 탐구할 수 있도록 한다.

(9) 성장 가능성에 대한 신뢰(Belief in Growth Potential)

대상자가 스스로 문제를 해결하고 성장할 수 있는 잠재력을 가지고 있음을 믿어주어 대상자가 자신을 신뢰하며 긍정적인 변화를 추구하게 한다.

(10) 자기성찰 능력(Self-Awareness)

조력자가 자신의 감정, 행동, 편견 등을 인식하고 이를 통제할 수 있는 능력으로, 대상자와의 관계에서 자신의 감정과 태도가 영향을 미치지 않도록 한다.

2 자기개방(Self-Disclosure)과 조하리창(Johari Window)

1 자기개방

1) 자기개방의 의미

저라드(Sidney Jourard, 1964)는 자신의 내면세계를 타인에게 드러내는 과정이 자기개방이라고 정의하고, 학문적으로 체계화하였으며, 심리적 건강과 대인관계 질 향상에 중요한 개념으로 보았다. 즉, 자기개방을 통해 개인이 자신의 정체성을 더 잘 이해하고, 타인과도 더 깊은 관계를 형성할 수 있다고 보았다. 자기개방은 자신에 대한 감정과 태도, 경험 등에 대해 긍정적 또는 부정적인 것, 그리고 자신의 과거, 현재, 미래에 대한 생각이나 경험을 솔직하고 명확하게 드러내는 것이다.

자기개방은 정서를 적절하게 표현함으로써 긴장을 해소하고 불안을 완화하여 스트레스를 줄일 수 있다. 또한 마주친 문제에 대한 의견을 분명하게 전달하고 인식하여 자기개념이 명확해지기도 한다. 자기개방은 자기성장을 도우며 사회에 대해 긍정적인 태도를 갖게 하여 대인관계에서 신뢰와 친밀감을 형성하게 하여 인관관계를 원만하게 한다.

자기개방은 의도성이 있는 자신에 대한 정보의 공유이다. 상대방에 대한 신뢰가 부족한 경우에는 상대방이 받아들일 수 있을까 하는 불안감도 있다. 너무 빠른 시기에 자기개방을 하는 것은 상대방이 부담을 가질 수도 있고, 거부감이나 비판 등을 수반할 수 있는 심리적 위험이 있으므로 서두르지 말고 자신의 생각, 감정 등을 점검하여 상호 비슷한 속도나 수준으로 개방하는 것이 적절하다.

2) 자기개방의 표현

자기개방의 상황에 따라 다양한 사례로 표현된다.

(1) 감정에 관한 자기개방

- "요즘 일이 많아서 스트레스를 많이 받아. 그래서 좀 힘들어."
- "오늘 네가 내 이야기를 들어줘서 정말 고마워. 덕분에 위로가 됐어."

이렇게 자신의 감정 상태를 솔직하게 드러내는 표현은 관계에서 신뢰를 쌓는 중요한 요소가 된다. 그러나 부정적인 감정을 드러내는 것은 상대방과의 관계가 안정적인 경우에라야 긍정적인 효과를 갖는다.

(2) 경험에 관한 자기개방

- "사실 나도 처음 이 일을 시작했을 때 너처럼 실수를 많이 했었단다. 그런데 성장의 과정이더라."
- "예전에 여행 갔을 때 길을 잃어버렸는데, 간식을 먹고 편안한 마음이 되서야 방법이 생각났었어."

개인적인 경험을 공유하면 상대방이 삶과 가치관을 잘 이해하게 되어, 공감대가 형성될 수 있다.

(3) 가치관 및 신념에 관한 자기개방

- "나는 어려움이 있더라도 정직하게 마음 편히 사는 게 가장 중요하다고 생각해."
- "환경문제에 관심이 많아서, 요즘은 일회용품 사용을 줄이려고 노력하고 있어."

가치관이나 신념의 개방이 관계를 더 깊게 만들 수 있지만, 다른 생각을 하고 있는 경우 갈등의 가능성이 있기 때문에 상황과 상대방을 고려하여 표현해야 한다.

(4) 과거의 실수나 약점에 관한 자기개방

- "솔직히 말하면, 그때 내가 실수했어. 네가 실망했을 것 같아 미안해."
- "어렸을 때 나는 사람들 앞에서 말하는 것이 두려워했어. 모두 나만 쳐다보는 것 같아서."

자신의 약점을 개방적으로 드러내는 것은 신뢰를 형성하고, 상대방에게 친근함을 느끼게 하는 효과가 있으나 신뢰를 안심할 수 없는 경우에는 신중할 필요가 있다.

(5) 미래 계획에 관한 자기개방

- "앞으로 나도 내 감정이나 내 생각을 표현해보려고 해. 지금까지는 불편해지는 것이 두려워 내 감정을 드러내지 못했어."
- "나는 5년 안에 이 분야의 전문가가 되는 게 목표야."

나의 계획을 공유하면 상대방은 나의 동기와 비전을 이해하여, 협력이나 지지를 받을 수 있다.

상대방이 감정적으로 준비되어 있고, 신뢰가 형성된 상태에서 자기개방을 하면 긍정적인 반응을 얻을 가능성이 높다. 말할 때의 톤이 어둡거나 무겁게 말하면 부담을 줄 수 있으므로 톤을 적절히 유지한다. 상대방의 과거 실수를 말하거나 비난조로 들릴 수 있는 표현은 삼간다.

자기개방의 효과를 위해서는 전달하고자 하는 바를 정확하고 구체적으로 말한다(이광자 외, 2014). 자신의 말로 표현하고, 감정을 직접적으로 말하고, 생각을 말할 때는 내가 믿고 있는 바와 기대하는 것에 대해 말한다. 자신의 행동을 말할 때도 그 이유와 의미를 설명해야 한다.

2 조하리창(Johari Window)

1) 자기개방의 측정

심리학자인 조셉 루프트(Joseph Luft)와 해리 잉햄(Harry Ingham)이 자기개방을 체계적으로 설명한 것이 조하리창이다. 두 사람의 이름 첫 글자를 따서 '조하리(Johari)'라 이름 짓고 '마음의 문을 연다.'는 의미로 창(window)이라는 용어와 합성하여 '조하리창'으로 부른다.

조하리창은 자기 인식과 대인관계에서 자기개방 과정을 시각적으로 표현한 도구이다. 개인이 스스로를 어떻게 개방하고, 타인이 자신을 어떻게 보는지를 네 가지 영역(열린 영역, 숨겨진 영역, 맹목적 영역, 미지의 영역)으로 나누어 설명한다**[그림 3-1]**. 조하리창은 대인관계에서 자신을 개방하는 정도와 상대방의 피드백을 받는 정도를 감안하여 자신을 이해하도록 한다.

2) 조하리창의 영역의 의미

4개의 영역은 각각 자신이나 다른 사람이 본인에 대해 어느 정도 '알고 있는가' 혹은 '모르는가'에 따라 정의된다. 창의 크기는 상호 신뢰 수준과 피드백, 자기 자신을 타인에게 개방하는 정도에 따라 결정되는데, 열린 영역(open area)이 가장 넓으면 개방형이며, 열린 영역이 넓을수록 타인과의 갈등이나 마찰을 일으킬 가능성이 적다. 나머지 세 개의 영역 중 어느 한 영역이 특별히 더 큰 경우(자기주장형, 신중형, 고립형)으로 명명되며, 타인과 갈등이 일어날 가능성이 높다**[그림 3-1][그림 3-2]**.

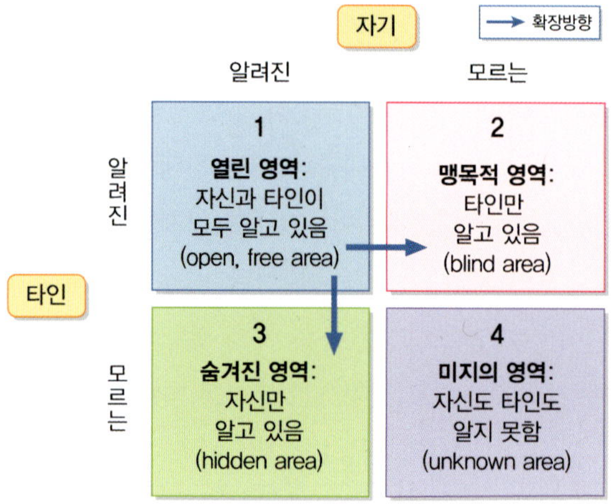

그림 3-1 조하리창(Johari Window)

참고 : Johari window(2003). A model for self-awareness, personal development, group development and understanding Relationship. Adapted from www.businessballs.com, © Copyright alanchapman 2003.
양경희 외(2022). 건강한 인간관계를 위한 의사소통 기술. 퍼시픽북스. p.56.

무조건 열린 영역이 무한대로 넓을 필요는 없으며, 모든 상황에서 모든 것을 공개할 필요는 없다. 직장에서 자신의 감정이나 사적인 문제를 지나치게 드러내면 전문성이 떨어지게 보일 수 있고, 사회적 관계에서 지나치게 많은 정보를 공유하면 타인에게 부담을 줄 수 있다. 자신의 사생활과 비밀을 적절하게 관리하는 것도 건강한 삶과 정체성 유지에 필요하다.

따라서 열린 영역의 크기는 관계의 깊이와 성격에 따라 적절히 유지되어야 한다. 가까운 관계에서는 열린 영역이 넓은 것이 좋으며, 일상적 관계나 업무적 관계에서는 약간 절제된 적절한 자기개방 좋다. 친구와는 사적인 감정을 공유하지만, 직장 동료에게는 업무에 관련된 내용만 공유하며, 자신이나 상대방이 불편해하거나 상대가 부정적인 반응을 보인다면 자기개방을 조정할 필요가 있다. 열린 영역을 넓히는 것은 대인관계에서의 신뢰와 소통을 증진시키는 데 중요하지만, 상황, 관계, 개인의 프라이버시를 고려하여 신뢰와 피드백을 기반으로 서서히 개방하여 균형을 유지하도록 한다.

(1) 열린 영역(Open area)

자신도 알고 타인도 알고 있는 부분이다. 자신에 대해서는 솔직하게 개방하고 타인의 피드백에는 방어적이지 않는 것이다. 이 영역이 가장 넓으면 **개방형**이다. 개방형은 소통이 원활하고 신뢰로 인해 원만한 대인관계를 형성할 수 있지만, 타인으로부터 경박하다는 오해를 받을 수도 있다. 또한 상대방의 자기개방 정도나 피드백에 대한 반응이 자신과는 다를 수 있다는 것을 인식하고 개방수준을 조정해야 한다.

(2) 맹목적 영역(Blind area)

타인은 자신에 대해 알고 있는데 개인은 자신에 대해 지각하지 못하는 부분이다. 이영역이 가장 넓으면 **자기주장형**이다. 자신을 잘 인식 또는 인지하지 못하는 성격 특성 또는 행동 패턴이나 습관이 있다. 항상 자기를 중심으로 일어나는 문제에 대하여 말을 많이 하고 독단적일 수 있다. 그러나 상대방은 감정을 상하게 하지 않으려고 피드백을 주기를 꺼려한다. 타인에게서 그때 그때 구체적인 피드백을 받아들이고 경청하며, 자신을 객관적으로 보며 자신을 성찰하는 노력이 필요하다.

(3) 숨겨진 영역(Hidden area)

자신은 자신을 알고 있지만 타인은 모르는 영역이다. 자신이 일부러 공개하지 않거나 자신을 드러내지 않은 비밀(정보)이 있다. 자신에 대해서는 노출하지 않고 다른 사람의 이야기에 관심을 가지고 그에 대해 알아내려고 하므로 시간이 지날수록 다른 사람들과 친밀감이 부족하며 사람들이 경계심을 갖는다. 이 영역이 가장 넓은 사람은 **신중형**이다. 자신에 대해 잘 알고 수용적이나, 타인들은 그에 대해 잘 알지 못하여 접근하기가 꺼린다. 따라서 자신의 생각이나 성격, 희망, 걱정 등 두려움, 부정적인 감정이나 단점 등을 편안한 마음으로 다른 사람과 공유하는 노력이 필요하다.

(4) 미지의 영역(Unknown area)

자신도 타인도 모르는 영역이다. 자신을 개방하지 않고 타인도 피드백을 주지 않는다. 이 영역이 가장 넓은 사람은 **고립형**이다. 자기중심적이며, 타인과 공감하거나 소통하는 게 어려워 고립된 생활을 한다. 자신의 생각과 감정을 다른 사람과 공유하고 타인의 말을 경청하는 노력과 기회가 될 때 해보지 않았거나 계획하지 않았던 일도 해보고 참여하는 것이 필요하다. 상담이나 교육을 통해 통찰하는 기회를 가지며, 자기 발견과 자기성장을 하도록 다른 사람의 피드백을 받는 것이 중요하다.

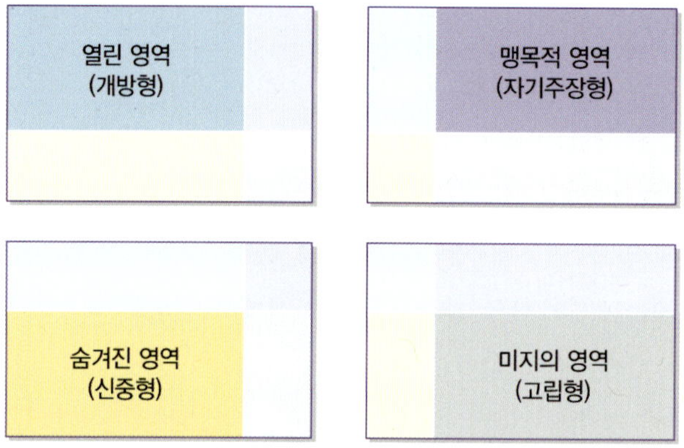

그림 3-2 Johari window에 따른 자기개방 유형

자료원 : 이광자외(2011). 인간관계와 의사소통의 실제, 신광출판사, p.40.

※ p.81에 있는 [표 3-3] 조하리창 진단 항목을 활용하여 『소통저널』 4-1을 작성합니다.

3 인생각본(Life Script)

에릭번(Eric Berne)은 정신분석학이나 정신의학의 학문적 근거를 가지고 실용적인 인생각본을 개발하였다. 1950내 후반부터 인생각본에 대해 관심을 가지게 되었으며, 1960대 부터는 그의 제자들(Steiner 등)이 이론을 발달시켰다. 어린 시절의 결정(early decisions)이 무의식적으로 삶을 좌우한다는 점에 주목하면서 '인생각본' 개념을 제시하였다. 인간은 이미 출생에서 시작하여 네 살 경부터 자신의 인생에 대한 기본 줄거리를 쓰고, 일곱 살 경부터는 각 부분의 주요 내용을 쓰며, 열두어 살이 되면서부터는 부수적인 것들을 채워나가다가 청년기부터는 상황에 따라 수정해간다. 개인이 어린 시절의 경험에 따라 특정한 생활자세를 형성하는데 이것은 인생각본을 결정짓는 중요한 요소이며, 이것이 반복적인 행동패턴을 보이는 이유를 설명하기 위해 교류분석의 개념을 발전시켰다(제석봉 외 역, 2016).

1 생활자세(Life Position)

생활자세는 인생태도라고도 부르며, Berne은 인간이 자신과 타인을 바라보는 태도라고 정의

했다. 생활자세는 부모나 양육자와 맺은 초기 상호작용을 통해 형성되는데, 주로 반복적인 언어, 비언어적인 메시지와 주요 감정을 경험하면서 결정된다. 즉 부모의 메시지(칭찬 또는 부정적 평가), 애정과 관심의 정도, 안정적이고 지지적인 환경 또는 학대나 방임의 양육환경이 중요한 요소이며, 각 생활자세의 특성에 따른 자기 계발이 필요하다. 생활자세는 4가지로 분류하며, 나타난 생활자세 형태, 형성과정, 결과는 **[표 3-1]**과 같다.

표 3-1 4가지 생활자세의 형성과 결과

생활자세	자기 평가	타인 평가	형성과정(양육방법, 환경)	결과
I'm OK – You're OK	긍정적	긍정적	• 안정적, 애정있는 양육 • 부모의 긍정적 피드백 • 실수해도 지지적인 피드백 받음	• 건강한 관계 형성 • 문제해결 능력
I'm OK – You're NOT OK	긍정적	부정적	• 부모가 타인을 부정하거나, 낮추거나 불신하는 태도	• 타인 불신 • 지배적 성향 • 우월감
I'm NOT OK – You're OK	부정적	긍정적	• 부모에게서 비난을 받음 • 형제자매, 주변인과 비교됨	• 자신감 없음 • 성인이 되어도 의존함 • 우울감, 무력감
I'm NOT OK – You're NOT OK	부정적	부정적	• 방임, 학대, 트라우마 경험 • 자신과 세상을 부정적으로 바라보는 환경	• 삶의 희망 없음 • 대인관계 거리감 • 무기력, 반사회적

1) 각 생활자세의 심리 상태 [그림 3-3]

(1) 민주형(I'm OK – You're OK)

- 자신과 타인을 긍정적으로 바라보는 균형 잡힌 태도를 갖는다.
- 신뢰, 존중, 협력을 바탕으로 한 대인관계를 형성한다.
- 문제 해결 능력이 뛰어나고, 긍정적인 리더십을 보일 가능성이 크다.
- 타인과 원만한 인간관계에서 편안한 상호작용을 하며 함께 살아가는 승리자의 각본을 갖는다.

(2) 독단형(I'm OK – You're NOT OK)

- 자신을 긍정적으로 평가하지만, 타인은 옳지 않거나 낮다고 부정적인 태도를 갖는다.
- 독선적이며, 타인을 지배하려는 성향이 강하다.

- 권위적이고 공격적인 행동을 보일 가능성이 높다.
- 억압했던 사람에게서 배척받으며 패배자의 각본을 갖는다.
- 자신을 성찰하고 상담 등을 통해 변화해야 한다.

(3) 의존형(I'm NOT OK – You're OK)

- 자신을 낮게 평가하고, 타인을 우월하게 바라보는 태도를 갖는다.
- 타인에게 의존적이며, 자존감이 낮을 가능성이 크다.
- 대인관계에서 소극적이거나 지나치게 순응적인 모습을 보일 수 있다.
- 신뢰가 불신으로 바뀌어 우울한 자세와 무력감을 갖게 되어 희생자나 평범한 각본을 갖는다.
- 자신을 인정하며 무기력에서 탈피해야 한다.

(4) 자포자기형(I'm NOT OK – You're NOT OK)

- 자신과 타인 모두를 부정적으로 평가하는 태도를 갖는다.
- 무기력하거나 삶에 대한 희망을 잃은 상태이다.
- 대인관계에서 냉소적이거나 회피적인 태도를 보일 가능성이 높다.
- 자신이 배척당한다고 생각하며, 타인을 배척하는 패배자의 각본을 갖는다.
- 성인자아를 획득하여 합리적으로 해결해가야 한다.

2) 생활자세 개선 방향

자신의 각본을 성찰하거나 상담활동으로 인해 생활자세가 개선되는 대부분의 경우에 자포자기형에서 독단형, 독단형에서 의존형, 의존형에서 민주형 방향으로 이동한다**[그림 3-3]**. 의존형으로 바로 이동하지 않은 것은 의존형에 대한 방어적 태도로 볼 수 있다. 민주형으로 이동하기 전에 의존형에 머무르며 가장 선호하는 자세에 들게 된다. 일반적으로 생활자세를 개선하기 위해서는 다음의 과정을 확인하는 것이 도움된다.

- 자신의 생활자세 인식
- 부정적 신념 수정하기
- 건강한 관계 형성하기
- 자기성장 활동 수행 및 상담 받기 : 자기계발, 교류분석, 긍정심리학 등

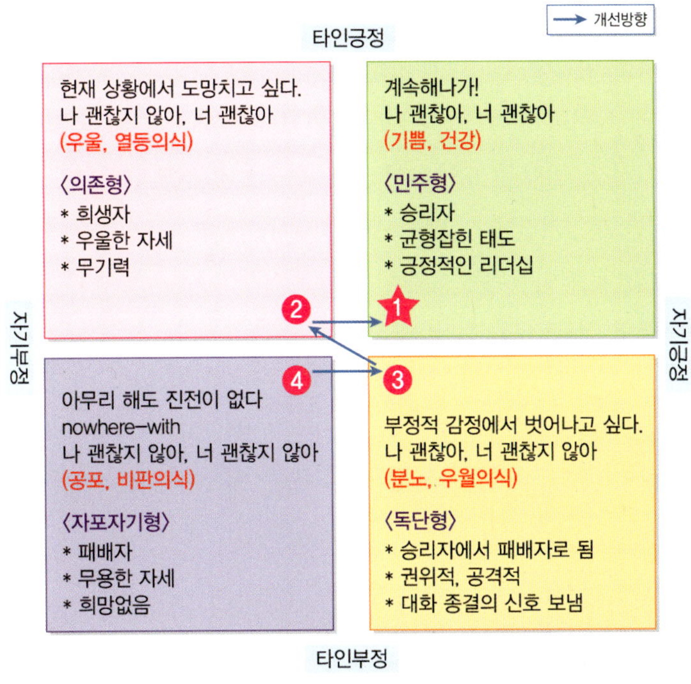

그림 3-3 4가지 생활자세의 심리상태

자료원 : 양경희 외(2022). 건강한 인간관계를 위한 의사소통 기술, 제3판. 한국간호연구학회편, 퍼시픽북스. p.75

※ p.82에 있는 [표 3-4] 생활자세 측정도구를 활용하여 『소통저널』 5-1을 작성합니다.

2 교류분석(Transaction Analysis, TA)

생활자세가 굳어지면 그에 맞는 삶의 기본 패턴인 인생각본이 무의식적으로 형성되고, 인생의 각본은 교류방식을 결정하기 때문에 교류분석을 통해서 의사소통 방식과 인간관계를 분석할 수 있다.

Berne은 정신분석학적 요소와 개인 및 사회 심리적인 개념을 기반으로 교류분석을 개발하고 인간관계심리학(Games people play)이라는 저서를 통해 보급하였다. 교류분석은 성격이론이며 개인의 성격이 심리적으로 어떻게 구조화되어 있는지를 잘 보여준다, 교류분석은 세 가지 자아 상태 모델(ego-state model, PAC 모델)을 통해 인간의 성격을 기술한다.

교류분석은 의사소통 시에 두 사람 사이 건넨 대화인, 자극(stimulus, S)과 그에 대한 반응

(response, R)을 관찰하여 의사소통의 체계와 구성을 분석한다. 교류분석은 자기 자신을 깊이 자각함으로써 아동기의 전략인 자기패배적이고 고통스러운 결과가 재연되는 이유를 설명해준다. 이런 과정을 통해 개인의 자아상태를 인식시키고, 감정과 행동방식, 역기능적인 의사소통을 변화시켜 개인의 성장, 발달을 도와 인간관계 개선에 활용될 수 있다.

Berne은 자아상태란 특정기간에 일련의 관련된 행동, 사고, 감정 등 자신의 성격을 잘 드러내는 방법이라고 말했다. 자아상태는 일관되게 함께 일어나는 감정과 경험의 결합이며, 이는 구조모델과 기능모델로 접근할 수 있다. 구조모델은 부모, 성인, 어린이의 자아상태가 어떻게 구성되어 있는지를 설명한다. 기능모델은 자아상태가 어떻게 작동하는지 즉 대화 패턴과 행동으로 표현되는 방식을 분석한다.

자아상태를 파악하는 데는 말(단어들)뿐 아니라 어조, 제스처, 자세, 얼굴표정과 같은 행동이 모두 중요 단서가 된다.

1) 자아상태의 구조와 기능

현재 일어나고 있는 일에 대해 성숙한 사람의 자세로 자원을 적절히 활용하여 반응을 한다면, 어른 자아상태(adult-ego state, A)이다. 그러나 이성적이기보다는 권위적인 자세의 생각, 감정이나 행동을 보인다면 부모자아상태(parent-ego state, P)이며, 어린 시절의 사고, 감정, 또는 행동을 보인다면 어린이자아상태(child-ego state, C)에 놓여 있다**[그림 3-4]**.

사람들이 언제나 일정한 자아상태를 보이는 것은 아니다. 세 가지 자아상태를 동시에 품고 있지만, 다른 사람과 의사소통을 하는 과정에서는 처한 상황에서 세 가지 중 어느 하나의 자아상태를 선택하여 행동하며 감정을 나타낸다. 또한 경험된 과거의 사건이 뇌나 신경조직에 기록되므로 유사한 경험이 나타나면 이전의 기억을 회상하는데, 교류분석에서는 이 기억과 경험의 저장소를 자아상태라고 말한다. 따라서 현재의 자아상태는 과거 그 사람의 경험과 환경과 매우 밀접한 관련이 있다.

(1) 성인자아상태(Adult, A)

성인자아(A)는 생후 10개월경부터 점차적으로 형성된다. 현실 상황에서 합리적이며, 이성적으로 사고하고 행동하며 감정을 표현한다. 상황을 객관적으로 관찰하고, 확인하기 위해 자료를 수집하고 객관적인 정보 분석, 논리적 문제해결 기능을 한다. 부모자아나 감정에 휘둘리지 않고 행동한다. 성인자아는 현실 검증을 하는 순수자아 기능과 유사하다. 언어 습관은 '누가, 언제, 어디서, 무엇을, 왜, 어떻게 했는가?' 또는 '여기에서 문제점은 …', '통계에 따르면 …' 등이다. 또는 '오늘은 구름이 까맣구나. 우산을 가지고 가는 게 좋겠다.'라는 말에 '네. 저도 그렇게 하는 게 좋겠어요.'로 대답하는 등이다.

행동 사례

시험이 얼마 남지 않았을 때 "지금 공부하면 충분히 대비할 수 있어."라고 생각하는 모습

대화 사례 (감정에 휘둘리지 않음)

"이 문제를 해결하려면, 우리가 가진 자원을 분석하고 계획을 세우는 게 좋겠어." [객관적이고 논리적인 접근]

(2) 부모자아상태(Parent, P)

부모자아(P)는 출생 시부터 5세경까지 부모나 양육자와의 상호작용을 통해 발달한다. 부모에게서 습득된 대로 사고와 행동, 감정을 그대로 모방하여 형성된 것이다. 즉, 과거 부모나 권위적인 인물이나 사회 규범 등에서 영향을 받은 가치관과 규칙이 내면화된 상태이다. 부모자아는 초자아의 영향을 가장 많이 받는다. 부모자아는 보호적 또는 양육적 부모자아(nurturing parent, NP)이거나 비판적 부모자아(critical parent, CP)로 구분된다. 보호적 부모는 타인을 돌보고 배려하는 온화하고 부드러운 행동을 보이지만, 지나친 관심은 간섭으로 표현된다. 비판적 부모는 규칙을 존중하며 이를 강요, 통제하거나 훈계하는 행동을 보인다.

❙ 보호적 부모 ❙

행동 사례

친구가 아플 때 챙겨주거나, 후배에게 조언해 주는 모습

대화 사례

- 긍정적 : 상대를 진지하게 돌보려는 입장에서 말함. "도와줄 일 없어?", "필요한 것 없어?" "괜찮아? 힘들지 않니? 내가 도와줄게." [배려와 보호]
- 부정적 : 상대가 미덥지 못해 일을 대신 해주려고 함. "그거 내가 해줄게."

비판적 부모

행동 사례

"이건 이렇게 해야 해!"라는 식의 강압적인 태도를 말한다.

대화 사례

- 긍정적 : 과거 부모로부터 받은 명령을 재연함. '따뜻한 물을 마시는 게 몸에 좋다.'
- 부정적 : 내가 따뜻한 물을 마시라고 했지!
  "이렇게 하면 안 돼! 왜 이렇게 했어?" [비판과 지적]

(3) 어린이자아상태(Child, C)

어린이자아(C)는 출생부터 5세까지 경험했던 사고와 행동, 감정을 나타내는 것이다. 과거 어린 시절의 경험의 영향을 받아 본능적이고 감정적이며 자발적인 반응을 보이는 상태이다.

어린이 자아는 자유로운 어린이자아(free child, FC)와 순응적인 어린이자아(adapted child, AC)로 구분된다. 자유로운 어린이는 창의적이고 즐겁게 행동하며, 순응적인 어린이는 자기의 경험, 훈련 및 치명적 외상에 대한 반응으로 나타나거나 자신에게 중요한 인물의 요구에 순종적이며 자신의 표현이나 감정을 억제한다. 순응적 어린이자아는 어린 시절에 부모가 정한 규칙이나 기대에 반항한 때도 있어 반항하는 어린이(rebellious child, RC)를 이 단위에 포함하기도 한다. 어린이자아는 본능과 충동이 저장된 이드(id)의 영향을 가장 많이 받는다. 각 유형에 따른 행동사례와 대화 사례는 다음과 같다.

행동 사례

- 자유로운 어린이(free child, FC) : 친구들과 신나게 웃고 장난친다.
- 순응하는 어린이(adapted child, AC) : 권위에 복종하고 눈치를 본다.
  "네, 알겠습니다…"라며 의견을 제대로 표현하지 못하는 모습을 보인다.
- 반항적인 어린이(rebellious child, RC) : 규칙을 거부하고 반발. "왜 꼭 이렇게 해야 해?" 라고 반항하는 모습을 보인다.

대화 사례

- 자유로운 어린이(FC) : "우와! 진짜 재미있겠다! 어서 가보자!" [자발적이고 창의적인 표현]
- 순응하는 어린이(AC) : "알겠어요… 그냥 그렇게만 하면 되지요." [소극적이고 순응적 태도]
- 반항적인 어린이(RC) : "왜 맨날 이래야 해? 난 안 할래!" [반발과 저항]

① 자유로운 어린이의 긍정, 부정적 표현

- **긍정적** 사람들이 모인 파티자리에서 동심으로 돌아가 즐겁게 논다.
- **부정적** 공식적인 만남에서 아랑곳하지 않고 트림을 크게 한다거나, 투정을 한다.

② 순응적인 어린의 긍정, 부정적 표현

- **긍정적** 엄마가 골라 준 옷을 입고 싶지 않을 때도 내색하지 않고 입고 나간다.
- **부정적** 엄마가 골라 준 옷을 입고 싶지 않을 때, 부루퉁한[2] 표정을 한다.

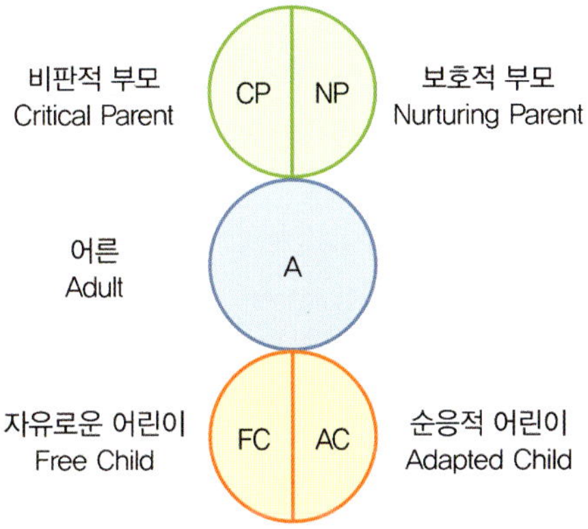

그림 3-4 자아상태의 구성요소와 기능 분석

참고 : Ian Stewart, Vann Joines, Trans analysis Today 2nd ed. 제석봉, 최외선, 김갑숙 역(2016), 현대의 교류분석, 서울 : 학지사. p.52.

2) 건강한 자아와 오염된 자아, 지배한 자아 및 배제된 자아

모든 자아상태는 긍정적이거나 부정적으로 표현될 수 있고, 건강한 성격을 지니기 위해서는 자아상태 간에 경계가 분명하면서도 개방적이어야 한다. 자아 경계가 너무 모호하거나 경직된 경우 자아의 에너지 흐름이 방해되어 병리적인 성격이 나타난다.

특히 인간관계에서 자신이 주로 사용하는 자아상태를 점검해보고 대화 패턴을 분석하여 성인자아로 활용해보도록 한다. 부정적인 자아상태의 사람은 자신의 감정을 살피고 상대방의 마음도 헤아리는 것이 필요하다. 또한 자신이 원하는 것을 솔직하게 털어놓는 방법을 익히거나, 자신의 감성을 표현하며 유머를 사용해 보는 것이 좋다.

2) 부루퉁한 : 어린 시절 부모의 관심을 끌기 위해 하던 반응을 어른이 되어도 원하는 것이 있으면 보임

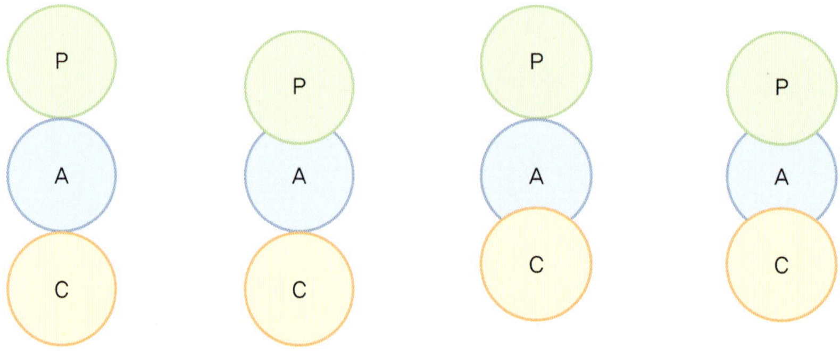

① 건강상태 ② 부모자아가 성인자아 오염 ③ 어린이자아가 성인자아 오염 ④ 부모자아와 어린이자아가 성인자아 오염

그림 3-5 오염된 자아상태

참고: Ian Stewart, Vann Joines, Trans analysis Today 2nd ed. 제석봉, 최외선, 김갑숙 역(2016), 현대의 교류분석, 서울: 학지사. p.52.

[그림 3-5]에서 ①은 건강한 자아상태로 성인, 부모, 어린이의 자아 간에 경계가 명확하다. 그러나 명확하지 못한 경우는 현실성이 없거나 병리적인 문제가 있다. 즉 다른 자아의 오염(contamination) 또는 다른 자아가 너무 강하여 다른 두 요인을 지배한 경우(domination)거나, 또는 어떤 자아가 배제된 경우(exclusion)이다.

오염은 각 자아상태 간에 경계가 명확하지 못하고 부모나 어린이 자아가 성인자아를 침범한 것으로 자아상태의 개별 특성을 갖지 못하고 두 가지 자아상태가 뒤섞여 있는 것이다.

[그림 3-5]에서 ②는 부모자아(P)가 성인자아(A)를 오염시킨 것으로 선입관이나 편견이 있으며, ③은 어린이자아(C)가 성인자아(A)를 오염시킨 것으로 과거 어린 시절의 경험이 현재에 영향을 주는 경우이다. ④와 같이 부모자아(P)와 아동자아(C)가 성인자아(A)를 중복 오염시킨 경우에는 정신질환이나 사회병리적 증상을 나타낼 수도 있다.

[그림 3-6]에서 ①은 부모자아(P)가 너무 강해서 다른 두 자아를 지배하는 경우로 주로 경찰이나 재판관과 같은 직업군 집단에서 자주 보이며, ②는 성인자아(A)의 객관적이고 이성적인 기능이 강해서 두 자아를 지배하는 경우로 정확하여 논리적으로 따지기를 잘하는 사람에게서 보인다. ③은 어린이자아(C)의 기능이 강한 경우로 합리적이고 이성적인 생각이나 평가를 하기 보다는 상황에 충동적이고 흥분하기 쉽다. **[그림 3-7]**의 ①은 부모자아의 기능이 배제되어 타인에 관심이 적으며 양심없이 남을 조정하려고 한다. ②는 성인자아의 기능이 제외되어 현실성이 결여되었고, 사고 능력이 부족하여 정신병적 증상이 나타나기 쉽다. ③은 어린이 자아 기능이 배제되어 감정 표현이 없어 표현이 건조하다.

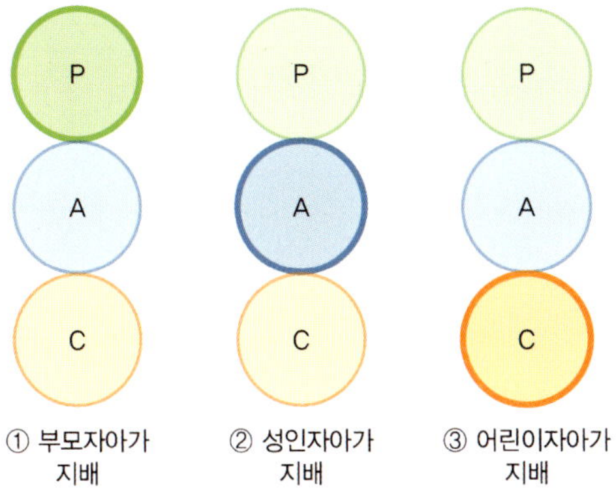

그림 3-6 지배한 자아

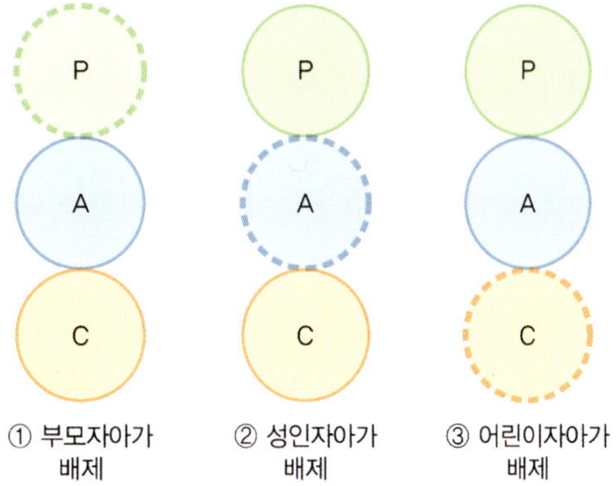

그림 3-7 배제된 자아

참고 : 도복늠 외(2016). 인간관계와 커뮤케이션. 서울 : 정담미디어. p.158.

3) 자아상태와 의사소통 패턴

자아상태의 구조모델(PAC)을 기초로 하여 의사소통의 패턴을 분석하는 것(기능모델)은 자신의 자아상태를 분석하는 데 매우 유용한 자원이다. 의사소통 교류패턴 분석은 대상자들이 주고받는 말과 행동 등의 의사소통 과정을 분석하는 것으로 자신의 의사소통 패턴에 대해 자각하여 진단해봄으로써 보다 긍정적이고 효과적인 의사소통을 하도록 하는 목적이 있다. 의사소통패턴은 상보교류, 교차교류, 이면교류의 세 가지 형태로 구분한다. 대화를 주고받는 것은 자극(stimulus, S), 반응(response, R), 이를 잇는 방향(화살표)은 벡터(vector)이다. 자극과 반응을 서로 주고받아 대화가 성립된다.

(1) 상보교류(complementary transaction)

상보교류란 상호보완적 교류이다. 자아상태에서 준 메시지가 기대했던 자아상태로부터 반응이 돌아오는 것을 말한다. 상보교류는 벡터(화살표)가 평행선을 이룬다. 기대했던 자아상태에서 반응이 오는 교류이기 때문에 자연스럽게 대화가 이어진다. 예를 들면, 친구가 '오늘 구름이 많이 끼었어. 비가 올 것 같지?'라는 친구의 말에 '맞아, 그럼 우산을 가져가야겠어.'라는 친구의 대화는 이성적인 성인의 자극(S)에 성인이 반응(R)을 하였기 때문에 교류분석이다. 만일 과제를 안 하는 아들에게 '어머니가 과제 해야지.'라고 말할 때, '네, 어머니.'라고 말한다면, 부모자아(P)에 어린이자아(C)가 답변한 것이므로 평행선을 이루기 때문에 상보교류이다. 환자에게 '오늘은 기분이 좋아 보이시네요.' 할 때, 환자가 '아침에 일어날 때 머리가 상쾌했어요.' 등도 상보교류이다**[그림 3-8]**.

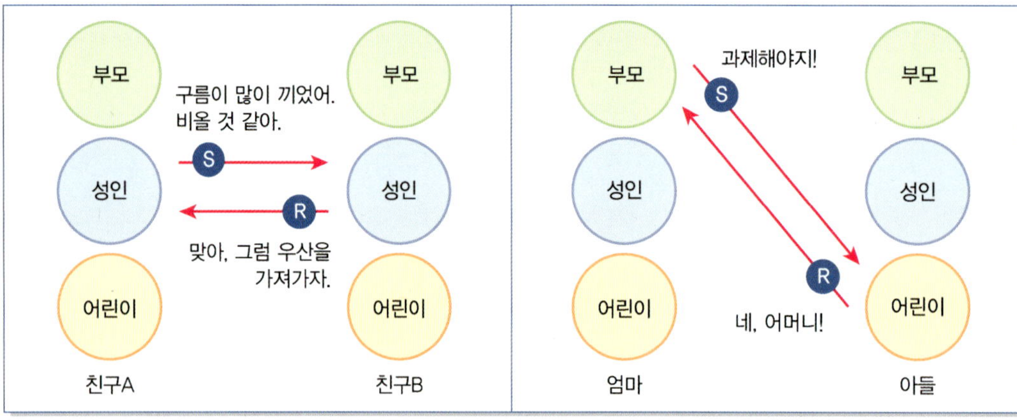

그림 3-8 상보교류(Complementary transaction)

(2) 교차교류(crossed transaction)

교차교류란 상호교차적 교류이다. 교류한 벡터가 평행을 이루지 못하고 교차한 것으로 자극을 보낸 자아상태와 반응을 한 자아가 교차한 경우이다. 즉 기대한 반응이 오지 않아 성인자아(A)에 어린이자아 상태(C)로 반응하였다면, 의사소통의 흐름이 교차되어 대화가 중단되거나 혹은 방어적 공격적인 태도를 보여 갈등 감정을 일으키게 한다. 예를 들어, 환자가 '언제나 증상이 좋아질까요?'라고 물었는데, 간호사가 '환자분은 치료지시나 잘 지키세요.'라고 말한다면, 환자의 자아상태는 성인(A)인데, 간호사는 부모자아(P)로 반응하였기 때문에 교차분석이다. 만약 간호사가 '보통 7주일이면 호전되는데, 환자분이 치료지시를 잘 따르시면 좀 더

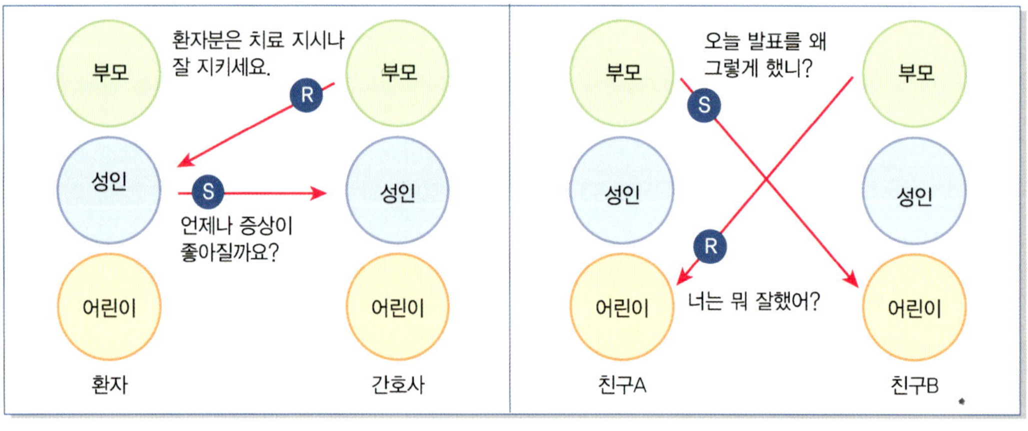

그림 3-9 교차교류(Croossed transaction)

빠를 수도 있어요.'라고 반응한다면, 성인-성인 자아상태(A-A)의 교류로 상보교류가 될 수 있다. 다른 예로 친구가 수업시간에 발표를 했는데, '너 오늘 발표를 왜 그렇게 했니.'라고 말할 때, '그럼 너는 잘 했니!'라고 반응을 보냈다면, 서로 부모-어린이 자아의 상호작용을 하여 교차교류이다[그림 3-9].

(3) 이면교류(ulterior transaction)

이면교류란 하나의 언어적 표현 속에 두 가지 메시지를 동시에 전달하는 형태이다. 겉으로 나타나는 메시지는 사회적으로 용인되는 메시지로 보이지만, 그 이면에 심리적으로 감춰진 욕구나 다른 의도의 메시지들이 실려 있다. 얼굴 표정, 목소리나 몸짓 등의 표현은 언어적 메시지와 다른 비언어적 메시지가 전달될 수 있다. [그림 3-10]은 학생이 발표 후 교수의 피드백(자극)에 대해 학생이 반응하는 대화이다. 서로 상보교류인 것 같지만, 제대로 피드백하면 학생이 상처를 받을까 하여 성인자아로 말하는 것으로 그림의 점선 부분은 "열심히 준비했다면서 …는 왜 그렇게 했어!"라는 교수님의 부모자아이다. 또한 처음부터 상보교류가 아닌 경우도 있다. 예를 들면, 조교가 학생에게 술기를 지도하며 잘못된 부분을 지적해주는데 학생이 '네!'라고 짧게 대답하나 속으로는 저항하고 화가 난 상태라면 이면교류의 사례이다.

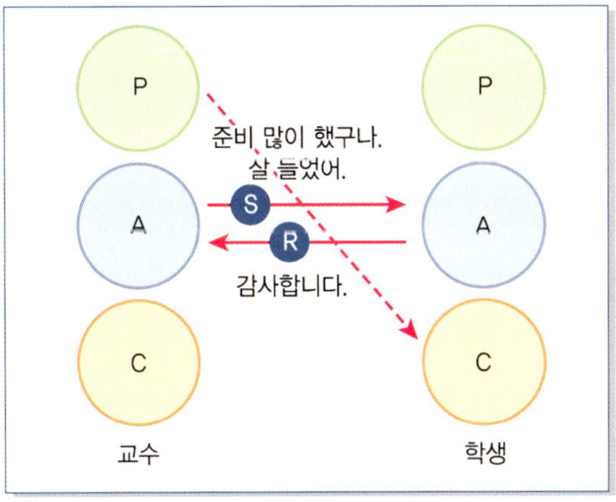

그림 3-10 이면교류(Ulterior transaction)

4 인간관계 훈련

❶ 인간관계의 중요성

개인이 다른 사람들과 형성하고 유지하는 정서적, 사회적, 행동적 연결이며, 다양한 관계에서 인간이 심리적으로 안정하며 사회적 유대감을 가질 때 안정된 삶을 살아갈 수 있다.

건강한 인간관계는 정서적 지지와 위안을 제공하며 스트레스를 줄인다. 인간은 사회적 존재로서 타인과의 관계를 통해 소속감을 느낄 수 있을 때 타인이나 집단 구성원과의 상호피드백을 통해 자신을 이해하고 개선하며 성장과 안정을 유지함으로써 심리적, 신체적, 사회적, 영적으로 건강하게 살아갈 수 있다.

따라서 건강한 인간관계는 개인의 행복뿐만 아니라 개인과 공동체의 행복 및 안녕감을 누릴 수 있도록 해 주며, 개인과 공동체의 건강한 업무 환경을 조성하여 일의 성공이나 생산성 향상을 위해서도 매우 중요하다.

현대사회가 신속하게 다변화되어 삶의 형태도 다양해지고, 적절하게 대처하지 못하면 개인적으로도 적응하기 어렵고, 계속되면 스스로 사회·심리적 환경 속에서 불행한 입장에 처하게 된다. 따라서 과거에 비해 건강한 인간관계를 유지하는 데 효과적 기술을 습득하는 노력이 필요하다.

일반적으로 인간관계훈련을 사람들과 잘 지내는 훈련(People Skill Training) 또는 특정 대인관계기술(Social Skill Training)로 생각하기 쉽다. 그러나 인간관계훈련은 사용되는 맥락에 따라 일반적으로 대인관계기술훈련(Interpersonal Skills Training) 또는 인간관계기술훈련(Human Relations Training)으로 표현하며 맥락에 따라 사용하는데 약간의 차이가 있다.

대인관계기술훈련이라고 말할 때는 개인 간의 관계에서 필요한 기술, 예를 들어 의사소통, 갈등 해결, 공감 능력을 개발하는 훈련을 말하며, 직장에서 대인관계 기술을 향상시키는 프로그램으로 팀워크, 협상, 피드백 기술 등 실질적인 대인 기술을 다룬다.

인간관계기술훈련으로 말할 때는 인간관계를 개선하고 신뢰와 협력을 증진하는 데 초점을 둔 훈련에 사용하며 전반적인 인간관계의 질을 높이기 위한 프로그램이다.

직장뿐만 아니라 개인적, 사회적 관계에서도 적용하며, 개인들의 표현방식이나 타인 이해를 위한 능력을 강화시킴으로써 신뢰감을 형성하고 소통을 원활히 하며 지속적으로 좋은 관계들을 맺고 살아갈 수 있도록 도와준다. 인간관계로 인해 발생하는 개인이나 조직 갈등을 예방하거나 해결할 수 있도록 하여 구성원간의 협업 능력을 향상하고 조직력을 강화하여 건강한 조직의 발전을 통해 결과적으로 개인들의 행복과 삶의 질을 보장한다.

② 인간관계 훈련의 기능

인간관계 훈련을 통해 얻을 수 있는 기능에 대해 제시하고자 한다.

1) 자기성찰과 이해를 통한 자존감 회복과 성장 동기화

자기성찰을 통한 자신의 강점과 약점을 확인하고, 자기수용을 통해 긍정적 감정 형성, 자존감 향상 및 자기 성장의 동기화가 형성되며 불안감이 해소되어 안정감 있는 정서가 함양된다.

2) 타인이해와 협업능력의 제고

타인에 대한 이해를 통해 타인의 관점과 감정을 이해하고, 이에 대한 수용력이 향상되어 팀워크나 리더십이 강화되며 구성원들과 협력하여 효율적인 생산성을 높일 수 있다.

3) 효과적인 의사소통능력 향상

언어적, 비언어적 의사소통 기술이 향상되어, 효율적이고 효과적인 의사소통 기술을 활용함으로써 다양한 상황에서 적절한 대화와 관계를 유지힐 수 있다.

4) 다양성에 대한 존중과 이해도 향상

주변에 다양한 사회 및 문화적 배경과 가치관을 가진 사람들을 존중하며 배려심을 갖고, 그들과의 배경과 차이, 공통점을 발견하여 열린 마음으로 상호작용을 할 수 있도록 도울 수 있다. 사회적 약자에 대한 배려와 공정성을 실현할 수 있도록 도와주고 관계를 이어나가면서 필요한 도덕적, 윤리적 판단의 중요성을 인식하여 조화로운 인간관계를 형성, 유지할 수 있다.

5) 갈등 예방과 해결

서로 다른 생각이나 입장들로 인한 복잡한 인간관계에서 일어날 수 있는 갈등관계를 예방하거나, 갈등이 발생할 경우 그 원인을 파악하고, 상호 만족을 위한 해결책 제시와 지속적인 유대감을 향상시킬 수 있는 방법들을 이어나갈 수 있다.

6) 다변화되는 환경에서의 대응 및 대처능력 향상

급격하게 다양하게 변화되는 사회 환경에서 능동적으로 대처하고, 다양한 부류의 사람들과 유연한 관계를 맺고 능숙하게 업무를 처리할 수 있는 대처능력을 발휘할 수 있다.

7) 긍정성 및 회복탄력성 증대

인간관계로 인해 발생하는 어려움과 스트레스를 극복하여, 실패와 좌절 속에서도 긍정적인 방향으로 나아가도록 할 수 있다. 지속적으로 도전하고 각자의 성공을 위해 나아갈 수 있도록 하는 회복탄력성을 기를 수 있다.

3 인간관계훈련의 초점과 프로그램

인간관계훈련에는 다양한 모형과 접근방식이 있으나, 훈련의 요구에 따라 프로그램을 선정하여 실시할 수 있다. 특정 환경, 대상, 목표를 기준으로 발전하여 중복되거나 구분이 모호할 수도 있으나, 인본주의, 행동주의 등에 근거한 다양한 모형이 있어, 각기 상황에 따라 프로그램을 선정하여 활용할 수 있다.

1) 체계적 인간관계훈련모형(Systematic Relationship Training Model)

초점 인간관계의 구조적 측면을 개선하는 데 중점을 둠. 리더십, 조직문화 개선 등 행동주의에 기반

특징 의사소통 기술, 갈등 관리, 협력 전략 등의 기술적 측면을 다룸

장점 명확한 단계와 절차를 통해 구조화된 학습이 가능

사례 : 한 글로벌 IT 회사에서 직원들 간 협업이 원활하지 않아 팀워크 강화 훈련이 요구됨

훈련 과정

- 행동 분석 : 참가자들이 서로에게 주는 피드백을 분석
- 피드백 기술 훈련 : 비판을 수용하는 법, 효과적인 피드백 전달법("I-메시지" 활용법)
- 역할 연기(role play) 실습 : 가상의 업무 갈등을 설정하고 해결 방법 연습
- 성과 평가 및 행동 수정
  - 특정 기술을 잘 활용했는지 피드백 제공
  - 추가적인 행동 수정 필요 시 반복 학습

훈련 효과

- 구성원 간 의사소통 개선, 비판 수용 및 갈등 해결 능력 향상

2) 의사소통기법발달모형(Communication Skills Development Model)

초점 의사소통 기술의 발달, 인본주의에 기반

특징 대화 기술, 언어적/비언어적 소통, 갈등 관리 등을 다룸

한계 인간관계를 더 깊이 다루기보다는 기술적 요소에 집중

사례 : 상담자를 위한 공감 훈련

상황

실제 상담 상황에서 대상자(내담자)와 깊이 있는 대화를 나눌 수 있도록 공감 능력을 기르기 위한 훈련이 요구됨

훈련 과정

- 자기인식(self-awareness) 활동 : "내가 타인과 대화할 때 가장 많이 사용하는 표현은?"
  - 감정을 솔직하게 표현하는 연습
  - 공감적 경청(empathic listening) 실습 : 두 명씩 짝을 지어 한 명은 자신의 고민을 이야기하고, 다른 한 명은 적극적으로 경청하고 공감적 반응을 제공
    예 "그런 상황에서는 정말 힘들었겠어요."
  - 자신의 감정을 표현하는 연습 : "나는 ~라고 느낀다." 형식의 감정 표현 연습
    역할극을 통해 감정적으로 어려운 상황을 처리하는 법 익힘
  - 집단 피드백과 성찰(Reflection) : 훈련 후 참가자들이 자신의 경험과 느낀 점을 공유함

훈련 효과

- 조력자들이 대상자의 감정을 더 깊이 이해할 수 있게 됨. 진정성 있는 대화를 나누는 능력 향상

3) T-집단모형(Training Group Model)

초점 집단 구성원 간의 상호작용을 분석하여 대인관계 기술과 행동패턴 탐색 유도, 자기 인식과 성장을 강조함. 조직의 팀워크 훈련, 집단훈련에 사용

특징 1940년대 커트 레윈(Kurt Lewin)이 개발한 방식. 인본주의와 행동과학에 기반함

한계
- 구조화된 피드백과 행동변화 학습을 중시하여 감정보다는 행동과 피드백을 강조하는 경향
- 구조화되지 않은 환경에서 참여자의 불안감을 유발할 수 있음

사례 : 리더십 개발 프로그램

상황
- 한 대기업에서 관리자급 직원들의 리더십을 강화하기 위해 T-그룹 훈련 실시

훈련 과정
- 집단 상호작용 관찰. 참가자들은 처음에는 자유롭게 대화하며 그룹 역동을 탐색
- 트레이너(훈련 진행자)는 개입하지 않고 참가자들이 자연스럽게 상호작용하도록 유도함
  - 피드백 세션 : 참가자들은 서로에게 솔직한 피드백을 제공
    예 "당신이 회의에서 의견을 표현하는 방식이 너무 공격적으로 느껴졌어요."
  - 자기 행동 패턴 분석 : 참가자들은 자신이 어떻게 팀원들에게 보이는지 깨닫고, 더 나은 상호작용 방법을 탐색
  - 행동 수정 실습 : 새로운 방식으로 의견을 제시하는 연습
    팀워크를 촉진하는 리더십 스타일 실습

훈련 효과
- 리더들이 자신의 의사소통 스타일을 객관적으로 평가할 수 있음
- 조직 내 의사결정 방식 개선

4) 참만남 집단모형(Encounter Group Model)

초점 깊은 정서적 경험과 솔직한 상호작용. 개인 성장 및 심리치료

특징
- 로저스(Carl Rogers)의 인본주의적 접근에서 발전
- 집단원들이 구조화되지 않은 집단 속에서 솔직한 자기표현과 공감 유도
- 개방적이고 진정성 있는 대화를 통해 자기수용과 관계의 친밀감을 경험함

한계 실용적 행동변화보다 개인의 정서적 경험에 초점을 맞춤

사례 : 심리 치료 그룹

상황

- 우울감과 불안감을 가진 성인들이 감정 표현을 훈련할 수 있도록 참 만남 집단을 운영함

훈련 과정

- 감정 표현 연습: "오늘 나의 감정은 어떠한가?" 감정 카드를 활용하여 자신의 상태를 표현
  - 자기개방(self-disclosure)세션 : 참가자들이 자신의 경험과 감정을 공유하고, 상호 공감
    예 "내가 가장 외로웠던 순간은…"
  - 진정한 관계 형성 연습 : "내가 상대방을 정말 이해하고 있는가?", 적극적으로 경청하고 공감하는 대화 실습
  - 성찰과 성장 나누기 : 훈련 후 참가자들이 변화한 점과 느낀 점을 공유

훈련 효과

- 참가자들이 감정을 솔직하게 표현할 수 있도록 도움
- 심리적 안정감과 인간관계 향상

5) 미시적상담 훈련모형(Micro Skills Counseling Training Model)

초점	효과적인 상담기술(예 경청, 공감 표현 등)을 체계적으로 훈련
특징	• 상담 상황에서의 구체적 기술을 강조하며, 실습과 피드백을 통해 개선 • 일상적인 인간관계보다 초기 상담자 상담기술 습득에 활용
학습	• 기본 기술부터 고급 기술까지 점진적 학습 • 역할극, 시뮬레이션, 녹화된 상담 영상 분석 활용

사례 : 대학원 상담 실습 과정

상황

- 상담학 석사과정 학생들이 상담 실습을 할 수 있도록 훈련 진행

훈련 과정

- 기본 상담 기술 연습, 개방형 질문(open-ended question) 사용하기
  - 내담자의 말을 반영(reflection)하는 연습 : 역할극(role play) 실습
    (한 명은 상담자, 한 명은 내담자가 되어 실제 상담을 연습)
  - 상담 장면 녹화 및 피드백 제공 : 녹화된 상담 세션을 분석하며 개선점 논의

훈련 효과

- 초보 상담자들의 실전 상담기술 습득, 피드백 통해 상담 역량 향상

표 3-2 미시적 상담훈련모형의 훈련기술과 내용

단계	주요기술	내용
1	경청	내담자의 말을 주의 깊게 듣고 반응하기
2	공감적 반응	내담자의 감정을 이해하고 공감적으로 표현하기
3	개방형 질문	내담자가 자신의 생각을 깊이 탐색하도록 유도하기
4	반영	내담자가 말한 내용을 다시 요약하여 전달하기
5	재구성	내담자의 부정적 사고를 긍정적으로 전환시키기
6	해결중심 개입	내담자 스스로가 실질적인 해결책을 찾도록 지원하기

의사소통발달기법모형과 미시적상담 훈련모형**[표 3-2]**은 일반인보다는 조력가(상담가)의 대화기법(상담기법)의 강화에 적합하다.

인본주의는 개인의 자율성과 성장 가능성을 중시하고, 행동주의나 행동과학은 행동을 관찰하고 측정하며 피드백을 통해 변화 가능함을 강조한다. 감수성 훈련(sensitivity training)은 개인이 자신과 타인의 감정, 태도, 행동을 더 깊이 이해하도록 돕는 훈련이다. 비구조적 환경에서 참여자들이 솔직한 피드백과 상호작용을 경험하면서 자각과 변화를 유도하는데, T-그룹집단으로 시작했으나, 인간의 성장과 자율성을 강조하는 참만남의 집단의 요소를 포함하여 정서적 개방과 자기 탐색을 강조하는 방식으로 변화되어 인본주의와 행동주의의 융합적 접근법을 사용한다.

R/E/F/E/R/E/N/C/E

- 김교헌, 한덕웅(1996). 자기 노출의 목표, 자발성 및 분노억제경향이 생리적 각성, 정화 및 평가에 미치는 효과. 한국심리학회지 : 건강, 1(1). 66-88.
- 김수진, 김광순, 강명옥, 권영란 외(2018). 정신건강간호학. 서울 : 현문사.
- 도복늠, 강미경, 안황란, 김명자 외(2016). 인간관계와 커뮤니케이션. 서울 : 정담미디어.
- 박요한(2021). 사회복무요원직무교육 심화직무교육 일반심화과정 프로그램 운영과 실제. 한국보건복지인력개발원.
- 신완수, 변창진(1980). 자기노출훈련프로그램. 경북대학교 학생지도연구, 13(1). 17-50.
- 양경희, 강서영, 김명희, 김윤주, 김은자 외(2019). 건강한 인간관계를 위한 의사소통 기술. 한국간호연구학회, 서울 : 퍼시픽북스.
- 양경희, 강서영, 김정호, 김한나, 박선정 외(2022). 건강한 인간관계를 위한 의사소통 기술 3판. 한국간호연구학회, 서울 : 퍼시픽북스.
- 임경선, 권세원, 전민경(2014). 학교사회복지 프로그램 기획과정의 단계별 특징에 관한 탐색적 연구. 학교사회복지학회, 29. 123-151.
- 최재호, 이신일, 박요한, 박준형, 현종훈(2022). 통섭형 전문인력으로의 미래형 육군 양성 및 관리방안. 문화와 융합, 44(1). 89.
- 이경순, 이미경, 심경희(2006). 인간관계와 의사소통. 서울 : 현문사.
- 이광자, 고성희, 이숙, 김경희, 민소영, 최윤정, 이경희 외(2018). 인간관계와 의사소통의 실제. 서울 : 신광출판사.
- 임숙빈, 김덕희, 배정이, 김현숙, 손행미, 박광희, 박영숙(2014). 간호실무 의사소통, 엘스비어코리아.
- 모듈5 : Berne 위 교류분석. 임희수, 치료적 의사소통과 간호상담, 대한간호협회 온라인 RN보수교육.
- 한규석(2013). 사회심리학의 이해. 서울 : 학지사.
- Carl Rogers, Encounter Group. 한국인성개발연구회 역(1983), 서울 : 도서출판 인간관계.
- Ian Stewart, Vann Joines, Trans analysis Today 2nd ed. 제석봉, 최외선, 김갑숙 역(2016), 현대의 교류분석, 학지사.
- Jourard, S. M.(1964). *The Transparent Self : Self-Disclosure and Well-Being*. Princeton, NJ : VanNostrand.
- Lawrence A. Pervin(1990). Personality: Theory & Research. New York: Gilford Press.

R/E/F/E/R/E/N/C/E

- Lewin, K(1947). Frontiers in Group Dynamics. *Human Relations*, 1(2), 5-41.
- Lewin, K(1951). Field Theory in Social Science: Selected Theoretical Papers. Harper & Row.
- Lewin, K(1952). Studies in Social Psychology in World War II. A Wiley-Interscience Publication.
- Miller, N. E.(1980). A Perspective on the effects of stress and coping on disease-health. In S. Levine and H. Ursin(Eds.), *Coping and health*. New York : Plenum Press.
- Pennebaker, J. W.(1989). *Confession, inhibition, and disease*. New York : Academic Press.
- Pennebaker, J. W., & Beall, S. K.(1986). Confronting a traumatic event : Toward and understanding of inhibition and disease. *Journal of Abnormal Psychology*, 95(3). 274-281.
- Reis, H. T., & Shaver, P.(1988). Intimacy as an interpersonal process. In S. Duck(Ed.), *Handbook of Personal Relationships*(pp.367-389). Chichester, England : Wiley.
- Rogers, C.R. A way of Being. Revised Edition. 오제은역(2007). 사람-중심-상담, 서울: 학지사.
- Rogers, C. R(1961). On Becoming a Person: A Therapist's View of Psychotherapy. Houghton Mifflin Harcourt.
- http://apps.cfli.wisc.edu/johari/support/JohariExplainChapman2003.pdf
- http://s-f-walker.org.uk/pubsebooks/pdfs/Carl_Rogers_On_Becoming_a_Person.pdf
- http://talkingta.com.au/wp-content/uploads/2013/11/Chart-03.jpg
- http://www.scribed.com/document/498603110/조하리창-장-진단테스트

표 3-3 조하리창 진단 항목

1. 다음은 인간관계에서 나타날 수 있는 일반적인 행동양식으로 구성한 진술문입니다. 각 항목마다 자신의 행동양식을 잘 나타낸다고 생각되는 위치에 ○을 넣어주세요. 점수는 1~10점까지 이며, 점수가 커질수록 항목의 진술을 더 수용하는 것입니다. 『소통저널』 4-1에 작성합니다.

	문 항	그렇지 않다			그저 그렇다			매우 그렇다			
1	나는 잘 몰랐을 경우에는 이를 바로 인정한다.	1	2	3	4	5	6	7	8	9	10
2	나는 납득하기 어려운 지시를 받을 경우 지시한 이유를 물어본다.										
3	나는 다른 사람의 잘못을 지적할 필요가 있을 때에는 직접 말한다.										
4	나의 의견에 대해 남들이 어떻게 생각하는지 물어본다.										
5	나의 느낌을 솔직하게 표현한다.										
6	다른 사람의 감정을 존중한다.										
7	나는 걱정거리가 생길 경우, 터놓고 의논한다.										
8	나 혼자 이야기를 계속하여 남을 짜증나게 하지 않는다.										
9	나는 진심으로 남의 이야기를 들어준다.										
10	나는 아이디어를 권장하고 대화를 독단적으로 끌고 가지 않는다.										
11	내 잘못을 숨기거나 남의 탓으로 돌리지 않는다.										
12	나는 다른 사람의 충고를 잘 받아들인다.										
13	달가운 일이 아닐지라도 남들이 알아야 할 사항이라면 알려준다.										
14	남의 의견이 나와 다를 경우, 나의 생각을 말하고 함께 검토해본다.										
15	나는 말하기 거북한 내용을 거리낌 없이 말한다.										
16	나는 변명을 하지 않고 비판에 귀를 기울인다.										
17	나는 있는 그대로를 나타내며 가식이 없는 편이다.										
18	나에게 찬성하지 않는다고 남의 마음을 상하게 하지 않는다.										
19	나는 다른 사람에게 그들의 생각을 발표하도록 권장한다.										
20	나는 확신하는 것을 굽히지 않고 말한다.										

http://www.scribed.com/document/498603110/조하리창-장-진단테스트

2. 조사표 윗 줄(1, 3, 5…)에 응답한 점수를 합하여 가로점수에 적고, 아래 줄(2, 4, 6…)에 응답한 점수를 합하여 세로점수에 적는다. (각각 10으로 나눈 값을 적는다.)

채점표

번호	1	3	5	7	11	13	14	15	17	19	총점(가로)
점수											/10
번호	2	4	6	8	9	10	12	16	18	20	총점(세로)
점수											/10

활동 · 5

표 3-4 생활자세

1. 다음은 생활자세에 대한 한국교류분석협회에서 표준화된 척도로 구성된 설문지입니다. 자신이 동의한 정도에 해당하는 아래 숫자(점수)를 빈칸에 써 넣어 주세요. 『소통저널』 5-1에 작성합니다.

[거의 그렇지 않다(1점), 가끔 그렇다(2점), 보통이다(3점), 자주 그렇다(4점), 매우 그렇다(5점)]

순서	항목	①	②	③	④
1	나는 나 자신을 좋아한다.				
2	나는 타인으로부터 호감을 얻지 못하는 인간이다.				
3	나는 태어나서부터 소중하게 길러졌다고 생각한다.				
4	나의 탄생은 그다지 환영받지 못했다고 생각한다.				
5	나는 근본적으로 인간을 신뢰하지 않고 스스로 한다.				
6	나는 지금 생활에서 필요한 유익한 인간이라고 생각한다.				
7	나는 나 자신을 쓸모없는 인간이라고 생각하는 경우가 있다				
8	다른 사람의 행동방식이나 사고방식이 나와 달리하고 있을지라도 특별히 싫지 않은 기분이다.				
9	상대를 존중하는 것은 그 기분을 이해하는 것이라고 생각하기 때문에 힘써 실행하고 있다.				
10	다른 사람으로부터 신뢰받는 사람이라고 생각한다.				
11	나는 적극적으로 행동을 취하는 편이다.				
12	나는 소극적인 성격이므로 실패가 두려워서 매사에 손을 대지 않으려고 한다.				
13	때때로 상대를 매도하거나 꼼짝 못하게 할 때가 있다.				
14	나는 자신이 한 언행에 대해 곧잘 후회한다.				
15	상대가 기대한대로 해주지 않으면 매우 화가 난다.				
16	다른 사람의 장점보다 단점을 지적하는 편이다.				
17	나는 기본적으로 다른 사람을 믿는다.				
18	아이들을 포함해서 누구에게라도 자신의 견해를 가질 권리가 있다고 생각한다.				
19	자신이 결단하여 행동하는 것이 잘 되지 않는다.				
20	자신의 용모에 자신이 없다.				
21	자신의 얼굴이나 모습에 매력이 있다고 생각한다.				

(계속)

순서	항목	①	②	③	④
22	매사에 자신이 없기 때문에 대체로 다른 사람들이 하는 대로 따라간다.				
23	다른 사람을 돕는 일은 나쁜 버릇을 키우므로 하지 않는다.				
24	자신의 능력 중 어떤 부분에 대해서는 자신감을 갖고 있다				
25	사람들이 자기 주장을 하거나 경제적으로 풍요하게 되는 것은 좋은 것이라고 생각한다.				
26	생각이나 행동방식을 자신과 달리하고 있는 사람은 가능한 한 무리에서 배제해 버리고 싶다.				
27	나는 대부분이 사람들과의 관계를 훌륭하게 해나가고 있다.				
28	다른 사람의 일이 순조롭게 되고 있을 때 좋은 일이라고 기뻐해 준다.				
29	다른 사람들 앞에서 이야기할 때 그다지 불안하거나 긴장되지 않고 자연스럽게 말한다.				
30	친구나 동료와 함께 있는 것을 좋아하지 않으며 고독을 즐긴다.				
31	싫어하는 사람일지라도 함께 일을 잘 해낼 수 있다.				
32	후배나 부하가 나를 따르는 것은 당연한 일이라고 생각한다.				
33	사람들은 누구나 자신이 의사결정을 할 권리가 있다고 생각한다.				
34	동료가 실패해도 언제까지나 책망하지 않고 격려한다.				
35	나 자신을 그다지 존경할 수가 없다.				
36	동료에 비해 나는 타인에 대한 평가는 엄격하다.				
37	나는 그다지 다른 사람을 칭찬하지 않는 편이다.				
38	나는 대개 다른 사람이 하는 만큼 할 수 있다.				
39	나는 다른 사람을 이용하여 자신의 입장이나 일을 잘 하려고 하는 경향이 있다.				
40	나는 잘못을 하거나 실망을 하는 경우에도 발전적으로 생각할 수 있다.				
합계					
유형구분		타인 부정	타인 긍정	자기 긍정	자기 부정

출처 : 1994 교류분석(TA), 서울 : 정암사

2 단원

의사소통의 이해

제4장 의사소통의 기본 원리

인간이 살아가는데 타인과 소통하는 방법이 없거나 원활하지 않다면, 더불어 살아갈 수 있을까? 인간은 의사소통을 함으로써 자신의 감정과 생각을 타인에게 전달하고 공유하며, 교육과 경험도 교류하고 성장한다.

의사소통을 통해 가족, 친구, 동료 및 이웃과의 관계를 형성하며 지지를 주고받으며 살아간다. 자신의 정체성을 확립하고 욕구를 충족하고 협력하며, 의견을 조율하며 문제를 해결하기도 한다. 따라서 함께 사는 사람들과 원만한 인간관계를 유지하며 서로 지지하기 위해서는 상호 이해를 바탕으로 한 의사소통이 매우 중요하다.

단원 1에서 자신과 개인들의 특성을 이해하고 타인과 관계를 맺고 살아가는 방식들을 살펴보았다. 이 단원에서는 의사소통을 실제에 활용하는 의사소통의 기본 원리를 다룬다.

04 장

의사소통의 원리

의사소통은 단순히 정보나 메시지를 주고받는 것을 넘어, 사람들 간의 생각, 감정, 정보, 의미를 전달하고 공유하는 과정이다. 언어와 몸짓, 표정, 행동 등의 비언어적 방법, 또는 기술적 매체 등을 통해 이루어지며, 상대방과의 이해와 연결된다. 의사소통은 특정한 맥락(Context) 안에서 이루어지며, 사회적, 문화적, 심리적 맥락이 의사소통의 의미와 방식에 영향을 준다.

이 장에서는 의사소통의 원리, 경로, 기술, 유형 및 종류를 이해하고 자신의 의사소통 유형을 확인하여 자기계발에 적용할 수 있도록 한다.

학·습·목·표

1. 의사소통의 중요성을 이해한다.
2. 의사소통의 개념을 이해한다.
3. 의사소통의 기능을 이해한다.
4. 의사소통의 구성요소를 이해한다.
5. 의사소통의 순환과정을 이해한다.
6. 의사소통의 종류를 이해한다.
7. 공식적, 비공식적 의사소통을 설명한다.

주·요·용·어

- 의사소통
- 메시지
- 언어적
- 비언어적
- 경로
- 발신자
- 수신자
- 의사소통 모형
- 공식적
- 비공식적
- 수직적
- 수평적
- 대각적
- 사티어
- 회유형
- 비난형
- 초이성형
- 산만형
- 일치형
- 대인
- 대면
- 대중
- 디지털
- 아날로그

04 의사소통의 원리

1 의사소통의 개념과 분류

① 의사소통의 정의

'의사소통(communication)'이란 용어는 라틴어의 공유, 공통의 뜻을 가지고 있는 'communis'에서 유래하였다. 의사소통은 인간이 자신과의 관계, 타인과의 관계에서 또는 집단에 속하여 상호 간 자신의 감정이나 생각, 정보, 의도를 전달하며 행동을 이해하고 서로 영향을 미치려는 공통적 이해를 하는 데 필수적인 요소이다.

인간은 성장하면서 자신의 요구나 원하는 것을 얻고 정보를 얻기 위해서 소통을 하며, 타인의 반응을 끌어내는 것을 배우다(Pamela Schuster, 2000).

의사소통을 통해 사람들은 정보전달과 공감을 주고받아 신뢰와 친밀감을 형성하여 서로 바람직한 상태로 변화를 유도하며, 건강한 관계를 유지하며 살아간다.

신체나 정신, 심리, 사회적으로 건강한 사람은 자신의 느낌이나 생각을 분명하고 조화롭게 전달한다. 자신과 인간에 대한 기본적 이해와 효율적인 표현 능력을 습득하고 건강한 의사소통 기술을 활용하여 대인관계에서 자연스럽고 원만한 상호작용을 통해 의사소통을 효과적으로 할 수 있을 것이다.

❷ 의사소통의 기능

의사소통은 언제나 발신자(sender)와 수신자(receiver) 간 상호작용에 의해서 이루어지며 진행적이기 때문에 자기 생각을 잘 표현하는 것도 중요하지만, 상대방의 입장이 되어 그의 마음을 잘 보고, 있는 그대로 들어주는 것도 매우 중요하다. 의사소통은 의식적 또는 무의식적으로도 일어나 언어나 행동 또는 표정 등에 의해 교환된다. 만약 긍정적인 감정이 교환되면 원만한 관계가 형성되지만, 의도나 표현기술 중 하나만 적절하지 못해도 부정적인 결과를 초래한다. 적절하지 못한 의사소통은 오해, 왜곡, 공감 부족, 저항 등으로 불편한 인간관계, 업무 차질 및 조직 발전을 저해한다. 의사소통은 인간관계에 매우 지대한 영향을 미치고 있으며 주요 기능은 다음과 같다.

1) 개인의 표현과 자아 확장

개인의 생각과 감정을 표현할 수 있는 도구이며, 이를 통해 자아를 형성하고 전달하며 정보와 지식이 확장된다.

2) 사회화와 지지적인 관계 형성

구성원으로서 공유하는 규범과 역할을 습득하여 가족, 친구, 동료 간의 관계가 강화되며 지지적인 관계가 유지된다.

3) 사회적 통합

사회의 구성원들이 서로 연결되고, 공동체 의식을 형성하는 데 핵심 역할을 한다. 정서를 공유하고 긴장을 완화하며, 의사결정과 문제 해결 및 갈등 해소 등의 협력적 결과를 갖는다.

4) 리더십 발휘

리더가 명확하고 동기 부여적인 메시지를 전달하면 팀워크를 형성하여 조직성과를 높인다.

2 의사소통의 구성과 모형

1 의사소통의 구성요소

의사소통의 기본 구성요소로는 발신자(sender), 메시지(message), 수신자(receiver)의 기본요소와 매체 또는 채널(경로)로 부르는 전달매체를 들 수 있다.

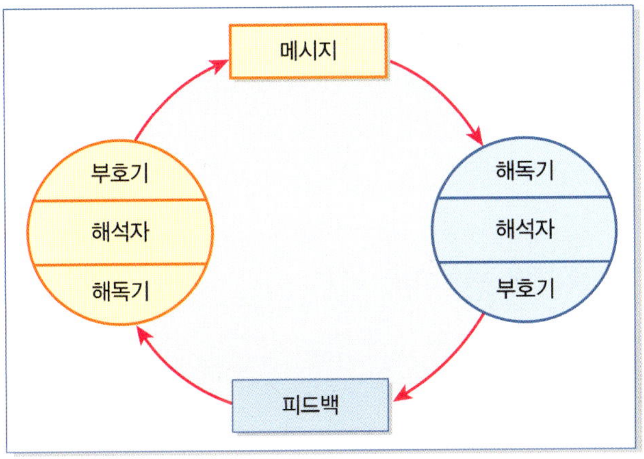

그림 4-1 Schramm's model of Communication

참고 : Communication (adapted from Schramm, 1954). ttps://en.wikipedia.org/wiki/Schramm%27s_model_of_communication

발신자가 메시지를 기호화(encoding)해서 송신(transmitting)하면 수신자는 메시지를 수신(receiving)하여 해독(decoding)한 나음 피드백(feedback)할 메시지를 기호화하여 이를 다시 발신자에게 송신하는 과정이 반복되어 슈람(Schramm, 1954)**[그림 4-1]**은 세논과 위버(Shannon & Weaver, 1949)의 선형적 모델(**[그림 4-2]**)과는 달리 의사소통의 순환적 /상호작용 모델을 제시하였다. 반룬드(Dean C.Barnlund, 1970)는 동시에 내면의 흐름이 상호작용한다고 하여 교류적 의사소통 모형(Transactional Model of communication)이라고 부른다.

2 의사소통 모형

1) Shannon-Weaver의 모형

Shannon과 Weaver는 의사소통 과정에서 방해가 되는 요소를 잡음(noise)이나 여러 심리적인 문제를 일으킬 수 있는 장애요인이 있다고 하였다.

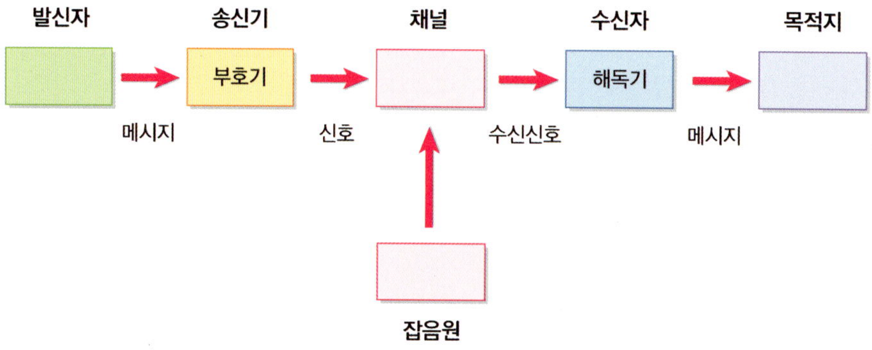

그림 4-2 Shannon & Weaver 의사소통 모형

참고 : Steinberg, S. (1995). Introduction to Communication Course Book 1 : The Basics. Juta and Company Ltd. p.18. ISBN 978-0-7021-3649-8.

2) Schramm[1)]의 상호작용 의사소통 모형

Wilbur Schramm은 Shannon-Weaver의 모형을 보완하여 상호작용적 과정으로 확장한 순환 모델을 개발하였다**[표 4-1]**.

의사소통은 본질적으로 순환하며 의사소통과정은 다음과 같이 구체적으로 설명된다**[그림 4-3]**.

(1) 발신자(Sender)

발신자는 의사소통을 시작하는 사람 또는 주체로, 자신의 생각, 감정, 또는 정보를 전달하려는 의도를 가지고 있다. 발신자는 메시지를 구성하고, 이를 상대방이 이해할 수 있는 기호(언어, 이미지, 소리 등)로 부호화(encoding)한다.

(2) 부호화(Encoding)

발신자가 자신의 생각이나 정보를 언어나 기호로 변환하는 과정이다. 말을 통해 생각을 전달하거나, 그림을 그려 아이디어를 표현한다. 효과적으로 부호화하면 발신자의 의도가 정확히 전달될 가능성이 높아진다. 그러나 부호화 과정에서 발신자가 사용하는 언어나 기호가 수신자에게 친숙하지 않으면 메시지가 왜곡되거나 정확하게 전달될 수 없다.

1) Schramm은 순환모델을 설명하기 위해 발신자는 communicator로, 수신자는 recipient를 사용하였음.

표 4-1 Shannon & Weaver와 Schramm 모형의 비교

요소	Shannon & Weaver 모형	Schramm 모형
과정의 성격	선형적(Linear process)	순환적/상호작용적(Interaction process)
피드백	없음	피드백이 핵심
맥락고려	기술적 과정에 초점	맥락과 공유 경험 강조
잡음의 중요성	메시지 왜곡의 핵심요소	상대적으로 강조 안 함

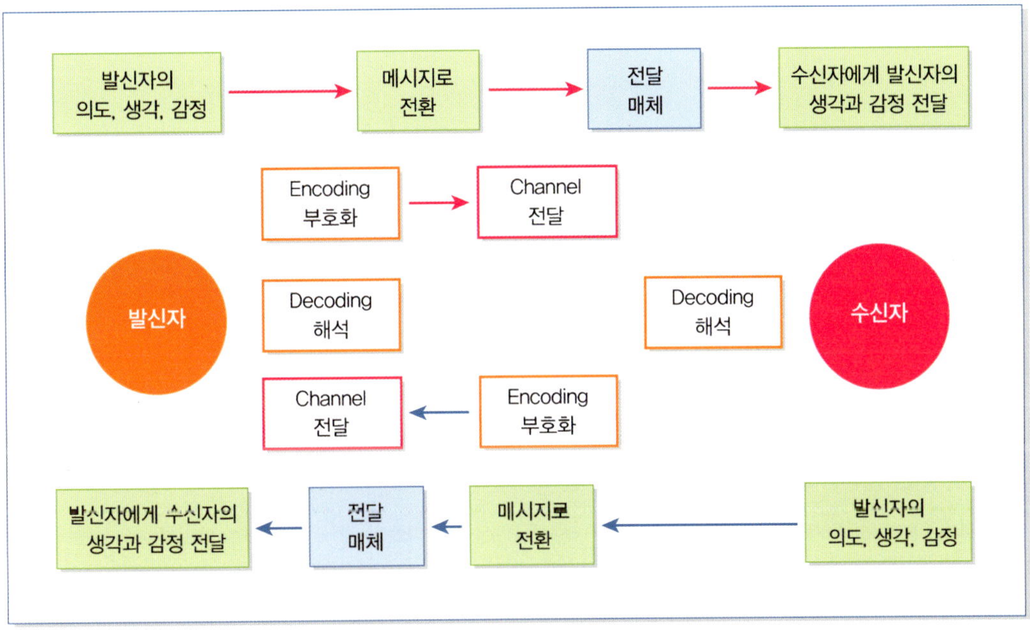

그림 4-3 의사소통의 과정과 구성요소

(3) 메시지(Message)

발신자가 전달하고자 하는 내용이다. 메시지는 말, 글, 이미지, 비디오 등 다양한 형태로 존재할 수 있다. 메시지는 발신자와 수신자 모두에게 의미 있게 해석되어 부호화되거나 해독되어야 한다.

(4) 채널(Channel)

메시지가 전달되는 경로 또는 매체[2]이다.

2) 경로 또는 매체 : 청각, 시각, 촉각 등 감각경로나 아날로그나 디지털 등 도구나 기술을 이용한 기술적 매체

(5) 수신자(Recipient)

메시지를 받는 사람 또는 대상이다. 수신자는 발신자가 전달한 메시지를 해독하여 의미를 이해하려고 한다.

(6) 해독(Decoding)

수신자가 메시지를 받아 그것을 자신의 언어, 경험, 감각을 사용해 의미를 해석하는 과정이다.

상대방이 한 말을 듣고 그 의미를 이해하거나, 그림을 보고 그 의도를 파악하는 것이다. 해독 과정은 수신자의 배경지식, 경험, 문화적 맥락에 따라 다를 수 있어 발신자의 의도와 다르게 해석되어 부작용이 될 위험이 있다.

(7) 피드백(Feedback)

수신자가 메시지에 반응하여 발신자에게 다시 전달하는 과정이다. 발신자는 피드백을 통해 수신자가 메시지를 제대로 이해했는지 확인할 수 있고 이해된 상태에서 다시 반응을 보낸다. 수신자가 다시 발신자가 된다. 예를 들어, 머리를 끄덕이는 동작을 하는 비언어적 피드백을 하거나, 질문을 하거나, 공감하거나 반대되는 의견을 말할 수 있다.

(8) 공유된 경험(Field of Experience)

발신자와 수신자가 지식, 경험, 문화적 배경 등을 공유하며 발신자와 수신자가 공통의 경험을 공유할수록 의사소통의 성공 가능성이 높아지며, 공유된 경험이 적으면 어려워진다. 같은 문화권에서 자란 사람들이나 같은 입장이면 표현을 쉽게 이해할 수 있다.

발신자는 인코더(encoder, 부호기)이며, 부호화하여 메시지를 보내는 사람이다. 메시지가 생성되어 전달매체를 통해 전달된다. 수신자는 디코더(decoder)로 메시지를 받고 해석(이해, 분석)한다. 각 개인은 발신자와 수신자 역할을 번갈아 수행하므로 디코딩, 해석 및 인코딩이 동시에 발생한다. 이때 발신자와 수신자가 동일한 메시지에 다른 의미를 적용할 때 어려움이 발생할 수 있다. 의사소통의 성공 여부는 맥락을 얼마나 잘 반영하는지에 달려 있다. 메시지 반응을 주고받을 때, 발신자와 수신자가 되고 수신자는 다시 발신자가 되며 피드백이 핵심기능을 하기 때문에 의사소통에 따라 상황도 변화된다.

③ 의사소통의 분류

의사소통은 인간 상호작용의 본질적인 과정으로, 그 방식과 상황, 수단, 참여자 구성에 따라 매우 다양한 형태로 나타난다. 이를 보다 체계적으로 이해하기 위해, 다음과 같은 기준에 따라 의사소통을 분류할 수 있다.

1) 표현방식에 따른 분류

메시지가 표현되는 방식이 언어적인지 비언어적인지에 따라 구분될 수 있다. 언어적 의사소통은 자신의 생각이나 감정을 말이나 글로 자신의 메시지를 표현하는 것이며, 비언어적 의사소통은 몸짓, 표정, 행동, 자세, 옷차림 등으로 표현하는 것이다.

메라비언(Merabian, 1971)은 상대방의 의사소통에 영향을 미치는 요소 중 가장 중요한 것은 비언어적 요소(시각적 요소)이며, 그다음은 음성(청각적 요소), 언어적 요소(말의 내용)이다.

메라비언 법칙에 의하면, 말의 내용이 차지하는 비중은 7%로 적다. 오히려 그런 말을 하는 사람의 태도(55%) 등의 시각적 요소나 목소리 등의 청각적 요소(38%)인 비언어적인 요소가 93%나 좌우한다.

(1) 언어적 의사소통(Verbal Communication)

언어적 의사소통은 대화, 이메일, 문서 등과 같이 말(oral language)과 글(written language)을 통해 표현된다. 감정이나 생각을 효과적으로 전달할 수 있는 가장 간편하고 만족스러운 의사소통의 방법이다. 언어적 기호로 구성된 사실적인 지식은 정확하게 효율적으로 전달된다. 개인의 내면적 상태와 의도를 전달하는 방법이기도 하다. 그러나 개인적으로 편차가 커서 말하는 사람과 듣는 사람은 똑같은 단어를 서로 다른 의미로 사용하기도 하고, 감정을 표현하는 방법도 다르며, 어휘의 사용 정도에도 차이가 있다. 따라서 언어에 내재하는 한계와 문제점을 알고 정확한 자기표현과 다양한 감정표현에 대한 훈련이 필요하다.

언어적 의사소통의 향상 기술은 상대방을 이해하며 욕구를 파악하고 문제를 해결하기 위한 과정에서 핵심적이다. 따라서 지지적인 언어와 대상자의 언어 수준 및 감정과 인식을 고려하고 명료화하며 소통하도록 한다. 구체적인 의사소통 향상을 위한 언어적 기법은 제 3단원 의사소통 전략에서 다루기로 한다.

(2) 비언어적 의사소통(Nonverbal Communication)

비언어적 의사소통에는 얼굴 표정, 용모, 자세, 침묵, 말투, 손짓, 눈짓, 몸짓, 음성의 톤 등 언어 이외의 모든 표현이다. 씰룩거림, 으쓱거림, 웃음소리의 크기, 눈물도 비언어적 의사소통으로 언어적 의사소통보다 정서적 영향이 커서 중요하게 작용하는 경우가 많다. 이들에는 언어적 표현으로 나타나지 않은 숨겨진 메시지가 전달되기 때문이다. 그러나 의도성 있는 비언어적 메시지 사용은 인간관계에서 바람직하지 못하다. 따라서 비언어적 의사소통을 잘 활용하여 따뜻하고 신뢰받는 대화 환경이 조성되면 원만하고 지지적인 인간관계가 유지될 수 있다.

눈맞춤은 의사소통에 함께 하고 있음을 알리거나 나아가 공감을 의미하기도 하므로, 적절한 눈맞춤이 필요하다. 목소리의 어조는 감정을 나타내며, 크고 너무 단호한 목소리는 공격과 통제로 느끼게 하여 위축 또는 두려움을 줄 수도 있다. 또한 편안한 음정과 따뜻한 음색의 자연스러운 목소리는 상대방에게 편안감을 줄 수 있으며, 들떠있는 목소리는 자신감이 없거나 우울한 느낌을 나타낸다. 목소리를 바꿀 수 없지만, 말의 속도, 간격, 크기 등을 조화롭게 사용하면 긍정적인 효과를 얻을 수 있다.

상대방과 의사소통할 때는 가능하면 밝은 표정으로 대화하려는 자세가 필요하다. 얼굴표정이 시종 굳어있거나 변화가 없으면 관심이 없다고 느끼게 된다. 손과 팔 등의 몸동작이나 신체적 자세도 중요하므로 대화할 때 상대방의 몸동작을 살펴서 자신의 불필요한 몸동작이나 제스처가 습관적으로 나오지 않도록 유의하도록 한다**[표 4-2]**.

자세는 일반적으로 앉을 때는 어깨가 상대방의 어깨와 90°로 L자 모형으로 마주보아 개방성과 안정감을 주고, 상대방 쪽으로 약간 기울이는 자세는 상대의 말에 관심을 갖고 듣고 있다는 안정감을 느끼게 해준다.

접촉은 비언어적 메시지 중 가장 개인적인 측면의 소통 방식이다. 악수, 포옹, 머리 쓰다듬기, 팔을 끼는 것, 어깨나 등을 토닥거려주는 것 등은 친밀감과 애정을 표현하는 방법으로 심리적 안정감을 주지만, 내담자의 개인적 성향이나, 문화적 배경과 또는 인간관계의 근접성에 따라 지각과 반응에 차이가 있음에 유의하고, 특히 성별 또는 국가나 문화적 차이가 있는 경우에는 먼저 상대의 의향을 묻는다.

표 4-2 비언어적 메시지의 효과 비교

	바람직한 비언어적 메시지	바람직하지 않는 비언어적 메시지
얼굴표정 (face expression)	• 온화하고 배려적인 밝은 표정 • 자연스럽고 여유 있는 입모양 • 간간이 미소 짓는 • 자연스러운 변화를 주는 • 활기 있는	• 하품하거나 지루한 • 입을 꽉 다물고 입술을 깨무는 • 지나치게 머리를 끄덕이는 • 이해하기 어려운 미소를 띤 • 냉담하거나 찌푸린
시선, 눈맞춤 (eye contact)	• 대상자와 눈높이 같은 • 적절하게 마주한	• 시선을 피하는 • 눈을 빤히 들여다보는
어조 (tone of voice)	• 온화하고 적당한 크기 • 분명한 발음과 속도	• 분명하지 못한 발음, 혼잣말, 잦은 헛기침 • 너무 높거나 들뜬 목소리
자세 (body posture)	• 대상자와 L자형으로 앉음 • 대상자쪽으로 약간 기운 • 자연스럽게 관심보이는 편안한	• 계속 손발을 움직임 • 다리를 꼬고 앉는 • 턱을 고이거나 귀를 막음
손, 팔 동작 (gesture)	• 양손을 살짝 앞으로 모으거나 자연스럽게 어깨넓이로 벌린	• 손가락으로 지적하는 • 팔짱낀

2) 대상에 따른 분류

(1) 개인 의사소통(Interpersonal Communication)

두 사람 이상 간에 이루어지는 직접적이고 상호적인 의사소통

사례

- **부모-자녀 간 대화**: 부모가 자녀의 학교생활에 대해 물어보고 격려한다.
- **상담 장면**: 상담자가 내담자의 고민을 듣고 공감하며 조언하는 대화를 한다.
- **면접**: 구직자가 면접관과 자신의 경력과 목표에 대해 이야기한다.

(2) 집단 의사소통(Group Communication)

세 명 이상이 모여 정보를 공유하는 소그룹이나 팀 내에서 모여 정보를 공유하고 의사결정을 하는 과정

사례

- **회의**: 팀원들이 프로젝트 진행 상황을 논의하고 역할을 분담하는 회의를 한다.

- **토론** : 수업 중 학생들이 특정 주제에 대해 서로 의견을 나눈다.
- **워크숍** : 전문가들이 모여 특정 주제에 대한 발표와 토의를 진행한다.

(3) **대중 의사소통**(Mass Communication)

한 사람이 다수의 불특정 대중에게 메시지를 전달하는 과정. 신문, 방송, 소셜미디어 등

사례

- **뉴스 방송** : 기자가 뉴스를 보도하며 전국의 시청자들에게 정보를 전달한다.
- **SNS 홍보** : 기업이 소셜 미디어를 통해 신제품 정보를 소비자들에게 알린다.
- **건강캠페인** : 코로나 재유행에 대비하여 코로나 백신 접종을 홍보한다.

3) 기술적 수단에 따른 의사소통

(1) **대면 의사소통**(Face-to-Face Communication)

직접 얼굴을 보며 직접적인 대화로 이루어지며 별도의 기술이 필요하지 않다. 대면 소통을 하는 일이 점점 줄어들고 있지만, 인간을 대상으로 하거나 인간관계에서 직접 대면할 때는 비언어적인 요소가 전달되어 소통과 반응이 즉각적이며 메시지가 명확하게 전달된다.

(2) **디지털 의사소통**(Digital Communication)

디지털 의사소통은 전자기기를 통해 이루어진다. 음성을 0과 1의 이진법(디지털 신호)으로 변환하여 전달하는 인터넷과 기술을 통해 이루어지는 의사소통이다. 동시적(화상회의, 스마트폰, 카카오톡 음성통화) 또는 비동시적(이메일, 문자 메시지) 형태로 이루어진다. 현 시대에는 대중을 대상으로 많이 사용되고 있다.

4) 정보 부호화 방식에 따른 의사소통

(1) **아날로그 의사소통**(Analog Communication)

음성, 몸동작, 필기 등의 연속적인 신호를 활용하여 자연스럽게 감정이 전달된다.

대면 대화, 유선전화, 손 편지, 라디오 방송이 속한다. 전화나 라디오, 방송은 소음이나 음성의 특성 등에 의해 정보가 왜곡될 수 있다.

(2) 디지털 의사소통(Digital Communication)

앞서 기술적 수단에서 제시된 것처럼 전자기기를 통해 명확하고 정제된 정보가 전달되고 수정, 복사와 공유가 가능하다. 그러나 감정 전달이 제한될 수 있으며 기술적 수단에 의존하며 인터넷이 끊기면 사용이 안 된다.

5) 조직 구조에 따른 의사소통

조직에서 의사소통은 단순한 정보 전달을 넘어 업무 효율성, 조직 문화, 팀워크, 성과 창출 등 다양한 측면에서 핵심적인 역할을 한다. 조직 내 원활한 의사소통이 이루어지면 업무 진행이 효과적으로 이루어지고, 구성원 간 신뢰와 협력이 강화된다.

만일, 의사소통이 원활하지 않으면 오해와 갈등이 발생하고, 조직의 생산성이 저하될 수 있다. 조직내 명확한 의사소통은 업무 방향과 목표를 명확히 전달하여 불필요한 시행착오를 줄이며 조직 내 부서 간, 상·하 관계에서 원활한 협업을 가능하게 한다. 조직은 기업, 학교, 병원, 공공기관을 비롯한 다양한 단체가 있으나, 여기서는 의료기관을 중심으로 조직 구조에 따른 여러 의사소통의 종류, 특징을 설명하고 실례를 제시한다.

(1) 공식적 의사소통(Formal Communication)

공식적 의사소통은 업무의 권한 체계와 절차관계가 명시되며, 수직적, 수평적, 대각적 의사소통으로 이루어진다**[그림 4-4]**. 조직 내 결재, 공문 등 문서 전달, 명령, 지시, 보고, 회의 등 문서와 구두로 이루어진다. 문서로 소통할 때는 문서를 체계적이며, 간결하고 정확하고 일목요연하게 작성하여 명확한 의사전달이 되도록 하며 피드백을 수용한다.

상급자는 하급자의 건의나 요청에 개방적인 태도로 정보에 편견을 갖거나 배제하지 않으며 하위직의 참여의식을 유도하고, 하급자는 조직발전을 위해 적극적인 태도로 의사소통에 참여해야 한다.

① 수직적 의사소통(Vertical Communication) : 상·하위직 간의 의사소통

가. 상향식 의사소통(Bottom-up Communication)

상위직에 대해 하위직이 업무를 보고하거나, 내부결재, 상담요청, 의견 제안, 고충 상정 등이 있다. 병원의 예를 들면, 병원의 각 부서장이 병원장에게 제출하는 보고 등이나 건의사항이 있다.

나. 하향식 의사소통(Top-down Communication)

상위직이 하위직에게 내리는 명령, 지시, 게시판, 조직의 목표, 가치 등을 전달하고, 병원장이 각 부서장에게 내리는 업무 지침이나 간호국이나 간호부에서 각 파트 소속 직원들에게 내리는 업무 지시나 보고서 제출 요청 등이 있다.

② 수평적 의사소통(Horizontal Communication)

사전협의, 위원회, 회람, 각종 회의 등 같은 지위나 같은 구성원 간 협력과 정보를 교류하는 것이며, 사전 협의, 위원회, 회람, 각종 회의들이 있다. 협력과 조정이 핵심이다. 병원의 예를 들면, 간호사들의 업무 인수인계, 환자간호에 대한 정보 교류, 수간호사 회의, 부서회의를 들 수 있다.

③ 대각적 의사소통(Diagonal Communication)

조직 구조상 동일한 명령 계층에 속하지 않는 조직 단위 간의 의사소통이다. 다직종간 유연하게 효율적으로 운영되도록 필요한 정보를 빠르게 주고받는 방식이다. 상시적, 또는 임시적 의사전달로 이루어진다. 위계적인 수직적, 수평적 구조를 넘어서 부서와 직급을 가로지르는 형태의 의사소통이다. 직접적인 보고 체계가 아닌 부서 간의 정보 공유나 협력이 필요한 경우에 발생한다.

보건의료기관에서는 공동의 목표를 가진 다양한 직군(의사, 간호사, 행정직원, 약사 등)이 협업해야 하기 때문에 대각적 의사소통이 매우 중요하게 작용한다.

병원에서는 공식적인 보고 체계를 벗어나, 신속하고 효율적인 협업을 위해 의사와 병원 행정팀, 간호사와 약사, 병원 경영진과 의료장비 업체, 응급실 간호사와 시설관리팀, 의료진과 IT팀 등 대각적 의사소통이 필수적으로 이루어져야 하며, 그 이유는 다음과 같다.

- 다양한 직군(의사, 간호사, 행정, 시설, 약사 등)이 함께 협업해야 하는 환경
- 전문적 지식이 필요한 업무에서 부서 간 신속한 정보 공유 필요
- 전통적인 위계적 의사소통만으로는 처리하기 어려운 빠른 의사결정이 필요
- 진료 효율성 향상, 의료 사고 예방, 실무 운영 최적화에 기여

가. 의사(Doctor) ↔ 병원 행정팀(Hospital Administration) 간 소통

의사가 병원의 행정팀(총무팀, 재무팀, 인사팀 등)과 직접 소통하는 경우

의료진이 진료 환경 개선을 요청하거나, 병원의 운영 정책과 관련하여 협의할 때 발생함

- **의사 → 병원 인사팀** : "우리 파트에 PA 인력이 부족합니다. PA 인력증원이 가능할까요?"
- **병원 인사팀 → 의사** : "현재 충원 계획을 검토하고 있습니다. 필요한 인원과 근무 조건을 구체적으로 알려주시면 반영하겠습니다."

나. 간호사(Nurse) ↔ 약사(Pharmacist) 간 소통

간호사가 약국팀(약제부)과 직접 소통하여 처방된 약의 변경 여부나 대체 약품에 대해 논의하는 경우

- **간호사 → 약사** : "환자가 기존 처방된 약에 부작용을 보이는데, 다른 대체 약이 있을까요?"
- **약사 → 간호사** : "현재 재고가 있는 대체 약품이 있습니다. 주치의에게 변경 가능한지 확인해 주세요."

다. 영상의학과(Department of Radiology) ↔ 병원구매팀(Hospital Purchasing Team)

- **영상의학과 → 병원구매팀** : "MRI 장비가 자주 고장 나고 있습니다. 신형 모델로 교체하는 것이 가능할까요?"
- **병원구매팀 → 영상의학과** : "기획실과 상의하여 예산이 있는지 확인해보겠습니다."

라. 응급실(ER) 간호사 ↔ 병동 청소시설팀(Facility & Cleaning Team) 간 소통

- **응급실 간호사 → 병원 시설관리팀** : "오늘 감염병 환자가 다녀간 병실을 즉시 소독해야 합니다. 방역팀을 호출해 주세요."
- **병원 시설관리팀 → 응급실 간호사** : "바로 출동하여 해당 병실을 소독하겠습니다. 소독이 끝난 후 안내드리겠습니다."

마. 병원 IT팀 ↔ 의료진 간 소통

- **의사 → 병원 IT팀** : "오늘 오전부터 전자의무기록(EMR) 시스템이 오류를 일으켜 환자 정보를 불러올 수 없습니다."
- **병원 IT팀 → 의사** : "긴급 조치를 진행하고 있으며, 30분 내로 복구될 예정입니다. 임시 조치로 수기 기록을 이용해 주세요."

유형	모형	특징
수직적 의사소통	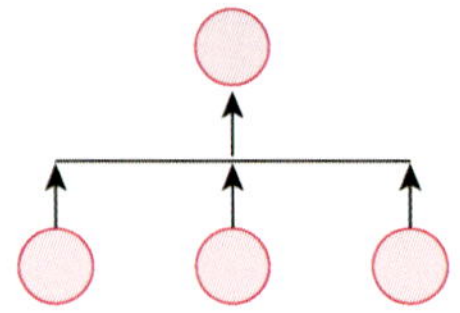 상향식 의사소통	• 조직의 하층에서 상층으로 메시지나 정보가 전달됨 • 하급자 주도형 • 보고, 내부결재, 제안제도, 불만 처리 상담, 하급자의 태도 및 고충 등 전달
	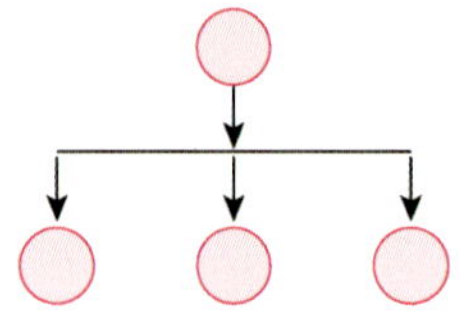 하향식 의사소통	• 조직의 명령계통을 통해서 상층에서 하층으로 전달됨 • 지시적 의사소통 • 명령, 지시, 지침, 게시판, 조직 목표, 가치 등
수평적 의사소통	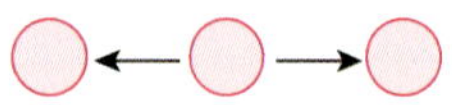	• 조직의 위계 수준이 같은 구성원 또는 부서 간의 의사소통 • 사전 협의, 위원회, 회람, 각종 회의 등
대각적 의사소통	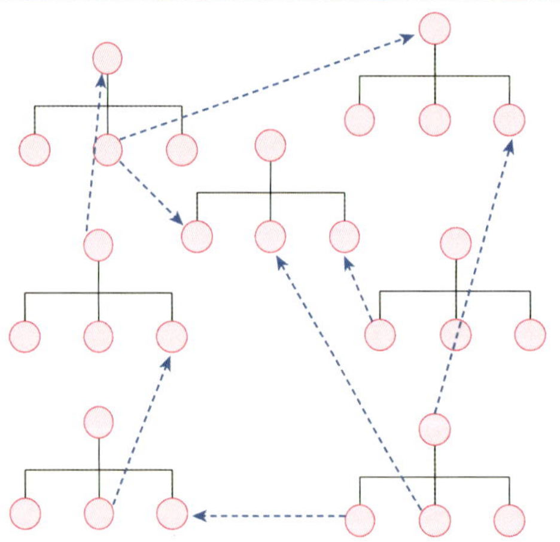	• 조직 구조와 관계없음 • 다른 부서와 직급에 상관없이 필요한 정보를 신속하게 교환하고 협업이 이루어짐

그림 4-4 공식적 의사소통 유형의 모형과 특징

의료기관에서는 특히 신뢰 형성을 통해 환자의 안전과 치료 효과, 의료진 간 협력, 서비스 품질 향상을 위해 의사소통이 더욱 필수적이다. 의료 환경에서 의사소통이 원활하지 않으면 진료 오류, 의료 사고, 환자의 불안 증가를 초래한다. 상·하체계 뿐 아니라 다양한 직종 간의 전문적인 정보 전달, 협업, 환자와의 신뢰 형성이 중요한 역할을 한다. 의료기관에서 바람직하지 않은 의사소통 사례는 다음과 같다**[표 4-3]**. (세부적인 상황의 사례는 단원 4에서 다룸)

표 4-3 의료기관에서 의사소통의 바람직하지 않은 경우

	방식	분류	예시
수직적	지시	비합리적	• 병원 관리자 : "이 달 인사 평가 자료를 손으로 정리해서 보고하세요." • 행정 직원 : "전산 시스템에 정리되어 있는데 종이로 작성해야 하나요?" • 병원 관리자 : "난 종이로 봐야 잘 보여서 그래. 그냥 하라면 해요." • 해결방법 : 직원의 피로도와 환자 안전 고려 필요
		불명확한	• 수간호사 : "오늘 병동 환자 상태 좀 잘 봐." • 간호사 : "어떤 점을 중점적으로 체크해야 하나요?" • 수간호사 : "그냥 문제 있으면 보고해." • 해결방법 : 지시를 이해했는지 확인 필요
		일방적	• 행정 직원 : "현재 시스템이 너무 불편한데, 다른 방식을 사용하면 더 효율적일 것 같습니다." • 병원 관리자 : "그냥 기존 방식대로 해. 바꿀 생각하지 마." • 해결방법 : 상향식 의사소통 강화
	소통 방식	권위적	• 수간호사 : "우리 병동에서는 쭉 그렇게 해왔어요. 그대로 해요." • 간호사 : "새 방식을 도입하면 업무 효율성이 더 좋아질 것 같은데요." • 수간호사 : "선생님이 뭘 안다고 그래! 나는 20년이나 그렇게 잘 만 했어요." • 해결방법 : 하위직 의견을 반영하는 조직 문화 조성
		폭언과 질책	• 팀장 : "이렇게 간단한 것도 처리하지 못해요? 도대체 어떻게 들어온 거야!" • 신입직원 : "죄송합니다. 다음부터 주의하겠습니다." • 해결방법 : 팀장의 구체적인 피드백 필요. 직장 내 괴롭힘 방지 교육
		위계 무시	• 병원장 : "수간호사에게 보고하지 말고, 나한테 직접 보고해." • 간호사 : "수간호사님을 거치지 않아도 되는 건가요?" • 병원장 : "내가 병원장이니까 내 말만 들으면 돼." • 해결방법 : 명확한 보고 체계 유지, 공식 프로토콜 따르는 문화 조성
	소통 내용	공사 구분 못함	• 병원장 : "오늘 내 아들 대학 면접 있는데 병원차로 데려다 줘." • 운전기사 : "병원 차량은 업무용이라 어렵습니다." • 병원장 : "내가 병원장인데 내 말이 곧 병원 방침이야." • 해결방법 : 업무와 사생활 분리하는 원칙 준수
		성희롱	• 상사 : (어깨를 만지며) "요즘 너무 바빠 보이는데, 스트레스 풀어줄까?" • 직원 : "불편하니 손 치워주세요." • 상사 : "왜 이렇게 예민해? 그냥 친근해서 그런 거야." • 해결방법 : 성희롱 예방교육 강화 및 방지 대책 마련
		폭력적	• 외과과장 : (차트를 바닥에 던지며) "이게 뭐야? 환자 차트를 이렇게 엉망으로 정리하면 어쩌라는 거야?" • 인턴 : "죄송합니다. 수정하겠습니다." • 외과과장 : "이따위로 일할 거면 나가!" • 해결방법 : 직장 내 괴롭힘 금지법 준수와 정기적 모니터링, 리더십교육

	방식	분류	예시
수평적	집단	분화의식 조성	• 응급실 직원 : "병동 간호사들은 너무 편하게 일하는 것 같아. 우리는 항상 바쁘거든." • 병동 간호사 : "응급실이 힘들다고? 우리도 만만치 않다고." • 해결방법 : 일정기간 업무 교환 경험, 긍정적인 피드백 방식 유도
	개인	사적 침해	• 동료 : "오늘 병원 끝나고 어디 가?" • 직원 : "개인 일정이 있어서요." • 동료 : "에이, 뭐 비밀이야? 그냥 어디 가는지 말해봐." • 해결방법 : 사생활 존중교육, 업무중심의 대화 문화 조성

의료 환경에서 의사소통이 중요한 6가지 핵심 이유

✓ 환자 안전(Patient Safety) 및 의료 오류 예방

명확한 의사소통 부족으로 인한 오진, 약물 투여 실수, 수술 오류 등 의료 사고 발생 가능성이 높아진다. 의료진 간 환자의 상태에 대한 정확한 정보 공유가 이루어지지 않으면, 환자의 건강이 위협받을 수 있다.

예시 의사가 간호사에게 "저 환자에게 혈압약 주세요."라고 모호하게 지시하면 간호사가 잘못된 약을 투여하는 사고가 발생한다. 따라서 명확한 지시를 해야 한다. "이 환자에게 오전 9시, 식후에 'Amlodipine 5mg'을 1알 복용하도록 처방했습니다."라고 말해야 한다.

해설 이를 위해 의료진 간 SBAR(Situation, Background, Assessment, Recommendation) 보고 방식을 활용하고, 환자 인수인계 시 체크리스트와 이중 확인(Double-Check) 시스템을 도입한다.

✓ 다직종 협업(Interdisciplinary Collaboration) 강화

의료기관에서는 의사, 간호사, 약사, 치료사, 행정직원 등 다양한 직종의 협업이 필수적이다.
원활한 협업이 이루어지지 않으면 환자치료과정에서 혼선이 발생하고, 치료 지연이 초래될 수 있다.

예시 응급실에서 환자를 이송할 때, 응급의료팀과 병동 의료진 간에 정보 공유가 부족하여 환자의 중요한 병력이 누락되었다.

해설 환자 이송 시 의료진 간 핸드오버(hand-over) 체크리스트를 사용하여 모든 정보를 확인한다. 정기적인 다직종회의(interdisciplinary rounds)를 실시하며, EMR(전자의무기록) 시스템을 활용하여 의료진 간 실시간 정보를 공유해야 한다.

✓ 환자와의 신뢰 형성(Patient Trust) 및 치료 순응도 향상

의료진과 환자 간 의사소통이 부족하면, 환자는 치료 계획을 이해하지 못하거나 신뢰하지 않는다. 환자가 자신의 상태를 정확히 이해해야 치료지시를 잘 따르고(순응도 증가), 건강을 유지할 가능성이 높아진다.

예시 의사가 전문 용어만 사용하여 설명하면 환자가 치료방법을 이해하지 못해 약을 제대로 복용하지 않는다.

대화 "이 약은 혈압을 낮추는 역할을 합니다. 매일 같은 시간에 한 알씩 드시면, 혈압이 안정적으로 유지됩니다."

해설 환자교육 시 쉬운 언어(plain language)와 시각 자료(visual aids)를 활용한다. 환자가 치료 계획을 이해했는지 확인하기 위해 "Teach-Back"[3]기법을 사용한다.

✓ 의료 서비스의 질 향상(Healthcare Quality Improvement)

환자의 만족도에는 의료진과의 원활한 의사소통이 중요하게 작용한다.
친절한 응대, 명확한 설명, 환자의 감정을 존중하는 태도가 환자의 신뢰를 얻고 치료에 대한 순응을 높이며 병원의 평판과 서비스의 질을 결정하는 중요한 요소가 된다.

예시 환자가 수술 후 통증을 호소했지만, 간호사가 "조금만 참으세요."라고 반응하여 환자에게 불만을 갖게 한다.

대화 "통증이 심하시군요. 바로 담당 의사에게 보고하고, 진통제 처방이 가능한지 확인해 드리겠습니다."

해설 의료진의 의사소통 교육(communication skills training)을 강화한다. 환자의 안위와 효과적인 치료를 위한 정기적인 피드백 시스템을 구축한다.

✓ 감정적 지원(Emotional Support) 및 윤리적 의사소통

환자는 질병으로 인해 신체적, 심리적으로 불안한 상태이므로 정서적 지지가 너무나 중요하다. 의료진이 공감적 경청(empathic listening)을 하지 않으면, 환자는 병원에 대한 신뢰를 잃고 소외감을 느낄 수 있다. 의료인은 환자의 정서를 지지하는 입장에 있으므로 자신의 정서관리에 노력해야 한다.

예시 "암 진단이 나왔습니다. 치료 방법은 두 가지인데, 선택하세요." (공식적이고 기계적인 태도)
"암 진단을 받으셔서 많이 놀라셨을 텐데요. 치료 옵션에 대해 자세히 설명해 드릴 테니, 함께 이야기 나누며 생각해 보시게요." (환자의 감정을 고려한 응대)

해설 의료진에게 공감적 소통 훈련(empathy training)을 실시하고 환자와 가족을 위한 심리적 지지 프로그램을 제공한다.

✓ 의료 법규 및 윤리 준수(Medical Law & Ethical Compliance)

환자의 개인정보 보호(confidentiality) 및 의료 윤리(ethical communication)를 준수하는 것이 필수적이다. 잘못된 정보 전달은 법적 문제를 초래할 수 있으며, 의료진과 병원에 큰 책임이 따른다.

예시 간호사가 병실에서 큰 소리로 "ㅇㅇ님, 헤모글로빈이 10.8으로 나왔네요."

해설
- 다른 사람이 있는 데서 큰소리로 말하면 환자의 개인정보 유출할 수 있다. 검사 결과는 조용하게 개인적 분위기에서 직접 설명한다.
- 의료진 대상 의료 윤리 및 법규 관련 교육을 정기적으로 실시한다.
- 환자개인정보보호에 관한 법규 등을 준수한다.

---

3) teach back : 의료인인 환자나 보호자에게 설명한 내용을 이해했는지 확인하기 위해, 환자가 보호자에게 본인의 말로 설명해보도록 요청하는 것

즉, 의료기관에서는 환자 안전과 오류 예방을 통한 명확한 정보 공유로 의료 사고를 방지하며, 다직종 협업 강화와 의료진 간 원활한 협업을 통해 치료 효과를 극대화하며, 환자가 치료를 이해하고 따를 가능성을 높인다. 또한 의료 서비스 질 향상, 환자 만족도와 병원 평판을 긍정적으로 변화시키며 환자에 대한 정서 지원 및 환자의 심리적 안정을 돕고, 의료 윤리 준수하는데 의사소통은 환자 치료에 매우 중요한 요소이다.

의료기관에서 이루어지는 공식적 의사소통 체계

✓ **의료 지침 및 프로토콜 전달**

병원이나 보건소에서 새로운 의료 지침(예 : 감염 관리 지침, 응급처치 절차)이 발표될 때, 이를 내부 공문이나 이메일, 회의 등을 통해 전달한다. 질병관리청에서 코로나19 방역지침을 전국 병원에 공문으로 전달하는 것 등이 그 사례이다.

✓ **회의 및 보고 체계**

병원 내 각 부서(의료진, 간호팀, 행정팀 등) 간 정기적인 회의를 통해 정책을 논의하고 보고한다, 병원에서 매주 열리는 의료진 회의에서 환자 치료 계획을 논의하고 보고서를 제출하는 것 등이 그 사례이다.

✓ **전자 의무 기록(EMR, Electronic Medical Record) 시스템 사용**

의사, 간호사, 약사가 환자의 상태와 치료 계획을 공유하기 위해 EMR을 통해 정보를 공식적으로 기록하고 전달한다. 응급실에서 접수된 환자의 검사 결과가 EMR 시스템을 통해 담당 의사에게 전달되는 것 등이 그 사례이다.

✓ **공식 문서 및 공문 발송**

정부 보건기관이나 병원이 특정 지침이나 정책 변경을 공식적으로 공문을 통해 직원들에게 전달한다. 보건복지부에서 의료보험 정책 변경 내용을 병원 및 관련 기관에 공문으로 배포하는 것 등이 그 사례이다.

✓ **교육 및 훈련 프로그램**

새로운 의료 기술이나 보건 정책에 대해 직원들에게 공식적인 교육을 실시하여 정보를 전달한다. 신규 간호사를 대상으로 감염 예방 교육을 공식적으로 실시하고 관련 자료를 배포하는 것 등이 그 사례이다.

✓ **진료 및 환자 관리 회람**

병원 내에서 환자 치료와 관련된 주요 사항을 공식적인 메모나 이메일을 통해 공유한다. 특정 질병 환자 증가에 따라 병원 내 모든 의료진에게 주의사항을 공식 문서로 전달하는 것 등이 그 사례이다.

이처럼 보건의료조직에서의 공식적 의사소통은 명확한 체계를 가지고 이루어지며, 이를 통해 의료 서비스의 질을 높이고 혼선을 방지할 수 있다.

(2) 비공식적 의사소통(Informal Communication)

공식적인 직책이나 직위, 계층과 상관없이 조직에서 인간의 자연스러운 욕구로 이루어지는 현실적인 인간관계로 이루어지는 의사소통이다. 이러한 의사소통은 동료 간 대화, SNS, 메신저, 식사 시 대화, 휴게실에서의 대화 등 다양한 형태로 이루어진다.

비공식적 의사소통은 조직 문화 형성, 신속한 정보 공유, 팀워크 강화 등의 긍정적인 역할이 있지만, 소문, 오해, 비공식적인 권력 형성 등의 부정적인 영향을 미칠 수도 있다.

① 병원에서 비공식적 의사소통

병원내의 비공식적인 의사소통은 동료 간 유대감과 친밀도를 높이는 역할을 한다. 비공식적 네트워크 활용하여 직원들의 의견과 반응을 미리 파악하여 정책 결정 시 반영하는 긍정적인 효과도 있고, 신입 직원들의 적절한 교육으로 업무 적응성을 높일 수 있다. 그러나 투명한 의사소통 체계를 구축하여 공식적인 정보를 신속하게 제공함으로써 루머 확산을 방지하며, 정보 검증 후 공유하도록 하여 왜곡되거나 편파적인 정보가 확산되어 혼란을 초래하지 않도록 관리해야 한다[**표 4-4**].

표 4-4 병원에서 비공식적 의사소통의 장점과 단점

	항목	이유
장점	신속한 정보 공유	공식적인 절차 없이 빠르게 정보를 교환할 수 있음
	팀워크 및 유대감 강화	의료진 간 친밀도가 높아지고 협업이 원활해짐
	신속한 문제 해결	공식 보고 절차를 따르지 않아도 즉각적인 해결 가능
	신입사원 적응 지원	공식적인 교육 외에도 비공식적 멘토링이 이루어질 수 있음
단점	잘못된 정보(루머) 확산	정확하지 않은 정보가 빠르게 퍼질 위험이 있음
	공식 절차 무시 가능성	정식 보고 없이 해결하려다 문제가 커질 수 있음
	파벌 형성 위험	특정 그룹 간 비공식적 네트워크가 강해지면, 내부 갈등이 발생할 가능성 있음

비공식적 의사소통에는 그레이프바인(grapevine)[4]이나 소문 등이 포함된다. 비공식적인 소문(루머), 가십, 정보 네트워크를 의미한다. 공식적인 보고 체계나 공식적인 회의를 통해 전달되지 않은 정보가 구전(입소문) 형태로 전달되는 의사소통 방식이다.

4) 그레이프바인(grapevine) : 포도덩굴처럼 엉켜서 퍼진다는 의미에서 유래함. 빠르게 전달되는 정보 왜곡의 가능성이 있는 소문으로 불신이나 갈등을 일으킬 소지가 많음

인사나 보수, 경영방침 등에 대한 소문이나 동료와 상사에 대한 가벼운 평판이나 불평 등이 그레이프바인에 속한다. 그레이프바인은 빠르게 확산되지만, 정보의 정확성이 떨어질 수 있어 신중한 접근이 필요하다. 특히 병원과 같은 의료기관에서는 잘못된 정보가 확산되면 혼란을 초래할 수 있어 주의가 필요하다.

② 병원에서의 비공식적 의사소통 유형

가. 사교적(친목) 의사소통(Social Communication)

- 조직 구성원 간 친밀감을 형성하고 관계를 돈독히 하는 대화
- 동료 간 신뢰와 유대감을 강화하는 역할을 함

| 예시 |

"주말에 같이 등산 갈래요?"
"오늘 점심 뭐 먹을까요?"

- 간호사 A : "어제 당직하면서 힘들었죠? 오늘 커피 한 잔 할까요?"
- 간호사 B : "좋아요. 요즘 응급실 분위기 어때요?"

나. 정보 공유 의사소통(Information Sharing Communication)

공식적인 경로를 거치지 않고, 동료 간 빠른 정보 공유가 가능하지만, 정보 왜곡 위험도 있다.

| 예시 |

"팀장님이 이번 프로젝트 방향을 바꾼 거래."
"이번 주말에 야근 없을 수도 있대!"

- 간호사 : "이번 주부터 환자 기록 시스템이 새로 바뀐대요. 알고 있었어요?"
- 전공의 : "아니요. 공식 공지는 아직 못 받았어요. 미리 알아두면 좋겠네요!"

다. 문제 해결을 위한 의사소통(Problem-Solving Communication)

공식적인 절차를 따르기 전에, 비공식적으로 문제를 해결하려는 시도는 빠른 해결이 가능할 수 있지만, 공식적인 절차를 무시할 경우 혼란을 초래할 수도 있다.

| 예시 |

"이거 팀장님한테 보고하기 전에 우리가 먼저 해결할 방법 없을까?"
"공식 요청하기 전에, 먼저 담당자한테 비공식적으로 물어볼게."

- 응급실 간호사 : "수술실에 병상 하나 비워야 하는데, 정식 요청하면 시간이 오래 걸릴 것 같아요."
- 수술실 간호사 : "그럼 내가 먼저 수술실 팀장님한테 알아볼게요."

라. 소문 및 가십(Rumors & Gossip) 의사소통

공식적인 정보가 아닌, 직원들 사이에서 떠도는 소문이나 가십은 조직 분위기에 영향을 미칠 수 있으며, 잘못된 정보가 확산될 위험이 있다.

| 예시 |

"이번에 새로운 원장님 오신다던데?"
"인사팀에서 우리 부서에 감사를 나올 거래!"

- 간호사 A : "다음 달부터 병동 간호 인력을 줄인다는 소문 들었어요?"
- 간호사 B : "저도 들었는데, 공식적인 발표가 없어서 진짜인지 모르겠어요."

마. 개인적 조언 및 멘토링(Personal Advice & Mentorship)

공식적인 교육이나 회의가 아닌, 선배나 동료가 비공식적으로 경험이나 조언을 제공하는 경우에 직무에 적응하는데 긍정적 효과를 갖는다.

| 예시 |

"이렇게 하면 더 빠르게 일할 수 있어요!"
"우리 팀장은 이렇게 보고하면 좋아하더라."

- 신입 간호사 : "이 약물 투여 순서가 헷갈려요."
- 선배 간호사 : "이렇게 하면 실수 안 하게 정리할 수 있어요."

3 의사소통의 감각경로

의사소통의 과정, 모형, 및 유형은 의사소통의 활용에 참고할 중요한 사항이다. 의사소통이 전달되는 매체는 기본적으로 대상자를 자극하여 감각기관을 통해서 인간에게 감각된다. 감각기관은 시각적 경로, 청각적 경로, 운동지각 경로로 구분된다.

의사소통의 감각 경로는 언어적, 비언어적 의사소통과 일부 중복되는 부분이 있지만, 언어적, 비언어적 의사소통은 정보를 표현하는 방식이고, 의사소통 감각경로는 정보를 받아들이는 방식이다.

감각경로는 감각의 결합방식과 정보처리의 복잡성에 따라 구분한다. 일차원적 정보의 의사소통은 감각 하나에 의존하는 것으로, 신호등을 보는 행위(시각), 라디오 방송을 듣는 것(청각), 아니면 물건을 만지는 운동감각 중 하나의 감각정보를 처리하는 수준이다.

이차원적 정보의 의사소통은 두 가지 감각경로를 통합하는 것으로 하나의 감각만 사용하는 것보다 다른 감각이 보완하는 역할을 하므로 정보의 정확성이 높다. 예를 들어 강의시간에 교수님의 강의를 들으며(청각), ppt를 보는(시각) 감각을 사용하는 것이다. 또한 노래를 부르며 손바닥으로 박자를 맞추는 것(운동감각)이다.

삼차원적 정보의 의사소통은 통합적 감각경험이다. 시각, 청각 및 운동지각 경로가 통합된 의사소통 방식으로 몰입도가 크고 가장 자연스러우며 여러 감각이 상호 보완하여 정보이해가 가장 명확하다. 대면대화에서 상대방의 말을 듣고 표정도 보며 손짓을 활용하며 의사소통을 하는 것 또는 공연 관람, 그리고 VR 경험을 들 수 있다, 학생들이 임상실습을 할 때 사전에 VR 실습을 하는 것도 이를 활용하는 방식이다. VR을 통해 가상현실에서 3D 화면, 청각(음성, 효과음), 및 감각운동(컨트롤러 조작)을 활용하여 상호작용을 함으로써 효과적인 학습활동이 이루어지는 것이다. 세 가지 감각의 정보도 처리의 수준에 따라 정보 활용의 효과가 다르다.

1 시각적 경로(Visual Channel)

시각적 경로를 통해서 정보를 처리하는 것도 단순히 보는 것(seeing), 관찰하는 것(observing), 신체적 언어를 관찰하는 것(observing body language)으로 수준을 비교해볼 수 있다[**표 4-5**].

표 4-5 시각적 경로의 정보처리 수준

구분	보는 것	관찰하는 것	신체적 언어 관찰하는 것
목적	• 사물의 형태 색 확인	• 단순한 정보 확인	• 상대방의 감정과 태도 해석
대상	• 사물, 사람	• 글, 사물의 상태와 움직임, 사람의 상태	• 표정, 자세, 손짓, 몸동작
수준	• 감각(sensation) : 정보를 받는 것	• 지각(perception) : 정보를 이해하는 것	• 의미 해석(interpretation), 추론 : 관찰된 정보에 근거하여 맥락, 배경, 원인까지 예측하는 것
예시	• 푸른색 간판을 봄 • A 환자가 방에 있다.	• 간판을 보고 품목 파악 • A 환자의 안색이 창백하다.	• A 환자가 머리에 손을 얹고 얼굴을 찌푸리고 앉아 있어 두통이 있는 것 같다.

- **보는 것**(seeing) : 가장 낮은 수준의 판단을 갖게 한다. 감각된 것을 간단히 판단하여 판단 오류를 범하게 할 수 있다.
- **관찰하는 것**(주의 깊게 보기, observing) : 지각을 통해 대상의 특징을 분석하고 의미를 이해할 수 있다.
- **신체적 언어를 관찰하는 것**(observing body language) : 언어적 메시지에 상대방의 신체적인 동작이나 움직임 등 비언어적 메시지를 해석하여 정보를 처리한다.

신체적 언어를 관찰하는 것은 대인관계나 사람들을 도울 때, 그의 얼굴 표정이나 자세와 행동들을 보는 것이다. 얼굴을 찡그리면 기분이 상했다, 밝은 얼굴이면 상대와 긍정적으로 맺으려는 욕구가 있구나, 냉담한 얼굴은 지루하거나 대화를 원하지 않거나 무시당하거나 무시함을 나타내는 표정으로 해석할 수 있다. 얼굴 표정이나 말의 억양은 발화[5]되는 상대방의 말 자체와는 아주 다른 의미를 품고 있는 경우가 많기 때문에 비언어적인 표정 등을 보고 말의 진위를 파악할 수 있다.

행복한 웃음은 입꼬리가 위로 올라가며 눈가에 주름이 생기지만, 슬플 때는 입꼬리가 아래로 내려가며 눈썹이 위로 올라가거나 중앙에 모이며 눈이 축 처지거나 눈물이 고인다. 분노의 표정은 입을 꽉 다물거나 이가 드러나며, 눈썹이 아래로 내려가고 중앙으로 모이며, 코가 벌름거리거나 콧구멍이 넓어진다. 공포를 느낄 때는 눈을 넓게 뜨며, 눈썹이 위로 올라가고 턱이 아래로 내려가며 코를 약간 오므린다. 놀란 표정은 눈이 커지고 눈썹이 위로 올라가며 입이 벌어져 턱이 내려간다. 혐오스러운 표정은 코가 주름지며 콧구멍이 넓어지고 윗입술이 위로 올라

5) 발화(Uterence) : 생각이 소리나 말로 표현되는 것. 소리를 내어 말을 함

가며 입이 비틀어진다. 억지로 지은 미소는 근육에 긴장이 있다. 죄책감이나 당혹감이 있으면 눈을 피하거나 시선을 아래로 두는데 죄책감의 경우는 입술을 오므리거나 약간 비틀며, 당혹감의 경우 입술이 떨리거나 부자연스러운 미소를 지으며 얼굴이 빨개진다.

대화할 때 위에서 제시한 얼굴표정 이외에도 비언어적 메시지인 눈 동작, 눈 맞춤, 자세를 주의 깊게 관찰하여 대상자가 말하지 않은 언어를 파악해야 한다[표 4-6]. 신체적 언어를 해석할 때 주의할 점은 맥락, 문화적 차이 및 말의 내용이 신체적 언어와 일관성이 있는지 파악하여 정확히 해석한다.

표 4-6 신체적 언어의 의미 해석

구분	신체적 언어	의미 해석
얼굴표정	찡그린 표정	불만, 짜증, 통증
	미소	친근함, 기쁨, 동의
	입술 깨물기	긴장, 불안, 망설임
	눈 크게 뜨기	놀람, 흥미, 경계
시선, 눈 맞춤	시선을 피함	불안, 거짓말 가능성, 관심 부족
	지속적 눈 맞춤	자신감, 관심, 공격적 태도
	눈 깜빡임	긴장, 불안, 거짓말 가능성
	눈을 위 아래로 굴림	짜증, 경멸, 지루함
손·발의 움직임	팔짱끼기	방어적 태도, 불신, 소극적 태도
	손바닥 위로 올림	개방적 태도, 긍정적 수요
	손을 만지작거림	불안, 긴장, 초조감
	손을 꽉 쥐고 있음	분노, 결단력, 강의 의지
몸의 자세	상체를 곧게 세우고 앉기	자신감, 경청하는 태도
	몸을 기대기	편안함, 관심 부족, 피곤함
	다리를 꼬고 앉음	방어적 태도, 고립감
	상대방 쪽으로 몸을 약간 기울이기	관심, 적극적 참여
기타 신체 신호	한숨 쉬기	피로, 지루함, 체념
	머리 긁적거리기	당황, 망설임, 혼란
	다리 떨기	불안, 초조함, 조급함
	손가락으로 책상 두드리기	조급함, 지루함

참고: Robert Plutchik, Emotion and Life- Perspective from Psychology, Biology, and Evolution, 박권생역(2006), 정서심리학, 학지사: 237-244

❷ 청각적 경로(Auditory Channel)

청각적 경로는 단순히 소리를 감각적으로 듣는 것과 경청으로 구분할 수 있다. 청각을 이용한 의사소통의 단서는 말과 소리에 관련된 요소들로 목소리의 크기, 억양, 고저, 리듬, 음색, 속도 등 언어적, 비언어적 메시지이다. 대상자를 이해하려면 집중하여 경청(listening)해야 한다. 경청하기 위해서는 대상자의 감정수준을 잘 파악해야 하는데, 목소리의 표현이 중요하다. 말의 내용이 긍정적이고 목소리 표현이 부정적일 때 전체적으로는 부정적으로 해석될 수 있고, 목소리가 긍정적이고 말의 내용이 부정적일 때 전체적으로 긍정적인 것으로 해석될 수 있다. 민원인이 건의를 하는데 신뢰감 있는 목소리로 말하면 긍정적으로 받았들일 수 있고, 동료가 '미안해'라고 사과의 말을 해도 억양이나 태도, 표정에 성의가 없다고 느껴지면, 진심으로 미안해하는 것이 아니라고 해석한다. 즉, 사람들은 말의 내용보다는 비언어적 신호를 더 신뢰한다는 것을 의미한다. 부정적인 말을 해도 긍정적인 목소리로 말하면 상대는 덜 심각하게 받아들일 수 있다는 것이다. 따라서 경청을 통해 대상자의 말의 의미를 정확하게 해석하기 위해서는 적극적으로 언어적, 비언어적 측면을 잘 들어야 한다.

1) 듣기(Hearing)

가장 낮은 수준으로 단순히 듣는 것을 말한다. 주로 발화되는 말의 단어만을 듣는 것이다.

2) 경청(Listening)

발화되는 말 자체 뿐 아니라 그 내면에 실린 동기나 감정, 및 정서에도 귀를 기울이는 것이다.

❸ 운동지각 경로(Kinesthetic Channel)

운동지각 경로는 신체적 접촉과 공간 접촉으로 나눌 수 있다. 신체적 접촉은 지각 중 가장 기본적이다. 신체적 접촉은 직접적인 감각을 통해 감정이 전달된다. 손을 잡았을 때 따뜻한 느낌이 전달되거나, 악수할 때 손에 힘이 없으면 긴장했거나, 에너지가 고갈된 것을 의미한다. 공간접촉은 공간의 거리에 관련된 정보처리 방식으로 거리와 위치를 통해 관계와 태도에 대한 표현이다. 접촉은 심리적, 정신적 속성을 가지고 있어 손을 잡아준다거나 다독거림 등은 돌봄 상황에서 효과적으로 활용되지만, 피부는 인체기관 중 가장 민감성이 발달되어 문화적 규범과 지침에 따라 적절하게 사용해야 한다.

1) 접촉(Tactile Communication)

신체적 접촉은 지각 중 가장 기본적이고 원시적이다. 촉각을 통해 따뜻함, 거부감, 긴장감등을 직접 느끼고 해석할 수 있다. 돌봄 대상자와의 신체적 접촉은 필수적이나, 문화적 규범과 가치의 차이가 있으므로 상대의 관습 등에 대한 이해가 필요하다.

2) 공간적 접촉(Spatial Proximity Communication)

공간적 접촉은 사람과 사람 사이의 물리적인 거리(공간)를 통해 관계의 의미를 전달하는 방식이다. 인간관계에서 친밀감, 권력관계, 감정 관계를 나타내며, 직장에서의 상·하위직 간에 지나치게 거리가 가까우면 불편할 수도 있다. 건강관리체계 내에서 돌봄 대상자에게 업무수행을 할 때라도 대상자와의 공간거리는 상황에 따라 적절하게 유지하여 활용한다. 지나치게 근접하면 불안하거나 전문적인 관계가 약화될 수 있으며, 거리가 멀면 무관심으로 여겨질 수 있다.

4 의사소통 유형(사티어의 의사소통 유형)

사람들은 자신의 특성과 선호도 및 과거의 경험, 습관 등에 따라 각자 다른 의사소통 방식을 가지고 있다. 그 결과 상황과 맥락에 일치하고 건강하게 표현하여 기능적으로 소통하는 사람이 있기도 하지만, 스트레스나 긴장되는 상황이나 익숙하지 않은 상황에서 반사적으로 무의식적으로 나타내어 역기능적인 의사소통을 한다.

또한 원가족(출생가족, family of origin)에서 배운 의사소통 패턴은 개인의 가족관에 큰 영향을 미치며, 대부분의 사람들은 원가족 내에서와 비슷한 갈등상황에서 놓이고, 해결 방식도 부모나 형제자매와의 방식을 습득하여 비슷한 방식으로 살아간다.

사티어(Verginia Satir)는 의사소통을 자신, 타인 그리고 상황이 스트레스 상황에서 어떻게 고려되는지에 따른 차이로 설명한다. 이 삼자가 균형적이면 건강한 의사소통이고, 불균형적이면 부정적인 의사소통 패턴이 나타난다. Satir는 가족은 건강한 의사소통을 통해 변화할 수 있으므로, 가족 내 왜곡된 의사소통 패턴을 인식하고 수정하여 자율적이고 건강한 상호작용을 할 수 있다고 한다.

건강하게 작용하는 기능적 의사소통으로는 일치형, 역기능적 의사소통으로는 회유형, 비난형, 초이성형, 산만형으로 구분한다. 개인은 자신의 의사소통 패턴을 인식하고 역기능적 의사소통 방식을 기능적 의사소통 유형으로 변화시키는 노력이 필요하다. Satir가 제시한 의사소통 유형의 균형성과 초점 그리고 정서, 인지 및 행위특성과 자기계발 방향을 살펴보자.

1 의사소통 유형

1) 회유형(Placater)

의사소통의 세 가지 구성요소인 자신, 상대방, 상황 중에서 자신의 감정을 돌보지 않아 자신이 억눌린 상태이다. 자신의 마음이 불편해도 다른 사람의 의견이나 감정 및 상황을 따른다. 상대방의 어떤 비판도 무조건 수용하며 소극적이고, 화를 내지 못하고 상대방의 비위를 맞추며 회유한다. 무조건 참으며 자기 자신을 희생하고 어떤 상황에서도 반대하지 않고 동의하는 내용의 언어를 사용한다. 자존감이 낮고 신경과민, 우울증, 중독, 자살의 경향이 높다. 주로 "내 잘못이야.", "아무거나", "나는 다 좋아." 등의 언어와 '사과하기', '간청하는 표정', '의존적인 태도', '지나친 쾌활함이나 상냥함'의 행동을 보이며, 상대방의 감정만을 고려하여 기분을 맞추려고 한다[그림 4-5].

그림 4-5 회유형

회유형은 자신의 감정과 의견을 존중하기, 거절하기를 연습하여 자신을 돌볼 수 있는 마음자세와 힘을 길러야 하고, 모든 사람을 만족시킬 수 없다는 것을 인식해야 한다.

2) 비난형(Blamer)

그림 4-6 비난형

자신과 상황을 중시하여 타인을 무시하며 공격적인 태도로 지배하려고 하는 유형이다. 자신의 감정을 솔직하게 표현하며 상대의 단점을 판단하고 지시적이며, 문제의 원인을 타인에게 돌린다. 겉으로는 우월하게 보이지만, 심리적 상태는 소외감, 열등감과 우월의식이 반복된다. 큰 목소리로 소리치며, 상대방을 얕잡아보는 식으로 말한다. 주로 "너 때문이다.", "네가 잘못이다."는 식으로 말하며, 화난 표정으로 위협하기, 판단 및 명령하기, 조종하기 등의 행동을 하며 갈등이 심화되고 타인과의 거리감이 증가된다.

비난형은 나전달법이나 비폭력대화를 사용하고, 나 중심에서 우리로 관점을 확장하며, 타인의 입장을 공감하고 책임을 공유하면서 함께 해결책을 찾는 것이 필요하다.

3) 초이성형(Super Reasonable)

초이성형은 매우 논리적이어서 자신과 타인을 고려하지 않고 상황만 중시하는 유형이다. 감정을 쉽게 드러내지 않고 타인의 감정적 반응을 무시하거나 이해하지 못하며 관계보다는 문제 해결을 우선적으로 여기기 때문에 이성적이며 문제해결 능력이 좋다. "여기서 중요한 건 사실이야.", "문제의 핵심은 네가 그것을 지금 해야 된다는 거야." 하며 객관적, 추상적인 언어를 사용하여 상대는 냉정하게 느낀다. 자신은 외로움과 고립감을 느끼고 긴장과 위축감을 느낀다. 건강문제로는 스트레스질환, 임파성질환이나 암에 취약하다**[그림 4-7]**.

그림 4-7 초이성형

초이성형은 논리뿐 아니라 감정도 중요함을 인식하고 상대방의 감정을 인정하며, 언어적으로 표현하고, 문제 해결 전에 공감 표현을 먼저 하도록 연습한다.

4) 산만형(Distracting)

자신, 상대방 및 상황 세 가지 구성요소를 배제하는 유형이다. 불편한 상황을 피하려고 농담을 하거나 주제를 바꾸어 관련 없는 말을 한다. 주위를 혼란시키고 깊은 대화를 하지 않으며 감정을 솔직하게 표현하지 않아 그의 말이나 행동은 산만하고 일관성이 없고 문제를 회피하는 양상을 보인다. "어제 과제 낸 것 다했어요?"라고 물으면, "오늘 날씨가 산책하기 끝내주네요."라거나, "오늘 이 문제 어떻게 해결할겁니까?"라는 물음에 "오늘은 복권이 당첨될 것 같아요." 라는 식으로 말한다. 불필요

그림 4-8 산만형

한 웃음이나 농담 또는 과장된 행동, 또는 활동 저하를 보인다**[그림 4-8]**. 갑자기 자리를 뜨는 행동이나 우스꽝스러운 제스처를 하여 함께 있는 사람들을 웃기지만, 주위를 산만하게 만든다. 유머가 있고, 창조성, 자발성, 융통성은 높은 것 같지만, 자신의 불안이나 갈등을 회피하는데서 오기 때문에 진지한 대화의 중요성을 인식시키고, 직면하는 용기를 갖도록 하여 자신의 감정을 표현하며, 상대방의 감정을 존중하여 공감하는 태도를 기르도록 한다.

5) 일치형(Congruent/Leveler)

사티어가 말하는 가장 이상적인 의사소통 유형으로. 자신, 상대방, 상황이라는 3가지 요소를 고려한 균형적인 의사소통을 한다. 자신과 타인의 감정을 존중하며 정직하고 언어적, 비언어적 모든 메시지가 일치를 이루어 건강한 의사소통을 한다. 목소리 톤과 얼굴표정, 몸의 자세가 일치하며, 편안한 마음으로 사실을 있는 그대로 말하고 자신의 감정, 신념, 의견, 생각 등을 솔직히 표현하고, 기대나 열망을 표현한다. "저는 이렇게 (생각하여 이렇게) 느끼는데, 당신을 어떻게 생각하시나요?"라는 식으로 말하고 자신감이 있고 책임감 있는 행동을 보인다**[그림 4-9]**.

그림 4-9 일치형

❷ 의사소통의 기능 회복

역기능적인 의사소통을 기능적인 건강한 의사소통인 일치형으로 변화하려면, 자신의 감정을 존중하고 솔직하게 표현하는 것, 타인의 감정도 존중하고 공감하기 및 상황을 객관적으로 보고 문제 해결을 위해 대화를 시도하기를 실천해야 한다.

즉, 나를 중심에 두고 나 자신의 감정과 행동을 자각하고 잘 표현하는 방법을 익히며, 상대방에게도 공감적 경청을 하며 피드백을 주고받아야 한다. 자신과 상대방을 배려하는 마음을 갖고 문화적 맥락에서 나, 상대 그리고 상황이 조화를 이루어야 한다.

Satir는 일치형으로 변화시킬 때, 자신이 잘 하고 있는 점은 그대로 하고, 어떤 것을 제거하는 것이 아니라, 각 유형에서 제시된 새로운 경험을 추가하도록 한다. 각 유형의 현재 마음의 자세와 변화해야 할 점을 **[표 4-7]**에서 제시한다.

표 4-7 각 유형의 마음의 자세와 변화해야 할 점

유형	현재 마음 자세	변화해야 할 점
회유형	타인만 중시, 자신 희생	자신의 감정 인정과 자기 의견을 표현
비난형	자신만 강조, 타인과 상황 무시	상대의 감정 존중, 함께 해결하는 태도 습득
초이성형	논리만 중시, 감정과 관계 배제	자신의 감정 표현과 상대에게 공감 표현
산만형	불편한 상황 회피	문제 직면과 솔직하게 대화하는 태도 습득
일치형	자신, 타인, 상황을 균형있게 고려	신뢰와 존중으로 건강한 의사소통 유지

※ 121~122쪽의 Satir의 의사소통 유형검사를 실시하고 『소통저널』 6-1에 자신의 상황을 작성한다.

R/E/F/E/R/E/N/C/E

- 김영애(2006). Satir 의사소통 훈련프로그램. 김영애 가족치료연구소.
- 주순화(2014). Satir의 의사소통 유형에 따른 아동의 사회성. 동아대학교 대학원 석사논문
- 김영애(2015). 사티어 빙상의사소통, 개정증보판. 김영애 가족치료연구소.
- 김현호, 공경배, 신종우, 이만수, 최인희(2016). NCS직업기초능력에 따른 의사소통능력. 양성원.
- 민진(2018). 조직관리론 6판, 서울 : 대영문화사.
- 안효자, 이영내, 김명자, 김현미 외(2015). 인간관계와 의사소통 제2판. 서울 : 수문사.
- 양경희, 강서영, 김명희, 김윤주, 김은자 외(2019). 건강한 인간관계를 위한 의사소통 기술. 한국간호연구학회, 서울 : 퍼시픽북스.
- 양경희, 강서영, 김정호, 김한나, 문인오 외(2021). 건강한 인간관계를 위한 의사소통 기술 2판. 서울 : 퍼시픽북스.
- 양경희, 강서영, 김정호, 김한나, 박선정 외(2022). 건강한 인간관계를 위한 의사소통 기술 3판. 한국간호연구학회, 서울 : 퍼시픽북스.
- 윤혜상(2009). 의료환경에서의 의사소통 및 인간관계, 개정3판. 청구문화사.
- 이경순, 이미경, 김경희(2014). 인간관계와 의사소통, 수정판. 서울 : 현문사.
- 이광자, 고성희, 이숙, 김경희, 민소영, 최윤정, 이경희 외(2008). 인간관계와 의사소통의 실제. 서울 : 신광출판사.
- Albert Mehrabian's 7-38-55 Rule of Personal Communication.
  Available from : https://www.rightattitudscom/2008/10/04/7-38-55-rule-personal-communication/
- Barnlund's model of communicationm [Internet]. [cited 2025 july 30]
  Available From: https://en.wikipedia.org/wiki/Barnlund%27s_model_of_communication
- Games Crrier. Mehrabian''s 7-38-55 Communication Model: It's More Than Words[Internet]. [cited 2025 july 30]
  https://people-shift.com/articles/mehrabians-7-38-55-communication-model/
- Julia Balzer Riley. Communication in Nursing 8th. (남강미, 현명성, 공성숙, 김미희 등 역(2017). 서울 : 정담미디어.
- Mead, George Herbert. 1967 [1934]. Mind, Self, and Society, edited by C. W. Morris. Chicago : University of Chicago Press. ISBN 978-0-226-51668-4.
- Osgood & Schramm's model of Communication (adapted from Schramm, 1954)

R/E/F/E/R/E/N/C/E

- Robert Plutchik, Emotion and Life – Perspective from Psychology, Biology, and Evolution, 박권생 역(2006), 정서심리학. 학지사 : 237-244.
- Satir V. (2000). Satir Model : Family Therapy and Beyond, 한국버지니아사티어연구회 역, 가족치료의 지평을 넘어서 서울 : 김영애 가족치료연구소.
- Schramm's model of communication [Internet].[cited 2025 july 30] Available from : https://en.wikipedia.org/wiki/Schramm%27s_model_of_communication
- Schuster, Pamela A.(2000). Communication : The Key to the Therapeutic Relationship. F.A. Davis Company : Philadelphia.
- Steinberg, S. (1995). Introduction to Communication Course Book 1 : The Basics. Juta and Company Ltd. p.18. ISBN 978-0-7021-3649-8.

표 4-8 Satir의 의사소통 유형검사

1. Satir의 의사소통 유형 및 유형에 따른 자기계발 확인하기(소통저널)

사티어의 의사소통 유형은 다음의 측정도구를 활용하여 확인할 수 있다. 내용을 읽어보고 자신에게 해당하는 문항에 ○를 하여 각각에 해당하는 A, B, C, D, E형의 개수를 (　　) 안에 기록한다(가장 숫자가 큰 값이 자신의 유형이다). 『소통저널』 6-1에 작성합니다.

Satir의 의사소통 유형 측정 도구(Communication Stance Checklist)

번호	내용	구분
1	나는 상대방이 불편하게 보이면 비위를 맞추려고 한다.	A
2	나는 일이 잘못되었을 때 자주 상대방의 탓으로 돌린다.	B
3	나는 무슨 일이든지 조목조목 따지는 편이다.	C
4	나는 생각이 자주 바뀌고 동시에 여러 가지 행동을 하는 편이다.	D
5	나는 타인의 평가에 구애받지 않고 내 의견을 말한다.	E
6	나는 관계나 일이 잘못되었을 때 자주 내 탓으로 돌린다.	A
7	나는 다른 사람의 의견을 무시하고 내 의견을 주장하는 편이다.	B
8	나는 이성적이고 차분하며 냉정하게 생각한다.	C
9	나는 다른 사람들로부터 정신이 없거나 산만하다는 소리를 듣는다.	D
10	나는 부정적인 감정도 솔직하게 표현한다.	E
11	나는 지나치게 상대방을 의식해서 나의 생각이나 감정을 표현하는 것을 두려워한다.	A
12	나는 내 의견이 받아들여지지 않으면 화가 나서 언성을 높인다.	B
13	나는 나의 견해를 분명하게 표현하기 위해 객관적인 자료를 자주 인용한다.	C
14	나는 상황에 적절하지 못한 말이나 행동을 자주 하고 딴청을 피우는 편이다.	D
15	나는 다른 사람이 내게 부탁을 할 때 내가 원하지 않으면 거절한다.	E
16	나는 사람들의 얼굴 표정, 감정, 말투에 신경을 많이 쓴다.	A
17	나는 타인의 결점이나 잘못을 잘 찾아내어 비판한다.	B
18	나는 실수하지 않으려고 애를 쓰는 편이다.	C
19	나는 곤란하거나 난처할 때는 농담이나 유머로 그 상황을 바꾸려는 편이다.	D
20	나는 나 자신에 대해 편안하게 느낀다.	E
21	나는 타인을 배려하고 잘 돌봐주는 편이다.	A

번호	내용	구분
22	나는 명령적이고 지시적인 말투를 자주 사용하기 때문에 상대가 공격받는 느낌을 받을 때가 있다.	B
23	나는 불편한 상황을 그대로 넘기지 못하고 시시비비를 따지는 편이다.	C
24	나는 불편한 상황에서는 안절부절못하거나 가만히 있지를 못한다.	D
25	나는 모험하는 것을 두려워하지 않는다.	E
26	나는 다른 사람들이 나를 싫어할까 두려워서 위축되거나 불안을 느낄 때가 많다.	A
27	나는 사소한 일에도 잘 흥분하거나 화를 낸다.	B
28	나는 현명하고 침착하지만 냉정하다는 말을 자주 듣는다.	C
29	나는 한 주제에 집중하기보다는 화제를 자주 바꾼다.	D
30	나는 다양한 경험에 개방적이다.	E
31	나는 타인의 요청을 거절하지 못하는 편이다.	A
32	나는 자주 근육이 긴장되고 목이 뻣뻣하며 혈압이 오르는 것을 느끼곤 한다.	B
33	나는 나의 감정을 표현하는 것이 힘들고 혼자인 느낌이 들 때가 많다.	C
34	나는 분위기가 침체되거나 지루해지면 분위기를 바꾸려 한다.	D
35	나는 나만의 독특한 개성을 존중한다.	E
36	나는 나 자신이 가치가 없는 것 같아 우울하게 느껴질 때가 많다.	A
37	나는 타인으로부터 비판적이거나 융통성이 없다는 말을 자주 듣기도 한다.	B
38	나는 목소리가 단조롭고 무표정하며 경직된 자세를 취하는 편이다.	C
39	나는 불안하면 호흡이 고르지 못하고 머리가 어지러운 경험을 하기도 한다.	D
40	나는 누가 나의 의견에 반대해도 감정이 상하지 않는다.	E

A형 : 회유형(　　　), B형 : 비난형(　　　), C형 : 초이성형(　　　), D형 : 산만형(　　　), E형 : 일치형(　　　)

출처 : 김영애(2006). Satir 의사소통 훈련프로그램, 김영애 가족치료연구소,
주순화(2014). Satir의 의사소통 유형에 따른 아동의 사회성, 동아대학교 대학원 석사논문에서 재인용.

3 단원

의사소통의 전략과 기법

생활하면서 또는 의도성이 있는 상황에서 의사 전달이 잘 되려면, 인간에 대한 이해와 상황에 대한 이해 및 의사소통의 원리에 대한 기본 이해가 필요하다. 그러나 소통을 하는 적절한 의사소통기법 또는 기술이 없다면 의사소통의 목적을 달성하기 어렵다. 따라서 효과적 의사소통 기법의 중요성과 방법을 이해하고, 무의식적으로나 습관적으로 사용하는 비효과적인 기법을 효과적인 방법으로 전환하는 것이 중요하다.

사람들은 각자 성격이나 선호, 입장이 다르기 때문에 의식하지 않으면 잘 알아차릴 수 없는 여지가 많다. 의사소통의 기법을 익힐 뿐 아니라 원래의 의도가 전달되어 원하는 대로 소통되려면 그 말이 전달되는 방식과 맥락 또는 상황까지 확인하여야 한다. 이러한 점들에 유의하여 숨은 의미와 드러나지 않은 의미를 명확하게 전달하는 것도 의사소통에 매우 중요하다.

이 단원에서는 전달하고자 하는 내용을 명확히 전달하고 갈등을 예방하며 대인관계, 조직활동, 상담, 의료 현장에서 효과적 의사소통이 잘 활용될 수 있는 의사소통기법, 성숙한 의사소통 기법, 메타커뮤니케이션 및 의사소통에 부정적 영향을 주는 요인을 다룬다.

05 장

의사소통기법

효과적 의사소통은 대상자가 상대방과 대화를 할 때 자신의 의도를 정확하게 전달하며 상대방과 소통할 수 있는 의사소통기법이다. 의사소통기법은 개인적인 의사소통의 목적 뿐 아니라 상담이나 목적을 가진 면담과정에서도 모두 원하는 방식으로 소통되어 원만한 인간관계를 형성하고 유지할 뿐 아니라 지지적인 조력적 활동에 필수적인 자원이 될 것이다.

이 장에서는 효과적 의사소통과 비효과적 의사소통을 효과적으로 변환하는 사례를 통해 효과적인 의사소통 기술을 활용하는 능력을 갖추도록 한다.

학·습·목·표

1. 효과적 의사소통을 설명할 수 있다.
2. 비효과적 의사소통을 설명할 수 있다.
3. 비효과적 의사소통기법을 효과적인 기법으로 변환할 수 있다.

주·요·용·어

- 경청
- 공감
- 반영
- 지지하기
- 초점 맞추기
- 침묵하기
- 직면하기
- 명료화
- 요약하기
- 반복해서 말하기
- 정보 제공하기
- 질문하기
- 자기개방하기
- 유머 사용하기
- 일시적으로 안심시키기
- 주제바꾸기
- 과도하게 칭찬하기
- 상투적으로 반응하기
- 문자적 반응하기
- 거부하기
- 비난하기
- 논쟁하기
- 판단하기
- 충고하기
- 시험하기
- 도전하기
- 방어하기
- 부정하기
- 무조건 동의하기
- 설명 요구하기
- 폐쇄형 질문
- 지시적 대화

05 의사소통기법

1 효과적 의사소통

대화를 통한 효과적인 의사소통은 상대방과 명확하고 이해하기 쉽게 소통하며, 공감과 신뢰를 바탕으로 원활한 상호작용을 이루는 기술이다. 즉 인간관계에서 상대방과 서로 감정이나 생각 등을 정확하고 원활하게 전달하며, 신뢰적 관계에서 긍정적 효과를 갖도록 메시지를 전달하는 능력이다. 효과적인 의사소통을 위한 핵심요소는 경청과 공감을 기반으로 명확한 언어적 의사소통과 비언어적 의사소통 등이다.

❶ 기본적인 경청과 이해 기술

상대의 말을 듣고, 의미를 파악하는 과정에서 활용한다. 상대방의 말을 주의 깊게 듣고, 감정을 이해하며, 혼동되는 부분을 명확히 한다.

1) 경청(Active Listening)

경청은 상대방의 말을 주의 깊게 듣고, 관심을 기울이는 것으로 대상자의 욕구와 관심사를 파악하여 대상자를 이해하게 한다. 상대방은 존중받는 느낌을 받아, 신뢰가 형성되기 때문에 모든 의사소통 기법에 선행되어야하는 가장 필수적인 기술이다. 사전적 의미는 '귀를 기울여 듣는 것'인데, 경청(傾聽)의 경(傾)은 마음을 기울이는 의미이고(표준국어대사전), 청(聽)은 '말을 귀(耳)로 듣고, 눈(目)으로 듣고, 마음으로도 느끼는 사람이라는 의미이다(네이버한자사전). 즉 비언어적인 신체적 메시지까지 관찰하여 깊이 있는 만남을 한다는 뜻이다.

핵심 요소 집중, 반응(고개 끄덕이기, "네, 그렇군요."), 적절한 피드백을 제공하며 듣는다.

- **환자**: "요즘 너무 피곤하고 스트레스가 많아요."
- **간호사**: (눈을 맞추며) "그렇군요. 요즘 피곤함을 많이 느끼시는군요."

2) 공감(Empathy)

공감은 직접 경험하지 않았더라도 상대방의 감정을 깊이 이해하는 것을 의미한다. 다른 기법을 사용 전에 공감 반응을 보내는 것이 좋다. 상대방의 감정을 이해하고, 그 감정에 맞는 반응을 하는 것이다. 상대방이 자신의 감정을 존중받는다고 느끼고, 심리적 안정감을 갖게 한다.

일상생활에서는 공감(empathy)과 동정(sympathy)이 종종 같은 의미로 사용되지만, 동정은 객관성을 잃은 채 상대방의 문제와 요구를 자신의 것처럼 느끼며 상대방을 불쌍히 여기는 등 자신의 관점에서 느낀 감정을 의미한다. 반면, 공감은 객관성을 유지하면서도 상대방의 관점에서 그들의 느낌, 감정, 사고를 이해하고 표현하는 것을 말한다. 즉 공감은 대상자의 감정이입을 통해 그의 느낌과 감정을 느껴보면서도 유연한 자아경계가 있다는 점에서 차이가 있다

핵심 요소 감정을 이해하고 적절한 표현을 하는 것

- **환자**: "이 병이 나을 수 있을지 걱정돼요."
- **간호사**: "네, 충분히 걱정되실 수 있어요. 저라도 같은 상황이라면 불안할 것 같습니다."

트루악스와 카호프(Kruax & Carkhuff, 1967)는 공감적 반응의 수준을 5단계로 분류하며, 낮은 수준의 반응(비공감적 반응)에서부터 높은 수준의 반응(심층적 공감)까지 정리하여 제시하고 있다[**표 5-1**].

상황에 따라 더 수준 높은 공감적 반응으로 표현하는 것은 매우 효과적이다. 다음은 병원 상황에 적용하여 A 간호사가 선임 간호사에게 술기 절차를 잘못 적용했다고 지적받고 울고 있는 상황에 맞춘 예시이다.

• 1단계 : 비공감적 반응(Unempathetic Response)

감정을 무시하거나 비난하며, 피드백 없이 대화를 차단하며 반응한다.

- **A 간호사**: (눈물을 흘리며) "제가 실수해서 너무 속상해요…"
- **동료 간호사**: (1단계 반응) "이런 일로 우는 거야? 다들 실수해. 우는 건 도움이 안 돼."

표 5-1 공감반응의 5단계 비교

공감 수준	반응 예시	특징
1단계 (비공감적 반응)	"이런 일로 우는 거야? 다들 실수해."	감정을 무시하고 대화를 차단
2단계 (형식적 반응)	"아, 속상하겠구나."	감정을 인정하지만 너무 형식적
3단계 (기본적 공감)	"실수를 해서 속상한 거구나. 누구나 실수할 수 있어."	감정을 반영하지만 깊이가 부족
4단계 (고급 공감)	"실수해서 속상한 것도 있지만, 지적받아서 더 위축된 것 같아 보여."	감정을 깊이 이해하고 반영
5단계 (심층적 공감)	"실수 때문에 속상한 것도 있지만, 너는 정말 열심히 하려는 사람이니까 지금 많이 좌절하고 있을 수도 있겠다."	상대방이 인식하지 못한 감정까지 반영하고 긍정적 동기를 찾아줌

해설 감정을 무시하고 오히려 비난하여 A 간호사의 감정이 더 상할 가능성이 높다. 공감 없이 조언만 하거나, 문제를 심각하게 여기지 않는다.

- **2단계 : 형식적 반응(Superficial Response)**

상대의 감정을 인정하지만, 피상적으로 반응하여 깊이 있는 공감을 제공하지 못한다.

- A 간호사 : (눈물을 흘리며) "제가 실수해서 너무 속상해요…"
- 동료 간호사 : (2단계 반응) "아, 속상하겠구나."

해설 감정을 인정해 주긴 하지만, 너무 형식적이고 공감이 부족하며 대화가 이어지지 않는다.

- **3단계 : 기본적 공감(Basic Empathy)**

상대방의 감정을 반영하지만, 깊이 있는 이해는 부족하다.

- A 간호사 : (눈물을 흘리며) "제가 실수해서 너무 속상해요…"
- 동료 간호사 : (3단계 반응) "실수를 해서 속상한 거구나. 누구나 실수할 수 있어."

해설 감정을 반영하지만, 위로 이상의 공감적 깊이가 부족하다. A 간호사가 구체적으로 어떤 감정을 느끼는지 깊이 들어가지 않았다.

- **4단계 : 고급 공감(Advanced Empathy)**

상대방의 감정을 깊이 이해하고, 공감적 반영을 제공한다.

- A 간호사 : (눈물을 흘리며) "제가 실수해서 너무 속상해요…"
- 동료 간호사 : (4단계 반응) "실수해서 속상한 것도 있지만, 지적받아서 더 위축된 것 같구나."

해설 단순한 감정 표현을 넘어서, 상대가 미처 표현하지 못한 감정까지 반영한다. A 간호사가 더 깊이 자신의 감정을 탐색할 수 있도록 돕는다.

- **5단계 : 심층적 공감(Deep Empathy)**

상대방이 인식하지 못한 감정까지 반영하여 깊은 이해를 표현한다.

- A 간호사 : (눈물을 흘리며) "제가 실수해서 너무 속상해요…"
- 동료 간호사 : (5단계 반응) "실수 때문에 속상한 것도 있지만, 지적 받으면서 자신감이 많이 떨어진 것 같아. 너는 정말 열심히 하려는 사람이니까, 지금 많이 좌절하고 있을 수도 있겠다."

해설 상대방이 미처 깨닫지 못한 감정까지 반영하여 공감한다. 감정을 구체화하여 A 간호사가 더 깊이 자신의 마음을 들여다볼 수 있도록 도우며, 정서적 안정감을 주며, 스스로 감정을 정리할 수 있는 기회를 제공한다.

1~2단계는 상대방의 감정을 충분히 반영하지 못하여 공감적 대화로 이어지기 어렵다.

3단계는 기본적인 공감을 제공하지만, 깊이 있는 반응이 부족하다.

4~5단계는 상대의 감정을 깊이 이해하고, 정서적으로 안정감을 주는 반응이다. 5단계(심층적 공감)는 가장 효과적이며, 상대방이 스스로 감정을 정리하고 회복할 수 있도록 돕는다.

병원과 같은 스트레스가 높은 환경에서는 4~5단계 수준의 공감적 반응이 필요하며, 동료 간 정서적 지지를 위해 매우 필요한 기술이다.

3) 반영(Reflection)

상대방의 감정, 생각, 말, 행동을 그대로 비추어주는 의사사통기술이다. 또한 대상자의 말을 그대로 반복하거나 의미를 재구성해서 표현해주어 상대가 자신의 감정을 명확하게 이해하고 표현할 수 있도록 한다. 반영의 핵심요소는 내용과 감정이 있다. 감정 반응까지 주어질 때 더 지지적이다.

내용 반영 판단 없이 상대방의 말을 그대로 반영한다.

- 딸 : "다리가 아파서 밤에도 잠을 못 자겠어요."
- 엄마 : "다리가 아파서 밤잠을 잘 못 잤구나."

감정 반영 감정을 중심으로 반영한다.

- 아내 : "회사에서 너무 스트레스가 많아."
- 남편 : "회사에서 속상한 일이 많아 정말 힘들구나!"

❷ 지지하기(Supporting)

1) 칭찬하기(Praising)

진정성 있고 구체적인 칭찬은 상대방의 자존감과 동기를 높이고, 신뢰와 긍정적인 관계를 형성하는 데 기여한다. 평가가 아닌 관찰된 사실, 즉 행동이나 태도에 대해 구체적으로 인정하고 표현한다.

- 사례 : "정리한 내용이 정말 명확하네요!"
  "체계적으로 분류를 잘했어요."

2) 격려하기(Encouraging)

상대방의 노력을 인정하고, 지속적인 행동이나 도전을 지지하며 용기를 북돋우는 말이나 태도. 상대방의 노력, 도전, 정서를 지지하고 응원한다.

- 사례 : "지금처럼 계속 해보시면 더 잘 될 거예요."(도전 지지)
  "여기까지 온 것만으로도 충분히 잘하셨어요."(노력 지지)
  "그 선택이 쉽지 않았을 텐데, 용기를 내셨네요."(노력 지지)
  "제가 함께하고 있으니 혼자라고 여기지 마세요."(정서 지지)

❸ 대화 흐름을 조정하는 기술

대화의 방향을 잃지 않도록 조정하고, 필요할 때 침묵을 활용하며, 상대가 회피하는 문제를 직면하도록 돕는다.

1) 초점 맞추기(Focusing)

대상자가 이것저것 이야기 하여 주제가 산만해질 때, 핵심을 짚어야 할 때 사용한다. 대상자로 하여금 문제를 확인하고 중요한 것부터 이야기하거나 주제에 관한 이야기를 좀 더 진행되도록 도와준다.

- 환자 : "머리도 아프고, 소화도 안 되고, 요즘 너무 힘들어요."
- 의사 : "지금 가장 큰 불편한 점은 무엇인가요?"

2) 침묵하기(Keeping Silence)

대상자가 스스로 말할 시간을 주기 위해, 감정을 정리할 시간이 필요할 때, 대화를 깊이 있게 만들고 싶을 때. 의도적으로 조력자가 침묵하는 것이다. 침묵은 언어적 의사소통을 잠시 멈추어 대상자가 생각을 집중하고 통찰할 수 있는 시간을 줄 수 있다. 대상자가 침묵을 할 때는 대상자가 먼저 침묵을 깨도록 기다려주는 것이 더 효과적이다.

- 환자 : (눈물을 흘리며 감정을 정리하는 동안 침묵 유지). "저…, 많이 힘든 부분이 있었어요."
- 간호사 : (잠시 기다린 후) "많이 힘드셨군요."

3) 직면하기(Confrontation)

직면은 대상자의 말과 행동 사이나, 전·후에 말한 내용이 모순되거나 불일치한 점을 부드럽게 지적하며 이를 탐색하도록 돕는 기법이다. 스스로 자신을 성찰하고 긍정적으로 변화하도록 기회를 주고자 하는 목적으로 이루어진다.

언어에서 나타나는 모순점을 인식하게 도우며 대상자 자신이 처한 상황이나 문제를 더욱 명확히 보도록 하여 자신의 문제를 깨닫고 이에 대해 변화를 시도하도록 동기를 제공한다.

그러나 직면하기에는 대상자의 불일치한 면, 즉 대화 내용 속에서 발견되는 모순, 왜곡, 변명이나 언행의 불일치, 회피 등에 대해 말함으로써 대상자의 민감한 감정을 자극할 수 있으므로 도움을 주려고 하는 조력자의 진정성을 느낄 수 있도록 유의하며 적용한다. 먼저 비난이 아닌 문제를 함께 탐색하는 태도를 가지고 대상자의 감정과 상황을 이해하는 차원에서 공감 반응을 해준다. 즉, 먼저 "그럴 수 있어, 네가 그렇게 느끼는 게 이해돼."(공감) "하지만 현재 상황을 보면 이런 어려움이 있어."(직면) "그럼 네가 가장 어려운 점이 뭐라고 생각해?"(문제 탐색 유도) 순으로 적용한다. 다음 사례①과 ②는 병원에서의 사례와 가족 내 적용의 예시이다.

▍사례 ① ▍

환자가 병원에서 처방받은 식이요법을 따르지 않고, 여전히 단 음식을 섭취하고 있다.

- **1단계 : 공감하기**
  - **간호사** : "당뇨식이 조절이 쉽지 않다는 걸 이해해요. 가끔 단 음식이 먹고 싶을 수도 있고요."
- **2단계 : 직면하기**
  - **간호사** : "하지만 검사 결과를 보면 혈당 수치가 계속 높아요. 지금처럼 식단을 유지하면 혈당 조절이 어려울 수 있어요."
- **3단계 : 문제 탐색 유도**
  - **간호사** : "식단을 지키는 데 가장 어려운 점이 무엇인가요? 어떤 점이 부담스럽거나 불편하셨나요?"

▍사례 ② ▍

청소년 자녀가 시험 준비를 하지 않으면서 스트레스를 호소하며, 시험을 앞두고 있지만 공부를 제대로 하지 않고, 스트레스가 심하다고 말할 때, 부모의 대화법

- **1단계 : 공감하기**
  - **부모** : "시험이 다가오면서 스트레스를 많이 받고 있구나. 긴장되는 기분 이해돼."
- **2단계 : 직면하기**
  - **부모** : "그런데 네가 지금 공부하는 시간이 많지 않은 것 같아. 그래서 걱정하니까 스트레스가 더 많지 않을까. 이 상태로 시험을 보면 원하는 결과를 얻기 어려울 수도 있겠구나."
- **3단계 : 문제 탐색 유도**
  - **부모** : "지금 가장 힘든 점이 뭘까? 혹시 공부하는 방식에서 어려운 점이 있는 걸까?"

4 의사소통을 명확하게 하는 기술

상대방이 제대로 이해할 수 있도록 전달하는 과정이다.

대화 내용을 정리하여 이해도를 높이고, 필요한 정보를 명확하게 제공하여 오해를 방지한다.

1) 명료화(Clarification)

명료화는 상대방이 말한 내용이나 느낌이 모호할 때 명확히 하도록 하는 것이다. 사람들은 개인적인 생각이나 경험이 다르기 때문에 같은 단어를 사용해도 다른 의미로 해석할 수 있다. 곤란한 내용이나 감정을 말로 직접 표현하기보다는 비유적이고 은유적으로 표현할 때, 상대방이 이해를 못 할 수 있으므로 명료화하여 오해를 방지한다.

- 동료 A : "오늘 너무 정신이 없어서 머릿속이 하얘졌어요."
- 동료 B : "머리가 하해졌다는 것은 어떤 느낌일까요?"

2) 요약하기(Summarizing)

대화가 길어졌을 때, 핵심 내용을 정리해 줄 필요가 있을 때 사용한다. 대상자가 표현한 말의 내용, 사실적 정보와 그리고 그에 대한 감정과 의미를 한데 묶어 간략하게 표현하여 핵심주제를 명확하게 전달해주는 기술이다. 여러 회기의 면담과정이 이루어지는 경우, 지금까지의 대화나 진행과정 등에 대해 요약 정리해주어 대상자가 정확하게 이해하도록 돕는다.

- 원생 : "민수가 내 블록장난감을 가져갔어요. 내가 가지고 놀고 있었는데, 갑자기 와서 가져가 버렸어요. 그래서 나도 다시 뺏었는데, 선생님이 와서 나만 혼냈어요. 민수가 먼저 가져갔는데!"
- 교사 : "네가 먼저 블록장난감을 가지고 놀고 있었는데, 민수가 가져가서 속상했구나. 그런데 선생님이 네가 다시 가져온 것만 보고 너만 혼내서 억울했던 거구나?"

3) 바꾸어 말하기, 반복해서 말하기(Paraphrasing & Repetition)

다른 표현으로 바꾸어 말하거나 같은 내용을 반복하여 말하는 것이다. 중요한 정보를 확실히 전달하고, 상대방의 이해도를 높이기 위해 적용한다. 또한 약 복용법 등과 같은 중요한 정보를 강조할 때, 이해를 확인할 때도 사용한다.

- 환자 : "어지럽고, 속도 안 좋고, 가끔 가슴이 두근거려요. 혈압이 높은 건가요?"
- 간호사 : "그러니까 지금 어지러움, 속 불편함, 가슴 두근거림이 동시에 나타나서 혈압 문제인지 궁금하신 거군요?"
- 간호사 : "이 약은 식사 후에 하루 3번 꼭 드셔야 합니다. 다시 말씀드리면, 식사 후 3번 복용하는 겁니다."

5 정보를 주고받는 기술(Skills for Giving and Receiving Information)

대상자에게 전문가로서 정보를 제공하거나 문제점을 파악하기 위해 질문을 하는 기술이다.

1) 정보 제공하기(Providing Information)

상대방이 필요한 정보를 얻어 스스로 결정을 내릴 수 있도록 돕고 필요한 정보를 제공하는 것이다. 정보제공은 대상자가 어떤 선택을 하거나 결정을 내릴 때, 지키지 않으면 어려움을 초래할 경우 사용한다. 병원에서는 환자에게 정보를 제공하는 것은 병원의 시설과 지켜야 할 병원규칙이나 식이요법, 투약 및 검사를 위한 지시사항 등이 포함된다.

- 산모 : "모유 수유를 꼭 해야 하나요? 분유를 먹이는 건 안 좋은가요?"
- 간호사 : "모유는 아기에게 가장 적합한 영양 공급원이에요. 모유에는 아기의 면역력을 높이는 항체가 풍부해서 감염 예방에 도움이 되고, 소화도 잘 됩니다. 또한, 엄마와 아기 간의 애착 형성에도 좋고, 엄마의 자궁 수축을 도와 출산 후 회복을 빠르게 해줄 수 있어요. 물론 분유도 좋은 대안이지만, 가능하다면 초유는 꼭 먹이는 것이 좋아요."

2) 질문하기(Questioning)

상대방의 생각, 감정, 경험을 더 깊이 이해하기 위해 질문을 사용한다. 질문은 대상자의 자기탐색과 이해를 돕는 유용한 기법이다. 개방적인 질문을 통해 대상자는 자신의 관점, 사고, 의견, 감정을 표현할 수 있다. 또한 자신의 반응을 되돌아보고 표현할 수 있는 기회를 갖는다.

질문을 할 때는 한 가지씩 하여 대상자가 혼란스럽지 않게 한다. 개방형 질문이 환자의 감정과 상황을 깊이 이해할 수 있게 하여 더 많은 정보를 주도록 유도할 수 있다.

폐쇄형 질문은 빠르고 정확한 정보 수집이 가능한 이점이 있지만, 오히려 대상자를 혼란시키거나 위축시키는 경우가 있어 사실보다는 대상자의 성격이나 습관에 따라 반응이 표현될 수 있다.

(1) 개방형 질문(Open-ended Question)

- 간호사 : "요즘 건강 상태가 어떠세요?"
- 환자 : "요즘 가끔 두통이 있고, 밤에 잠을 깊이 못 자요."
- 간호사 : "어떤 증상들이 가장 불편하세요?" [자유로운 답변 가능]

(2) 폐쇄형 질문(Closed-ended Question)

- 간호사 : "두통이 있을 때 어지러움도 함께 느끼시나요?"
- 환자 : "네, 가끔 그래요."
- 간호사 : "정확히 언제부터 아프셨어요?"

6 대인관계를 강화하는 기술(Skills for Strengthening Interpersonal Relationships)

상대방이 더 깊이 이야기할 수 있도록 유도하고, 적절한 자기 개방과 유머를 사용하여 신뢰감을 형성한다.

1) 자기개방하기(Self-Disclosure)

대화 중 조력자가 대상자와 유사한 문제나 상황에 대한 자신의 경험이나 감정을 적절하게 공유하여 친밀감과 신뢰감을 형성함으로써 대상자가 안심하고 자기를 표현하도록 유도한다. 유의할 점은 이야기가 조력자 중심이 되지 않도록 조절해야 하며, 자기개방의 수위를 적절히 조절하여 지나친 노출로 인하여 전문가의 위치가 손상되어 조력관계나 치료적 관계의 경계가 무너지지 않아야 한다.

▌사례 ①▐ 좋은 사례

- 환자 : "이 병이 나을 수 있을까요?"
- 간호사 : "저도 과거에 같은 증상을 겪었는데, 치료를 잘 받으면서 많이 나아졌어요."

▌사례 ②▐ 바람직하지 않은 사례

조력자가 자신의 감정을 지나치게 강조하여 환자의 감정을 희석시켜 간호사가 이야기의 중심이 됨

- 환자 : "요즘 너무 우울해서 아무것도 하고 싶지 않아요. 아무 의미가 없는 것 같아요."
- 간호사 : "저도 예전에 힘든 시기가 있었어요. 그때는 정말 아무것도 하고 싶지 않고, 그냥 다 포기하고 싶었죠. 밤마다 울기도 했고요. 그런데 저는 결국 극복했잖아요, 환자분도 힘내세요."

2) 유머 사용하기(Using Humor)

적절한 유머를 사용하여 긴장을 완화하고, 편안한 분위기를 조성하여 대화를 긍정적으로 변화시킨다. 타인에게 불쾌감을 주지 않고 자기 느낌을 표현하는 건설적인 유머는 불안한 상황을 부드럽게 만들고 긴장을 완화시킨다. 유의할 점은 대상자의 감정을 배려하여 상황에 맞는 유머를 사용해야 한다.

❙사례 ①❙ 주사를 맞는 것에 겁을 먹고 있는 어린이 환자

- 환자 : "선생님, 주사 안 맞으면 안 돼요? 너무 아플 것 같아요!"
- 간호사 : (유머 사용) "주사 싫어하는 친구들은 많죠! 사실 저도 주사 맞는 건 별로 안 좋아해요. 그런데 말이에요, 이 주사가 '최고의 마법의 약'이라는 거 알고 있나요? 이거 맞으면 용감 레벨이 100점 되요. 또는 초능력이 생겨요!"
- 환자 : "정말요?" (웃으며 관심을 보임)
- 간호사 : "그럼요! 용감한 사람만 받을 수 있는 특별한 주사거든요. 내가 하나, 둘, 셋 하면 마법 효과가 발동됩니다! 준비됐나요?"

✓ 효과 : 환자의 불안을 줄이고 긴장을 완화할 수 있다.
주사에 대한 두려움을 긍정적인 경험으로 전환하여 협조를 높일 수 있다.

❙사례 ②❙ 혈압을 재러는데 몸이 뻣뻣하게 긴장된 환자에게 유머 사용하기

- 환자 : "이거 하면 아픈가요? 혈압 높은 거 아니겠죠?"
- 간호사 : (유머 사용) "혈압 재는 건 아프지 않지만, 이 기계가 팔을 살짝 '꼭~ 안아준다.'고 생각하시면 돼요. 친근한 인사 같은 거죠!"
- 환자 : (웃으며) "그럼 꽉 안아주면 혈압이 더 올라가는 거 아닌가요?"
- 간호사 : "맞아요! 그래서 긴장하지 마시고 편안하게 계시면 '부드러운 포옹'이 됩니다!"

✓ 효과 : 환자가 긴장을 풀고 편안하게 혈압 측정을 받을 수 있도록 돕는다.
환자와의 관계 형성에도 긍정적인 영향을 준다.

2 비효과적 의사소통

비효과적인 의사소통은 상대방과 대화를 할 때 자신이 의도한 바를 전달하지 못할 뿐 아니라 오히려 악화시키는 의사소통 기법이다. 어떤 기술은 일시적으로는 순기능의 효과도 볼 수 있으나, 대부분의 경우 부정적 결과를 초래하므로 효과적인 기법으로 전환하여 사용하여야 한다.

1 감정을 고려하지 않는 의사소통(Communication That Ignores Emotions)

상대방이 느끼는 감정을 진지하게 받아들이지 않거나, 대상자의 감정을 깊이 이해하지 않고 피상적으로 반응하여 근본적으로 해결하지 않는다. 신뢰를 떨어뜨려 상대가 자신의 감정을 더 이상 표현하지 않으려 할 수 있다.

1) 일시적으로 안심시키기(False Reassurance)

비효과적 표현 "괜찮아요, 걱정할 거 없어요!"

효과적 표현 "걱정되실 수 있어요. 어떤 점이 가장 불안하신가요?"
"불안하실 수 있지만, 저희가 최선을 다해 도와드릴 테니 함께 해결방법을 찾아볼까요?"

해설 막연한 위로 대신 현실적인 해결책과 정보를 제공하여 환자가 불안을 이야기할 수 있도록 유도한다.

2) 주제 바꾸기(Changing the Subject)

상대방이 중요한 이야기를 하는데, 다른 주제로 바꾸어 흐름을 끊는 것이다. 상대방의 감정도 파악하지 못하고 공감하지 않아 환자가 존중받지 못한다고 느껴서, 더 이상 이야기하고 싶지 않을 수 있다. 상대방의 말에 집중하고 자연스럽게 대화를 연결하도록 한다.

- 환자 : "이 치료를 계속해야 하는 게 맞을까요? 걱정돼요."

비효과적 표현 간호사 : "어제 비 많이 왔죠? 요즘 날씨가 변덕이 심해요."

효과적 표현 간호사 : "치료를 계속해야 할지 고민되시는군요. 어떤 점이 가장 걱정되세요?"

해설 대화를 회피하지 않고, 반영하여 상대방이 걱정하는 부분을 깊이 탐색할 수 있도록 유도한다.

3) 막연하고 과도하게 칭찬하기(Over-Praising Vaguely)

비효과적 표현 "당신은 늘 잘해왔잖아요, 문제될 게 없어요!"

효과적 표현 "오늘은 어제보다 손의 움직임이 더 부드러워 보이네요. 좋아요!"
"지금 하신 방법이 많이 개선되었어요. 특히 마지막 과정이 정확했어요."

해설 구체적인 행동이나 변화에 대한 피드백을 제공하여 대상자가 어떤 점에서 잘했는지 명확히 인식할 수 있고 객관적이고 신뢰할 수 있는 평가를 제공하는 것이다.

4) 상투적으로 반응하기(Cliché Responses)

비효과적 표현 "시간이 해결해 줄 거예요."

효과적 표현 "지금은 많이 힘드실 것 같아요. 어떤 부분이 가장 어려우신가요?"
"지금 어떤 도움이 필요한지 이야기해 주시면 좋겠어요."

해설 상대방의 감정을 진지하게 받아들이고 경청하는 태도로 일방적인 위로 대신 실질적인 해결 방법을 함께 모색해준다.

5) 문자적 반응하기(Literal Responding)

상대방이 감정이나 의도를 이해하지 않고 단순히 문자에만 반응하는 것은 상대방이 무시당했다고 느끼거나, 감정을 나누기 어려운 분위기이다. 상대의 감정을 고려하여 반응한다.

- 환자 : "요즘 너무 지쳐서 몸이 만신창이가 된 것 같아요."

비효과적 표현 "만신창이라는 건 의학적 용어가 아니에요. 정확히 어디가 아프세요?"

효과적 표현 "많이 지치셨군요. 특별히 더 불편한 부위가 있나요?"

해설 환자의 감정을 먼저 반영한 후, 정확한 증상을 파악할 수 있도록 유도한다.

• 내담자 : "나는 땅콩 같아요."

비효과적 표현 "그럼 까먹으면 고소하겠네요."

효과적 표현 "그렇군요. 땅콩은 어떤 느낌일까요?"

해설 내담자의 말에 내용적 반응을 하고, 느낌에 관심을 가지며 묻는다.

② 부정적이고 공격적인 의사소통(Negative and Aggressive Communication)

상대방을 존중하지 않고, 부정적인 감정으로 반응하여 갈등을 유발한다. 상대의 감정을 무시하거나, 불필요한 논쟁을 만들어 관계를 손상시키고, 상대방이 방어적으로 반응하여 해결되는 것이 아니라 갈등이 발생한다. 신뢰가 약해지고, 원활한 의사소통이 불가능해진다.

1) 거부하기(Dismissing)

비효과적 표현 "그건 말도 안 돼요. 그런 일은 있을 수 없어요!"

효과적 표현 "그렇게 생각하실 수도 있겠네요. 제가 이해한 내용과는 조금 다른데, 함께 이야기해 볼까요?"
"그 방법에는 어려운 점이 있을 수도 있지만, 다른 대안을 찾아볼 수 있을까요?"

해설 수용적 태도로 대하며, 자신의 생각을 이야기할 기회를 주고 대안 탐색을 유도한다.

2) 비난하기(Criticizing/Blaming)

비효과적 표현 "이런 걸 또 실수했어요? 도대체 몇 번을 말해야 해요?"

효과적 표현 "이 부분에서 어려움이 있었던 것 같은데, 어떤 점이 가장 힘드셨지요?"

해설 비난 대신 어려운 점을 확인하여 안전하게 업무를 하도록 한다.

3) 논쟁하기(Arguing)

비효과적 표현 "아니, 내 말이 맞아요. 왜 자꾸 반박하는 거예요?"

효과적 표현 "제가 이해하는 방식과 조금 다른데, 제 입장을 설명드려도 될까요?"
"그 부분에 대해서 다르게 생각할 수도 있을 것 같아요. 서로의 의견을 비교해 볼까요?"

해설 상대의 입장을 인정하면서 대화를 연결하며, 서로의 의견을 탐색하는 방식으로 접근하고, 건설적인 토론으로 바꾸어 감정적 충돌을 방지한다.

4) 판단하기(Judging)

비효과적 표현 "그렇게 행동하는 건 유치한 거예요. 좀 더 성숙해지세요."

효과적 표현 "이런 방식으로 하게 된 이유가 있을까요?"

해설 열린 태도로 경청하여 이야기 하면서 스스로 알아채도록 한다.

5) 충고하기(Giving Advice)

비효과적 표현 "네가 그렇게 생각하니까 힘든 거야, 네 생각을 좋게 고쳐먹어."

효과적 표현 "과장님이 그렇게 말씀하시면, 나라도 화나겠다."

해설 친구가 과장님의 업무상 피드백을 받고 무시당한 것 같아 화가 나있을 때, 먼저 공감해주고, 진정되면 스스로 문제를 인지하도록 한다.

3 통제하거나 압박하는 의사소통(Controlling and Coactive Communication)

상대방이 스스로 사고하고 해결할 기회를 빼앗으며, 압박을 느끼고, 자기 방어적 태도를 보일 가능성이 높다. 상대방의 입장을 고려하지 않고, 조인이나 명령을 강요하는 방식이다. 상대방이 스스로 문제를 해결할 기회를 차단하고, 방어적인 태도를 유발할 수 있다.

1) 시험하기(Testing)

비효과적 표현 "이 문제를 해결할 능력이 있긴 해요?"

효과적 표현 "이 부분이 어려울 수도 있는데, 어떤 점이 가장 부담스러우세요?"
"이 과정을 진행하는 데 도움이 필요한 부분이 있을까요?"

해설 상대방을 압박하지 않고, 긍정적인 태도로 능력을 인정하며 지원한다. 능력을 시험하기보다 필요한 지원이 무엇인지 탐색하는 방식으로 유도한다.

2) 도전하기(Challenging)

비효과적 표현 "진짜 그렇게 할 용기가 있어요?"

효과적 표현 "이걸 시도해 보면 어떨까요? 어떤 점이 가장 걱정되나요?"
"새로운 도전을 해볼 기회일 수도 있을 것 같은데요, 어떻게 하면 도울 수 있을까요?"

해설 상대방을 자극하지 않고, 도전할 수 있도록 동기를 부여하여 압박하는 방식이 아니라, 긍정적인 가능성을 함께 탐색한다.

4 방어적으로 만드는 의사소통(Defensiveness-Inducing Communication)

자신의 입장을 무조건 보호하려 하거나, 상대방의 말을 무조건적으로 긍정/부정하여 대화의 균형이 깨지고, 상대방이 자신의 의견을 자유롭게 표현하는 것이 어려워지고 방어적이 된다.

1) 방어하기(Defending)

비효과적 표현 "내가 그렇게 한 건 다 이유가 있어서예요. 오해하지 마세요!"

효과적 표현 "제가 한 부분 중에서 어떤 점이 불편하셨나요?"

해설 방어적 태도 대신 열린 자세로 경청하여 상대방의 어려움에 관심을 갖는다.

2) 부정하기(Denying)

비효과적 표현 "아니, 그건 네가 잘못 알고 있는 거야."

효과적 표현 "조금 다르게 볼 수도 있을 것 같아요. 제 생각을 말씀드려도 될까요?"

해설 상대방의 입장에서 다르게 받아들일 수 있음을 인정한다.

3) 무조건 동의하기(Automatically Agreeing)

비효과적 표현 "맞아요, 당신이 다 맞아요."

효과적 표현 "그 부분을 좀 더 자세히 이야기해주실 수 있을까요?"

해설 상대방이 자신의 감정을 자유롭게 표현하지 못하고, 불만이 쌓일 수 있다.
불필요한 갈등을 초래하거나, 반대로 문제를 제대로 해결하지 못하는 결과를 초래할 수 있다. 무조건 동의하지 말고, 이야기를 경청하며 정확한 정보를 확인한다.

5 부적절하게 정보 주고받기(Improper Giving and Receiving of Information)

상대방에게 과도한 정보를 요구하거나 따지듯이 질문하는 기법 및 폐쇄형의 질문 방식은 상대가 위축되거나 방어적으로 반응할 가능성이 높다. 상대방이 방어적 또는 수동적으로 반응하여 솔직한 대화를 어렵게 만든다.

1) 설명 요구하기(Demanding Explanation)

비효과적 표현 "왜 그렇게 했어요? 이유를 설명해 보세요!"

효과적 표현 "그렇게 하신 이유가 있었을까요? 함께 이야기 나누면서 해결 방법을 찾아볼까요?"

해설 부드럽게 질문하여 대화의 흐름을 유지하며 어려움을 정확히 확인하거나 문제해결을 유도한다.

2) 폐쇄형 질문(Closed-ended Question)

비효과적 표현 간호사 : "많이 아파요?"

효과적 표현 "통증은 어떠세요?"

해설 처음부터 "예/아니오."와 같은 질문을 하면 충분히 생각할 시간을 갖지 못하고 자신의 성향에 따라 한정된 답변만 하게 된다. 따라서 대상자가 자신의 경험과 감정 등 상태를 자유롭게 표현하도록 개방형 질문을 한다.

3) 지시적 대화(Directive Communication)

비효과적 표현 간호사 : "지금 당장 이 약을 드세요." 또는 "무조건 이렇게 해야 해요."

효과적 표현 "이 약은 지금 드시는 게 효과가 좋습니다."
"이 방법이 가장 안전한 선택일 것 같은데, 어떻게 생각하세요?"

해설 대상자가 스스로 생각할 기회를 얻지 못하며, 수동적인 반응, 또는 반발심을 일으킬 수 있다. 대상자에게 강요하는 느낌을 주지 않아 자율성을 느끼면서도 필요한 정보를 이해할 수 있도록 유도하여 의료적 권고를 효과적으로 전달한다.

4) 빈 정보주기

비효과적 표현 치위생사 : "양치질이 썩 잘된 건 아니에요."

효과적 표현 "양치질을 꼼꼼히 하신 부분도 있지만, 어금니 안쪽과 잇몸 라인 쪽에 치태가 조금 남아 있어요. 이 부분을 조금 더 신경 써서 닦아주시면 더 건강한 치아를 유지하실 수 있을 거예요!"

해설 필요한 정보는 주지 않으면서 환자가 기분 나쁘게 받아들일 가능성이 크며, "잘 못했다"는 식의 말은 대상자의 자존감을 떨어뜨릴 수 있다. 긍정적, 구체적인 조언으로 표현한다.

5) 핀잔형 정보 주기

비효과적 표현 방사선사 : "위조영술이 위내시경보다 더 편한 건 아니에요."

효과적 표현 "위조영술은 위내시경과 검사 방법이 다르지만, 천식이 있는 분들도 부담없이 받을 수 있는 검사입니다. 검사 중 트림을 참으시면 영상이 더 정확하게 나오니 편안하게 호흡하시면서 진행하시면 됩니다." 검사 중 주의할 점(트림 참기, 호흡 조절)을 알려주고, 환자의 협조를 유도한다. "편안하게 호흡하면서 진행하시면 됩니다."라고 말하여 환자가 검사에 적극적으로 참여하도록 유도한다.

해설 환자의 걱정을 고려하지 않았고 환자에게 불안감을 줄 수 있는 부정적인 암시만 전달하게 되었다. 천식 때문에 수면내시경을 못 하는 상황인데, 대안인 위조영술을 막연히 더 어렵다고 하면 환자에게는 핀잔이나 위협적인 발언이 된다. 대상자가 위조영술을 잘 받을 수 있도록 안내해야 한다.

R/E/F/E/R/E/N/C/E

- 김희숙, 강문희 김판희 외(2021). 인간관계와 의사소통의 이론과 실제. 서울 : 학지사메디컬.
- 안효자, 이영내, 김명자, 김현미 외(2018). 인간관계와 의사소통. 수문사.
- 양경희, 강서영, 김명희, 김윤주, 김은자 외(2019). 건강한 인간관계를 위한 의사소통 기술. 한국간호연구학회, 서울 : 퍼시픽북스.
- 양경희, 강서영, 김정호, 김한나, 문인오 외(2021). 건강한 인간관계를 위한 의사소통 기술 2판. 서울 : 퍼시픽북스.
- 양경희, 강서영, 김정호, 김한나, 박선정 외(2022). 건강한 인간관계를 위한 의사소통 기술 3판. 한국간호연구학회, 서울 : 퍼시픽북스.
- 양수, 이경순, 이정섭, 권혜진 외(2018). 정신간호학, 제5판. 서울 : 현문사.
- 이경순, 이미경, 김경희(2014). A To Z 인간관계와 의사소통, 수정판. 서울 : 현문사.
- 이광자, 고성희, 이숙, 김경희 외 (2018). 인간관계와 의사소통의 실제, 서울 : 신광출판사.
- 클라라 힐, 카렌 오브리언 저(2006). 주은선 역. 상담의 기술. 서울 : 학지사.
- Gerald Corey 저. 조현춘, 조현재, 이희백, 천성문 역(2005). 집단상담의 이론과 실제. 서울 : 시그마프레스.
- 국립국어원 표준 국어대사전. https://stdict.korean.go.kr/search/searchResult.do
- 네이버한자사전. https://hanja.dict.naver.com/#/entry/ccko/371e900759c34e609527d0fcf11c470f

06 장

성숙한 의사소통 방식

사람들이 무의식적으로 또는 친하다고 별 생각 없이 말한 것이 결과적으로 상처를 주게 되는 경우가 많다. 또한 다른 사람에게 상처를 일으킬 수 있는 말을 하지나 않을까 생각하여 자신의 생각이나 감정으로 표현하지 못하며. 피해의식을 가지고 살 수도 있고, 자기주장을 한다고 다른 사람에게 투사하는 일이 발생할 수가 있다. 개인이 어려움이나 갈등 상황에서 의사소통을 할 때, 자신의 감정과 생각을 전달하면서도 좋은 인간관계를 손상하지 않으려는 마음을 유지할 수 있을까. 즉 상대방을 비난하거나 무시하거나 단정하지 않고 자신의 생각과 감정을 표현할 수 있을까, 주체적인 표현을 하면서도 따뜻한 소통이 될 수 있을까에 대한 성숙한 대화기법으로 나전달과 비폭력대화를 다루고자 한다.

학·습·목·표

1. 나전달법 대화를 설명할 수 있다.
2. 비폭력대화를 설명할 수 있다.
3. 관찰과 평가를 구분할 수 있다.
4. 느낌과 생각을 구분할 수 있다.
5. 기대와 요구를 구분할 수 있다.
6. 부탁하는 방법을 설명할 수 있다.

주·요·용·어

- 나전달법
- 비폭력대화
- 기린언어
- 자칼언어
- 관찰
- 평가
- 느낌
- 생각
- 요구
- 판단
- 기대
- 부탁

06 성숙한 의사소통 방식

1 나전달법(I-message)

1 나전달법의 정의

나전달법은 나 메시지로 부르며, 자기주장훈련(Assertiveness Training)의 핵심기술 중 하나이다. 자기주장훈련은 자신의 감정을 표현하면서도 상대방을 존중하는 의사소통방식이다. 자기주장은 소극적이어서 다른 사람의 의견이나 부탁을 거절하지 못하고 자기 생각을 표현하지 못해, 불만이나 갈등상황에서 참고 견디는 사람에게 필요하다. 또는 공격적인 성격으로 자신의 의견을 강하게 내세우거나, 지배적인 말투 등으로 인간관계에서 마찰이 많은 사람이나, 소극적-공격적 성격으로 직접적으로 표현하지 않으며 비꼬거나 뒤에서 불만을 표출하는 사람에게 아주 중요한 훈련이다.

나전달법은 토마스 고든(Thomas Gordon)이 1960년대 개발한 효과적인 부모 역할 훈련(Parent Effective Training, P.E.T.)에서 처음으로 시작되었다. 가정, 학교, 직장에서 좋은 관계를 형성하거나 개선하기 위해 I-message를 개발한 것이다. '나'라는 표현으로 시작하여 자신의 (부정적인) 감정의 책임과 원인을 상대방에게 있다고 비난하거나 명령하지 않으며 나의 감정과 경험을 중심으로 메시지를 전달하는 의사소통방식이다.

자기주장적 의사소통은 상대방의 권리를 침해하지 않아 불쾌감을 주지 않으면서도 자신의 권리와 욕구, 의견, 생각, 감정들을 솔직하고 편안하게 상대방에게 전달하는 것이다. 흔히 자신의 입장을 강하게 표현하는 것을 나전달법으로 안다면 매우 위험한 결과를 초래한다. 상대를 배려하지 않고 자신의 감정만 표출한다면 상대도 그에 상응하는 반응을 하여 부정적인 생각과 감정의 핑퐁놀이를 하게 되어 인간관계에서 큰 부작용을 만든다.

인간관계에서 갈등으로 인해 어려움을 겪지 않으려면 상대에 대한 감정을 잘 풀어가야 한다. 감정을 억누르고 쌓아두게 되면, 굳어지고 부정적인 신념이나 생각 등으로 전환되어 현실에서 왜곡이 강화된다. 새로운 자극도 항상 억울한 상태로 인지하게 되어 피해의식으로 맞는다. 따라서 불필요한 감정을 안고 피해자로 살지 않고 자신의 잠재력과 가능성을 성취할 기회를 갖기 위해서, 부정적인 감정이나 생각을 갖게 되었을 때 나전달법을 잘 실천해야 한다. 자신을 표현하면서도 상대방을 방어적으로 만들지 않도록 하여야 한다.

❷ 자기주장훈련이 필요한 상황

- 자신의 의견을 분명히 전달해야 할 회의나 토론에서, 또는 본인의 입장을 분명하게 밝혀야 할 때
- 친구나 동료의 부탁을 거절하지 못하며 부담을 떠안는 경우나, 원하지 않는 약속이나 활동을 참여해야 할 때
- 비난받는 상황에서 건강한 방식으로 반응하는 법을 배우기 위해
- 인간관계에서 불만이 쌓여갈 때 이를 표현 하지 못하는 경우에 해결하기 위해
- 공적 상황에서 자기 생각을 표현하는 것이 어렵거나 중요한 협상이나 요청을 해야 할 때

❸ 나전달법이 아닌 예시(비난, 명령, 단정적 표현 포함)

1) 비난형(너전달법)

"너는 왜 이렇게 제멋대로야? 항상 자기 맘대로 하잖아!"
이것은 자기감정은 표현하지 않고, 상대를 직접적으로 비난하는 표현이다.

2) 명령형

"당장 치워! 안 그러면 혼날 줄 알아!"
이것은 상대방의 감정이나 입장을 고려하지 않고 지시하는 것이다.

3) 단정형

"넌 맨날 늦어. 네가 나를 전혀 존중하지 않는 게 분명해."

이것은 상대의 입장을 이해하지 않고 의도를 단정 지어 방어적인 반응을 유도하는 것이다.

4 나전달법의 표현과 구성요소

나전달법은 3가지 요소로 진술한다. 대상자의 행동이 나에게 확실하게 바람직하지 못했을 때의 그 사건(행동), 그 행동이 나에게 영향을 준 감정, 그리고 행동의 영향(결과)을 기록한다. 주어는 나이다. 나를 주어로 하여 내가 비난하지 않고 나의 감정을 표현하여 그 원인을 상대에게 전가하지 않는 것이 나전달법이다.

1) 약속에 늦은 친구에게

"넌 맨날 늦어! 네가 나를 무시하는 거지?" [단정형]

"나는 네가 약속에 늦으면, 기다리면서 불안하고 속상해서 우리의 만남이 즐겁지 않게 돼."

사건(상대의 행동) 그 행동이 나에게 영향을 준 감정 행동의 영향(결과)

2) 정리를 안 하는 룸메이트에게

"왜 이렇게 방이 엉망이야? 당장 치우지!" [명령형]

"나는 방이 어지럽혀 있으면, 지저분한 환경에서 불편하고 스트레스를 받아."

사건(상대의 행동) 그 행동이 나에게 영향을 준 감정 행동의 영향(결과)

예를 들어, 새벽부터 일어나 아침밥을 해주어도 늦잠자서 아침을 거르고 학교에 가는 아들에게 "너는 왜 아침마다 늦잠이니! 새벽밥을 해주어도 못 먹고 가지 않아!" 라고 말하는 대신, "나는 네가 늦게 일어나서 밥을 먹지 않고 가니까, 속상하고, 내 수고가 헛수고가 돼."

사건(상대의 행동) 그 행동이 나에게 영향을 준 감정 행동의 영향(결과)

2 비폭력대화(Nonviolent Communication, NVC)

1 비폭력대화의 이해

1) 비폭력대화의 정의

비폭력대화는 강력한 의사소통 모델이며, 이 세상에 살면서 삶을 사는 방식이라고 한다. 비폭력대화는 임상심리학자 마샬 로젠버그(Marshall B. Rosenberg)에 의해 개발되어 보급되었다. 그는 미국 디트로이트라는 상공업도시의 열악한 주거 환경과 폭력 및 인종폭동까지 일어나는 환경 속에서 어린 시절을 보내면서 사람들이 원래 가지고 있는 연민의 정으로 따뜻하게 살아가면 얼마나 좋을까 하는 꿈을 가지게 되었다. 자연스럽게 연민이 흘러나오게 하는 삶의 언어인 기린언어를 사용하는 비폭력대화는 그의 꿈의 실현이었다. 비폭력대화는 자신의 내면을 잘 살피고 다른 사람의 내면을 잘 들여다 볼 수 있으며, 우리의 내면에 잠재해 있는 긍정적인 면이 밖으로 나타날 수 있도록 표현하는 방법을 제시한 대화법이다. 비폭력대화는 감정을 공감적으로 표현하고, 서로 욕구를 이해하면서 평화로운 소통을 유도하는 방법이다.

비폭력(nonviolent)은 원래 산스크리트어의 아힘사(Ahimsa)라는 불살생 정신에서 따온 말이다. Rosenberg는 마하트라 간디(Mahatma Gandhi)의 이 철학적 개념에서 영감을 받아 공감과 연결하여 의사소통의 모델을 비폭력대화로 명명했다. Rosenberg는 비난, 평가, 지시, 강요 등의 언어가 언어적 폭력이 될 수 있다고 보고 비폭력대화의 핵심을 공감적 듣기와 감정과 욕구 표현에 두었다.

Rosenberg의 정신에 깊이 공감한 베어마이어(Ruth Bebermey)[1]의 『나는 게으른 사람을 본 적이 없어요(I've Never Seen a Lazy Man)』라는 노래는 평가적인 언어 대신 평가하지 않고 관찰을 바탕으로 소통해야 한다는 비폭력대화의 원칙을 담고 있다.

1) 베어마이어(Ruth Bebermey) : Rosenberg의 비폭력대화운동에 동반자로 활동하며, Words Are Windows (or They're Walls)와 같은 비폭력대화의 철학을 담아 감정과 요구의 구분을 잘 보여주는 노랫말을 짓고 가수로 활동함. 위의 노래는 사람을 꼬리표 붙여(labelling) 평가하지 말라는 의미를 담고 있다.

I've never seen a lazy man

by Ruth Bebermeyer

나는 게으른 사람을 본 적이 없어요.
내가 지켜보고 있을 동안엔
한 번도 뛰지 않는 사람은 보았지요.
그리고 점심과 저녁
사이에 가끔 잠도 자고,
또 비 오는 날이면 집에 있곤 하는
사람은 보았지만 그 사람은
게으른 사람은 아니에요.
나보고 엉뚱하다고 하기 전에 한번 생각해 보실래요?
그가 정말 게으른 사람인지. 아니면 그저
우리가 게으르다고 이름 붙인 일들을 했을 뿐인지.

....

참고 : https://efflense.wordpress.com/2017/10/19/ive-never-seen-a-lazy-man-by-ruth-bebermeyer/

이 노래는 평가적 언어 대신 관찰을 바탕으로 소통해야 하며, 사람을 라벨(게으르다, 게으름뱅이)을 붙이지 않고 상대의 요구를 이해하여 더 깊은 공감과 소통으로 연결이 가능하다는 점을 강조한다.

비폭력대화는 고정관념을 깨고 인간이 가진 연민의 정을 일깨워 충만한 생활을 해가면서 평화로운 세상에서 살아가자는 평화운동이다.

Rosenberg 는 상징적으로 기린언어와 반대의 의미로 자칼언어를 사용하였다**[그림 6-1]**. 기린은 머리가 높이 달려 있어 머리까지 혈액을 공급하기 위한 큰 심장과 큰 키로 멀리까지 바라볼 수 있고 따뜻한 연민의 마음을 상징한다. 진정한 느낌과 욕구를 솔직하게 표현하는 대화가 기린언어이다.

반대로 자칼언어는 비난, 충고, 비교, 지적하는 언어를 의미한다. Rosenberg는 자칼언어는 삶을 소외시키는 대화라고 부르며 폭력적인 대화를 하게 되는 것은 도덕주의적 판단, 비교하기, 책임을 부정하기 등과 관련된다고 하였다.

그림 6-1 기린과 자칼

2 비폭력대화의 모델

1) 비폭력대화의 말하기와 듣기

(1) 솔직하게 말하기(Expressing Honestly)

- 상대방을 비난하지 않고 솔직하게 말한다.
- 비폭력대화의 4가지 요소, 즉 관찰, 느낌, 욕구, 부탁을 명확하고 건강한 방식으로 표현한다.

예시 내가 교실에 들어가자 마자 친구가 인사도 없이 나갔다. 이럴 때, 화가 났다면, 친구를 무시하거나 화를 내는 대신, 다음과 같이 표현할 수 있다.
"K야, 나는 내가 방에 들어가자 마자 인사도 없이 나가니까 네가 나를 무시하는 것 같이 생각되어 속상했어."

4가지 요소를 구체적 적용은 바로 다음 파트에서 제시되는 2) 비폭력대화의 4가지 요소의 적용에서 다루기로 한다.

(2) 공감으로 듣기(Empathic listening)

상대방의 말을 공감하며 듣는다.

다른 사람이 경험하고 있는 것을 존중하며 들음으로써 상대방의 욕구를 알아차린다. 상대를 관찰하고 그가 어떻게 느끼는지, 어떤 욕구가 있는지, 무엇을 부탁하고 있는지를 경청하는 것이다. 제2절 비효과적 의사소통에서 제시한 것처럼 공감은 미리 안심시키는 것이지 상투적으로 위로하거나, 동정하거나, 평가하거나, 비난하거나, 가르치지 않는다. 또는 도덕적으로 판단하거나, 자신의 책임을 부정하거나 비교하기 등은 진정한 대화를 방해한다. 공감은 그 사람이 경험하고 있는 것을 존중하며 마음으로 듣는 것이다. 선입견을 갖지 않고 그대로 상대에 집중하여 듣는다.

예시 만약 동생이 형에게 "오늘 친구들이 날 놀렸어. 정말 짜증나."라고 말할 때.. 형이 "그러게, 좀 친하게 놀지 그랬어!" "네가 웃기니까 놀렸겠지!"

이렇게 말하는 것은 형이 동생의 이야기를 공감하고 들었다고 할 수 없다. 동생은 속상한 마음을 공감해주기를 원한다. 지지 받고 싶은 욕구가 있는데, 형은 속상한 마음을 무시하고 조언하였으며, 동생의 입장에서는 비난하는 것으로 들을 수도 있다. "친구가 놀려서 속상했겠다." 라고 말하여 공감해주고, "그런데 친구가 왜 그렇게 했는지 알고 싶어?" 라고 욕구를 확인할 수 있다.

2) 비폭력대화의 4가지 요소의 적용

① 관찰과 평가를 구분하고, **관찰을 표현**하며,
② 생각과 느낌을 구분하고, **느낌을 표현**하며,
③ 욕구와 기대를 구분하고, **욕구를 표현**하며,
④ 구체적인 행동을 **부탁**한다.

(1) 관찰하기(Observing)

우리는 눈에 보이고 들리는 것, 즉 관찰한 것을 판단 없이 사실만 그대로 표현해야 한다. '이 아이는 게으르다.'로 판단하여 게으름뱅이로 이름 짓지 않는다(labelling). 마치 사진을 찍은 것처럼 그대로 표현한다[**표 6-1**].

표 6-1 관찰과 평가

평가	관찰
너는 아주 착한 아이야.	너는 길에 가는 할머니의 짐을 들어 드리는구나.
너는 호구야.	너는 밥 먹을 때마다 밥값은 네가 내는구나.
너는 나를 무시해.	내가 지난번에 건의 한 제안을 3번이나 거절했지.
선생님은 나를 싫어해.	선생님은 내가 인사를 하는데 다른 애들만 보셨다.
인자는 예의가 없어.	인자는 지하철에서 노인에게 자리를 양보하지 않았다.
철수는 게을러.	철수는 지각을 5번이나 했어.

예시 "넌 왜 이렇게 게을러! 공부 좀 해!" [비난, 평가, 명령]

수정 "나는 네가 방에 누워서 공부하지 않는 것을 보고 있어."

일상적으로 사용하는 문구의 문제를 제시하고, 관찰하기를 적용할 때, 다음과 같은 점에 유의하면 잘 적용할 수 있다.

첫째, 상대를 낙인찍기나 어떤 부류로 분류하지 않는다(Avoid labelling).

예시 "넌 아주 인싸야." [잘난 척 하는 사람으로 왜곡될 수 있음]

수정 "나는 네가 책 읽는 걸 좋아하는 것 같아 보여."

둘째, 평가하지 않는다(Avoid evaluation).

예시 "너는 수업 시간에 집중을 안 해!"

수정 "나는 네가 수업 시간에 창문 밖을 자주 보고 있는 것을 봤어." [객관적인 관찰]

셋째, 판단과 관찰을 명확하게 구분한다(Separate judgement from observation).

예시 "넌 친구들이랑 사이가 안 좋아." [판단이 포함됨]

수정 "나는 네가 이번 주에 친구들과 말하는 걸 거의 보지 못했어." [구체적인 관찰]

넷째, 모호한 판단을 피하고 구체적인 행위나 보고 들은 것을 인용한다(Avoid vague expressions, Use specific action).

예시 "너는 항상 늦어." ['항상'은 모호함]

수정 "이번 주에 네가 약속 시간보다 10분 이상 늦은 날이 세 번 있었어." [구체적인 사실]

다섯째, 외모 표현이나 역할 관련 묘사를 하지 않는다(avoid describing appearance or role-based judgments).

예시 "너는 대표이니까 모범을 보여야지." [역할에 대한 기대가 포함됨]

수정 "나는 네가 숙제를 하지 않았다고 말하는 걸 들었어." [역할과 상관없이 구체적 행동 관찰]

표 6-2 느낌 목록

구분	목록			
욕구 충족시	• 가벼운 • 뭉클한 • 안심한 • 편안한 • 흐뭇한 • 기쁜	• 고마운 • 반가운 • 따뜻한 • 정겨운 • 친근한 • 홀가분한	• 상쾌한 • 통쾌한 • 여유로운 • 활기찬 • 원기왕성한 • 뿌듯한	• 자신감 있는 • 흥분된 • 희망찬 • 만족스러운 • 당당한 • 신나는
욕구 미충족 시	• 걱정되는 • 난처한 • 우울한 • 불편한 • 무서운 • 두려운 • 불안한	• 뒤숭숭한 • 안절부절 못하는 • 암담한 • 당혹스러운 • 외로운 • 꺼림직한 • 막막한	• 슬픈 • 허탈한 • 피곤한 • 혐오스러운 • 수치스러운 • 섭섭한 • 지친	• 안타까운 • 서운한 • 억울한 • 비참한 • 야속한 • 냉담한 • 화나는

참고: 마셜 로젠버그(2004). 비폭력대화 - 일상에서 쓰는 언어, 삶의 의미. 캐서린 한 옮김. 서울: 한국NVC센터. pp.80-82.

이렇게 객관적으로 관찰하여 표현하면, 상대가 방어적으로 반응하지 않으며 공감과 이해를 바탕으로 대화할 수 있다.

(2) 느낌 표현하기(Expressing Feeling)

내·외부의 자극으로 인한 자신의 정시 또는 신체적 반응을 포함하여 내가 느끼는 감정을 표현한다**[표 6-2]**.

예시 "너 때문에 속 터져 죽겠다." [비난]

수정 "나는 걱정되고 속상해."

인간의 느낌은 내면의 욕구와 연결되어 있기 때문에 욕구가 충족되면 긍정적 느낌을 갖고 충족되지 않으면 부정적인 느낌을 갖게 된다. 성숙한 사람은 생각과 느낌을 구별하고 미묘한 감정의 차이를 구분할 수 있다. 많은 사람들이 자신의 어려움에 생각이 빠져 있으면 속단하고 자신의 느낌과 생각을 잘 구분하여 표현하지 못한다. 자신의 생각이나 해서, 그에 속발되는 판단이나 비난을 하게 되면서 인간관계를 어렵게 만든다.

또한 생각과 느낌을 구별하지 못하여 느낌을 표현하는데 장애요인이 된다. 그 사례들로는

표 6-3 느낌처럼 보이지만, 해석(추측), 판단인 경우

	느낌처럼 보이는 추측, 판단	올바른 감정 표현의 예
1	나는 강요당한 기분이야.(판단)	나는 답답하고 불안해.
2	나는 오해받은 느낌이야.(해석)	나는 억울하고 속상해.
3	나는 학대받은 기분이야.(판단)	나는 두렵고 슬퍼.
4	나는 인정받지 못한 느낌이야.(해석)	나는 서운하고 외롭다.
5	나는 버려진 느낌이야.(해석)	나는 외롭고 불안해.
6	나는 조종당하는 것 같아.(판단)	나는 답답하고 불안해.
7	나는 존중받지 못하는 느낌이야.(해석)	나는 서운하고 속상해.
8	나는 이용당한 기분이야.(판단)	나는 배신감이 들고 허탈해.
9	나는 차별받은 느낌이야.(판단)	나는 불공평하다고 느끼고 화가 나.
10	나는 무시당한 기분이야.(해석)	나는 외롭고 속상해.
11	너는 날 존중하지 않는 것 같아.(판단)	나는 서운하고 슬퍼져.
12	너무 불공평해.(생각)	나는 실망스럽고 답답해.
13	나는 배신당한 느낌이야.(해석)	나는 슬프고 화가나.
14	이건 너무 어려워.(판단)	나는 혼란스럽고 걱정 돼.

'~같이, 마치 ~처럼 느껴' 라는 말을 사용하는 경우이다. "바보가 된 것처럼 느껴져"는 실제 감정이 아니라 자기 판단이며, "버려진 기분이야"도 상황에 대한 해석이지 순수한 감정이 아니다. "그가 피하는 것처럼 보여" 이런 경우에도 상대방의 행동에 대한 해석이지 감정이 아니다[**표 6-3**].

(3) 욕구 표현하기(Expressing Needs)

내가 왜 그런 느낌을 가졌는지 나의 내면의 욕구를 살펴본다.

아, 저 아이가 공부를 잘 해주었으면 하는 기대가 있구나. 그 아이가 평화로운 마음을 추구하는 욕구가 있음을 알아채게 된다. 그 욕구를 표현하면 된다.

예시 "너는 나의 기대를 저버렸어." [타인에 책임 전가]

수정 "나는 네가 스스로 공부 계획을 세우고 실행하는 모습을 보고 싶어."

비폭력대화에서 다른 사람을 비판하고, 비난하며, 분석하고 해석하는 것은 자신의 욕구를 돌려서 표현한다고 본다. 만약, 친구에게 "너는 나를 한 번도 제대로 인정해준 적이 없어."라고 말한다면, 실제로 그에게는 친구에게서 인정받고 싶은 욕구가 있는 것이다. 따라서 비폭력대화에서 욕구의 충족/미충족이 감정의 원인이 된다고 보기 때문에 욕구를 기본요소 중 가장 중요하게 다룬다. 여기서 욕구는 영어로 need를 사용한다. need는 desire(욕망)와는 다르게 존중받고 싶다, 안전하고 싶다, 소속감을 느끼고 싶다 등으로 기본적으로 모든 인간의 생존에 필요한 심리적, 신체적인 것이다. 따라서 욕구를 충족시키는 '수단과 방법'은 여러 가지로 사람마다 다를 수 있다. 예를 들면 '놀이'의 욕구를 충족시키는 기대(수단과 방법)는 산책, 운동, 여행, 수다 등 다양하다. 욕망은 욕구를 충족하기 위한 개인의 특정한 대상, 방식, 조건 등이고 충족되지 않으면 좌절감이나 집착이 생길 수 있다.

비폭력대화는 다른 사람의 말이나 행위가 자신의 욕구의 충족여부에 따라 느낌을 불러일으키는 자극은 될 수 있어도 느낌의 원인은 될 수 없다고 본다. 내가 어떻게 해석했는지, 어떻게 선택했는지에 따라 느낌도 표현도 다르게 나타난다. 만약, 아내가 남편에게 "나도 존중받고 싶어." 라고 말하면 욕구가 된다. 자신의 내면의 어떤 욕구가 기대와 연결되어 특정 감정을 유발하거나 심하게는 갈등으로까지 이끄는지 알아차릴 필요가 있다**[표 6-4]**. 아내가 "왜 나에게 밍크코트를 사주지 않아!."라는 말에는 밍크코트를 사주어야 한다는 기대가 있다. 자신이 스스로의 욕구를 알아차리지 못하고 기대만 한다면 갈등이 심화될 수 있다. 만약, "나도 인정받고 싶어, 내가 얼마나 노력하는지 알아주면 좋겠어."라고 말하면서 자신의 기대를 놓고 욕구를 중심으로 표현한다면 건강한 관계를 맺고 갈등을 줄일 수 있다.

만약, 엄마가 딸에게 "네 맘대로 살 거면 나가!"라고 말했다면, 사실 엄마의 마음은 "나는 너와 오손도손 행복하게 잘 살고 싶은데 그러지 못해서 속상해."라는 상호의존 욕구가 표현된 말이다. 만약 딸이 엄마의 말에 공감듣기를 했다면, 엄마의 마음을 이해하고 따뜻한 마음이 되었을 것이다. 그러나 엄마의 말에 공감하지 않으면, 갈등이 깊어질 것이다. 이때 엄마도 "나는 너랑 사이좋게 행복하게 살고 싶은데 그러지 못해서 속상해."라고 말했다면 더 좋았을 것이다.

표 6-4 욕구와 기대 표현

욕구(Need)	기대(Expectation)
나는 이해받고 싶어. 네가 내 이야기를 들어주면 좋겠어.	너는 내 기분을 잘 알아주어야 해!
나는 친구들과 연락하고 지내고 싶어.	내가 외로운데 친구가 먼저 도와줘야지!
나는 인정받고 싶어.	나는 이 정도 하면 인정받아야 해!

표 6-5 보편적 욕구 목록과 예시

욕구의 종류	내용	표현
자율성 (Autonomy)	• 꿈, 목표, 가치관을 선택할 수 있는 자유 • 꿈, 목표, 가치관을 충족할 방법을 선택할 수 있는 자유	• 내 삶이니 내가 결정할게요. • 내가 내 스케줄을 조정할 때 편안해.
통합 (Integrity)	• 진정성, 개별성 존중, 의미/보람, 자기 신뢰/자기존중	• 내 가치관을 지키면서 살고 싶어. • 나는 나와의 약속을 지키고 싶어. 이 일을 완수할거야.
축하(Celebration), 애도(Mourning)	• 생명의 탄생이나 꿈의 실현을 축하 • 사랑하는 사람이나 꿈의 상실을 애도	• 내 노력을 축하해 줘. • 나는 이별이 너무 슬퍼.
놀이 (Play)	• 웃음, 재미	• 나는 너랑 이야기할 때 행복해. • 노래를 부르면 너무 즐거워.
영적 교감 (Spiritual Communion)	• 아름다움, 영감, 조화, 질서, 평화	• 자연 속에서 걸을 때 평화로워. • 자연의 에너지가 가슴에 닿아.
상호 의존 (Interdependence)	• 감사, 공감, 사랑, 공동체, 배려, 기여, 수용, 안도, 친밀함, 소통, 수용, 신뢰, 이해, 정서적 안정, 솔직함, 존중	• 나는 팀으로 협력하고 일할 때 안정감을 느껴. • 네가 공감해줄 때 가깝게 느껴.
신체적 돌봄 (Physical Nurturance)	• 공기, 물, 음식, 휴식, 주거, 자유로운 움직임, 안전, 성적표현, 스킨십	• 나는 안전하게 지내고 싶다. • 나는 휴식이 필요해.

참고 : 마셜 로젠버그(2024). 비폭력대화—일상에서 쓰는 평화와 공감의 언어. 캐서린 한 옮김. 서울 : 한국 NVC센터. p.106.

이렇게 솔직하지 않게 말하고, 상대방도 공감하여 듣지 않으면 건강한 관계는 깨질 수 있는데, 만약 한 사람이라도 비폭력대화를 실천한다면 둘의 관계는 돈독해질 것이다.

한국 NVC 센터(Non Violent Communication Center)에서 제시하는 욕구의 종류별 내용과 표현을 **[표 6-5]**와 같이 정리해볼 수 있다.

(4) 부탁하기(Making Requests)

욕구가 충족되는 삶은 더욱 풍요로울 것이다. 대인관계에서 욕구가 충족되려면 상대에게 부탁을 해야 한다. 나에게 다른 사람이 해주기를 바라는 것을 진실하게 그리고 그가 해줄 수 있는 것으로 부탁하는 표현을 하여야 한다. 첫째, 부탁은 자신이 상대에게 원하는 것을 구체적이고 명확하게 표현한다. 둘째, 긍정적인 행동을 요청한다. 이 때 원하지 않는 행동을 지적하는 것이 아니라, 원하는 행동을 제안한다. 셋째, 요구(demand)가 아닌 선택 가능한 부탁을 한다. 상대방이 거절할 수 있는 자유가 있음을 존중한다. 권유나 질문 형태로 표현한다. 강요가 아닌

나의 욕구를 충족하기 위해 협력적인 부탁하기를 한다. 이 때 마음을 열고 소통할 수 있도록 목소리의 높낮이, 말하는 방식, 우호적 어휘 등을 사용하여 수용적일 수 있는 분위기를 느끼도록 하는 것이 도움이 된다.

상대가 자신의 제의에 거절하는 반응을 하더라도 자신을 거절하는 것으로 받아들이거나 자신을 거부하는 것이 아니고 관점이 다르다고 생각한다. 만약 에스라는 대답만 기대했다면, 상대는 부탁받는 것이 아니라 강요받는 것(forcing)으로 여길 것이다. 행동을 요청하는 것은 행동 부탁(action request)인데, 이때는 '언제', '어디서', '어떻게'를 명확히 밝혀서 부탁해야 한다. 이런 상태에서 복종하거나 반발하게 되는 모든 경우에 두 사람간의 신뢰관계가 깨지고 인간관계에 손상이 온다.

상대에게 부탁하기를 한 후에는 상대에게 자신의 말이 정확하게 전달되었는지 확인할 필요가 있다. 확인방법으로는 '연결 부탁(connection request)'을 통해 상대방이 들은 대로 다시 말해 달라고 부탁하는 것으로 피드백을 받기 위한 요청이다. 상대방은 들은 것을 반복해서 말하는 것을 저항할 수도 있으므로 연결 부탁을 하는 목적을 명확히 표현할 필요가 있다**[표 6-6]**. 반대로 상대방이 노력하는 모습을 보일 때 그의 성의에 감사를 표한다. 감사할 때, "감사합니다."의 표현도 좋지만, 무엇이, 어떤 점이 좋은 지를 표현한다면 훨씬 그 마음을 충분히 전달할 수 있다.

표 6-6 효과적 부탁과 비효과적 부탁

비효과적 부탁	효과적 부탁
넌 왜 맨날 말도 없이 늦어? (비난)	내가 저녁을 준비하는 시간을 맞추려면 네가 집에 도착하는 시간을 알고 싶어. 앞으로 저녁 약속이 변경되면 미리 알려줄 수 있을까?
너는 좀 더 배려심을 가져야 해! (추상적 요구)	내가 이야기할 때 네가 핸드폰을 잠시 내려놓고 눈을 마주쳐주면 더 존중받는 느낌이 들 것 같아. 그렇게 해 줄 수 있을까?
내가 기분 나쁘니까 너는 사과해야 해! (요구)	내가 아까 네 말 때문에 속상했어. 혹시 네 의도를 좀 더 설명해 줄 수 있을까?
네가 나를 사랑한다면 이렇게 하면 안 되지! (감정 조종)	나는 함께 시간을 보내는 게 중요해. 이번 주말에 같이 산책할 수 있을까?
너는 왜 항상 방을 그렇게 어지럽히니? (비난)	나는 집이 정돈되어 있을 때 편안함을 느껴. 오늘 자기 전에 방을 정리할 수 있을까?
너는 왜 내가 힘들 때 연락도 안 해? (책망)	나는 힘들 때 네가 한마디라도 위로해 주면 힘이 나. 내가 속상한 일이 있을 때 잠깐이라도 연락해 줄 수 있을까?

참고: 마셜 로젠버그(2016). 비폭력대화—일상에서 쓰는 평화의 언어, 삶의 언어. 캐서린 한 옮김. 서울: 한국NVC센터. pp.117-144.

마지막으로, 비폭력대화의 4가지 요소를 활용하여 공부를 하지 않는 아들을 보고 속상한 엄마의 대화를 적용한 예시를 다음과 같이 정리할 수 있다.

- 관찰하기 : "인수야, 나는 네가 방에 누워서 공부하지 않는 것을 보고 있어."
- 느낌 표현하기 : "그래서 나는 걱정되고 속상해."
- 욕구표현하기 : "나는 네가 스스로 공부 계획을 세우고 실행하는 모습을 보고 싶어"
- 부탁하기 : "네가 오늘 공부 계획을 짜서 나한테 이야기해 줄 수 있을까?"

퀴즈

Q. 순미가 "연식이는 갈대 같아!" 라고 말했다면, 순미의 말은 다음 어디에 속합니까?

관찰 평가 판단 느낌 부탁

R/E/F/E/R/E/N/C/E

- 김희숙, 강문희, 김판희 외(2021). 인간관계와 의사소통의 이론과 실제. 서울 : 학지사메디컬.
- 나옥희(2017). 비폭력대화와 감정코칭을 통합한 청소년 정서조절프로그램 개발과 효과. 목포대학교 박사학위논문, 전라남도.
- 안효자, 이영내, 김명자, 김현미 외(2018). 인간관계와 의사소통. 서울 : 수문사.
- 양경희, 강서영, 김정호, 김한나, 문인오 외(2021). 건강한 인간관계를 위한 의사소통 기술 2판. 서울 : 퍼시픽북스.
- 양수, 이경순, 이정섭, 권혜진 외(2018). 정신간호학, 제5판. 서울 : 현문사.
- 이경순, 이미경, 김경희(2014). A To Z 인간관계와 의사소통, 수정판. 서울 : 현문사.
- 이광자, 고성희, 이숙, 김경희 외(2018). 인간관계와 의사소통의 실제, 서울 : 신광출판사.
- 한금선, 양승희, 손정남, 박정원 외(2018). 의사소통과 인간관계론, 제4판. 서울 : 고문사.
- 마셜 로젠버그(2004). 비폭력대화 – 일상에서 쓰는 평화의 언어, 삶의 언어. 캐서린 한 옮김. 서울 : 한국NVC센터.
- 마셜 로젠버그(2016). 비폭력대화 – 인성, 갈등, 화해, 김은양, 이화자 역. 서울 : 한국 NVC센터.
- 마셜 로젠버그(2024). 비폭력대화 – 일상에서 쓰는 평화와 공감의 언어. 캐서린 한 옮김. 서울 : 한국NVC센디.
- https://www.kmvc.org(한국비폭력대화센터)

07 장

메타커뮤니케이션

아무리 의도가 좋거나 의사소통기술이 훌륭해도 대화를 지속하는 것이 어려운 경우에는 대화하는 방식 자체를 조정해야 한다. 이때 대화를 원활하게 지속하는 데 중요한 전략이 메타커뮤니케이션이다. 즉 메타커뮤니케이션은 어떻게 대화를 해야 할 것인가에 대해서 대화하는 과정이다.

본 장에서는 메타커뮤니케이션의 활용과 효과적으로 적용되는 상황을 다룬다.

학·습·목·표

1. 메타커뮤니케이션의 적용 상황을 이해한다.
2. 성별 차이를 고려한 메타커뮤니케이션을 이해한다.
3. 갈등상황에서 메타커뮤니케이션을 적용한다.

주·요·용·어

- 메타커뮤니케이션
- 생물학적 차이
- 대화방식
- 갈등

07 메타커뮤니케이션 (Meta Communication)

1 메타커뮤니케이션의 개념

❶ 메타커뮤니케이션 정의

"메타(meta)"는 그리스어에서 유래하였고, "초월하다." 또는 "넘어서다."라는 의미를 가지고 있다. 어떤 대상이나 개념을 넘어 그 대상에 대해 한 단계 위에서 바라보는 시각을 의미한다. 의사소통에서 "메타"는 자기 자신을 설명하거나 반영하는 것, 즉 어떤 주제에 대해 한 차원 위에서 생각하는 것을 나타낸다. 즉, 메타커뮤니케이션의 "메타"는 단순한 내용 전달을 넘어서 상호작용의 맥락, 방식, 감정 등 커뮤니케이션 과정 자체를 돌아보고 점검하는 관점을 의미한다. 한마디로 메타커뮤니케이션은 대화를 어떻게 할 것인지에 대해 대화하는 것이다.

❷ 메타커뮤니케이션의 주요 상황

1) 오해가 반복될 때(Clarifying Misunderstandings)

대화를 나누다 보면 서로의 의도를 제대로 이해하지 못하는 경우가 많다.
"내 말은 그런 뜻이 아니었어!" 같은 대화가 반복된다면, 메타커뮤니케이션이 필요하다.

예시

- "난 단순히 내 생각을 말한 건데, 넌 내가 비난하는 것처럼 받아들이네."
- "그럼 우리가 서로 오해하지 않도록, 앞으로는 감정을 어떻게 표현하면 좋을지 이야기해 보자."

해설 대화를 할 때 어떤 방식이 더 효과적인지에 대한 대화를 한다.

2) 갈등이 심화될 때(Managing Conflicts in Communication)

감정이 격해져서 싸움으로 이어지는 경우, 해결되지 않는 갈등이 지속될 때 규칙을 정하는 것도 도움이 된다.

예시 부부갈등 상황

- "우리 대화할 때 자꾸 감정적으로 되잖아, 그럼 규칙을 정해서 말해볼까?"
- "좋아. 서로 말할 때 1분씩 시간 주고, 상대방 말을 끝까지 듣기로 하자."

해설 대화 규칙을 만들어 감정적 충돌을 줄이는 방법을 찾는다.

3) 상대방이 다르게 받아들일 때(Ensuring Message is Understood Correctly)

같은 말을 해도 상대가 다르게 해석하거나, 비언어적 요소(표정, 말투)로 인해 의도와 다르게 전달될 때 감정이나 그의 해석을 확인해본다.

예시 상사와 직원 간 대화

- "팀장님이 아까 말한 거, 화난 건가요?"
- "아니야, 전혀! 내가 진지하게 말해서 그렇게 느낀 거라면, 앞으로 표현 방식을 좀 더 부드럽게 할게."

해설 내 말투나 태도가 상대에게 어떻게 전달되는지 확인하고 조정한다.

4) 관계를 개선하고 싶을 때(Improving Relationships through Communication)

가족, 친구, 연인, 직장 동료 등과의 관계를 원활하게 하고 싶을 때, 서로의 의사소통 스타일을 맞추고 싶을 때

예시 부모와 자녀 관계

- "엄마는 내가 잔소리하는 것처럼 들릴까 봐 걱정돼. 네 입장에서는 내가 어떻게 말해주면 좋을까?"
- "엄마가 조언해줄 때, 먼저 내 이야기를 다 듣고 말해주면 좋겠어!"

해설 대인관계에서 서로가 원하는 의사소통 방식을 맞춰 나가는 과정이다.

5) 직장에서 효과적인 커뮤니케이션을 원할 때(Enhancing Workplace Communication)

회의, 협업, 팀워크를 개선하고 싶을 때, 또는 서로의 피드백을 효과적으로 주고받고 싶을 때 말하는 순서를 정하거나 발표 방식을 정하는 것이 도움이 된다.

예시 회의 중 개선점 논의

- "우리 회의 때 의견이 잘 정리되지 않아서, 앞으로 한 명씩 돌아가면서 의견을 말하는 방식으로 하면 어떨까요?"
- "좋아요! 그리고 중요한 내용은 미리 요약해서 전달하면 더 효과적일 것 같아요."

해설 의사소통 방식을 더 효과적으로 조정하는 과정이다.

3 메타커뮤니케이션 활용

단순한 메시지 뿐 아니라 메시지의 의미, 맥락, 의도, 감정 등을 설명하거나 해석하는 과정으로, 이를 통해 서로가 오해 없이 정확하게 소통되고, 관계의 깊이를 더할 수 있게 돕는다.

감정을 점검하는 것으로는 대화 중 "내가 지금 화가 난 것처럼 보일 수 있는데, 그게 아니라 사실 걱정이 돼서 그런단다."와 같이 자신의 감정을 설명함으로써 상대가 자신에게 화를 내는 게 아니라는 것을 일러서 감정을 잘못 해석하지 않도록 한다

의도 확인은 말하려는 의도가 '당신을 비판하는 것이 아니라, 더 나은 방법이 있는지 찾고자 하는 것이야.'라고 설명하는 경우이다. 상대가 방어적으로 반응하지 않도록 미리 의도를 명확히 하는 것이다.

피드백면에서는 "이 문제에 대해서 조금 천천히 얘기해도 될까요?" 또는 "지금은 서로의 입장을 듣는 게 중요할 것 같아요."라고 대화의 방식을 조정하려는 피드백을 주는 것이다. 이로써 대화가 감정적으로 흐르지 않고 생산적인 방향으로 진행되도록 한다.

오해 방지 및 해소면에서는 "혹시 내가 말한 게 기분 나쁘게 들렸다면 미안해요. 그런 의도는 아니었어요."와 같이 오해가 생길 가능성이 있을 때 미리 사과하고 의도를 다시 전달하는 방식이다.

따라서 메타커뮤니케이션을 효과적으로 활용하기 위해서는 몇 가지 유용한 방법을 제시한다.

대화를 나눌 때 자신의 감정과 의도를 솔직하게 드러내는 연습이 필요하다. 예를 들어 "지금 이 이야기를 하면서 조금 예민하게 반응한 것 같아요."라고 스스로의 감정을 드러내는 것이 대화를 부드럽게 만들 수 있다.

또한 상대가 보인 반응에 대해 메타커뮤니케이션을 시도해 볼 수도 있는데, 예를 들어 "이 부분에 대해 많이 불편하신 것 같아요. 맞나요?"라고 물으면서 상대의 감정을 존중하고 이해하려는 태도로 받아들여질 수 있다. 또는 "어린 시절 경험 때문에 그런 단어에 좀 민감해요. 이해해 주세요." 이렇게 말하여 상대로 부터 민감한 자극을 피할 수도 있다.

메타커뮤니케이션은 말뿐만 아니라 비언어적 신호에 대해서도 가능한데, 예를 들어, 상대방의 표정이 불편해 보인다면 "지금 제가 말씀드린 부분이 불편하게 느껴지셨나요?"라고 묻는 것도 한 사례가 될 수 있다.

"지금 내가 말하는 방식이 괜찮으신가요?" 또는 "혹시 다른 방식으로 이야기하면 더 편하실까요?"라고 중간 중간 상대의 피드백을 요청하는 것도 좋은 방법이다. 서로의 대화 방식을 맞추고 조정하는 데 도움이 된다.

가장 빈번히 일어나는 상황으로 엄마와 자녀 간에 서로 자기 방식대로 이야기하면서 대화가 어려울 수 있을 때, "그럼 우리 1분씩만 말하고 상대방이 말할 때는 경청하도록 하자."

또는 "지금 내가 말하는 것은 내 입장, 내 경험에서 한 것이니까, 너도 내 입장이 되어 들어보고 너의 입장에서 이야기해보자." 이렇게 말하면 상대방의 입장에서도 들어주고, 다시 자기 입장에서 말하기 때문에 감정적으로 대립되지 않고 대화가 잘 흐르며 공감도 유도해낼 수 있다. 또는 "나의 의견을 물으니 단지 나의 의견을 말한 것이야. 너도 너의 생각을 말하듯이, 너의 일이니 네가 나의 말을 참고하고 괜찮다고 생각되면 수용하면 되고." 위의 대화들은 자녀들이 강요나 간섭이라고 생각하지 않도록 하는 유용한 방법이다.

4 메타커뮤니케이션의 장점

메타커뮤니케이션을 적용하여 대화를 하게 되면, 감정과 의도를 설명함으로써 오해를 줄일 수 있고, 상대방이 자신의 감정을 고려하고 있다는 느낌을 받을 수 있어 신뢰가 쌓이게 된다. 이로써 갈등이 예방되고, 의사소통 방식에 대한 피드백을 주고받음으로써 갈등 상황에서도 대화가 원활하게 유지된다.

특히 가족 간 상담이나 중요한 의사소통에서 메타커뮤니케이션을 활용하면 서로의 감정과 의도를 명확히 이해하게 되어, 아울러 자신이 묶여 있던 생각을 알아채는 소중한 기회를 갖게 될 것이다. 대화가 더 긍정적이고 성숙하게 진행될 수 있어 가족 내 의사결정이 용이하고 가족 성장에 크게 도움이 된다.

2 성차이를 고려한 메타커뮤니케이션

여성과 남성은 생물학적, 심리적, 사회적 요인으로 의사소통 방식에 차이를 보인다. 문화적 요인의 영향도 있지만, 기본적으로 성차에 따른 기본적인 의사소통의 차이를 이해하면 이성간 원활한 의사소통을 할 수 있다. 물론 개인차가 있지만, 일반적으로 남성과 여성의 뇌 차이를 이해하면, 의사소통, 교육, 업무 협력 등 다양한 상황에서 상호 존중과 협력을 증진할 수 있다.

1 생물학적 차이

여성과 남성은 생물학적으로 신체 구조나 기능 및 호르몬 분비의 수준에 따른 차이로 인하여 의사소통에 영향을 미칠 수 있는 환경을 가지고 있다**[표 7-1]**.

표 7-1 의사소통과 관련된 남녀 뇌구조의 차이

항목		남성	여성
뇌량 (corpus callosum)		• 상대적으로 적음 • 좌뇌(분석, 논리)와 우뇌(감상, 직관)의 연결 적음. 특정 영역을 집중적으로 활용	• 상대적으로 큼 : 좌우 뇌간 연결이 활발해 감정과 언어 처리 능력이 우수
언어중추(브로카영역, 베르니케영역)		• 상대적으로 작음	• 상대적으로 큼
편도체(amygdala)와 감정처리		• 우측 편도체 활성화됨 • 문제해결중심 • 위험 감지와 본능적 반응에 강함(싸움-도피 등)	• 좌측 편도체가 활성화됨 • 감정 중심 반응
회백질(gray matter)과 백질(white matter)		• 회백질 많음 • 논리적 사고, 문제해결, 국소적 정보 처리 관여	• 백질 많음 • 뉴런 간 연결 담당, 정보 총합과 멀티태스킹에 기여
해마(hippocampus)		• 상대적으로 작고 공간 인지관련기능이 강하게 작용	• 크고 활성화되어 감정과 관련된 기억을 처리하고 저장하는 능력이 우수
호르몬	테스토스테론	• 높음, 공격성, 경쟁심 증가 • 직접적, 단순한 표현	• 낮음, 갈등을 피하는 대화스타일
	에스트로겐	• 낮음	• 높음, 감정 공감, 언어 능력 향상
	옥시토신	• 낮음	• 높음, 사회적 유대감 증가(공감적 대화 촉진)
의사소통 방식		• 정보 전달, 해결중심, 간결한 표현	• 감정 표현, 공감 중심, 상세한 설명

참고 : Madhura Ingalhalikar, Alex Smith, Drew Parker, and Ragini Verma(2013). Sex differences in the structural connectome of the human brain 111 (2).
양경희 외(2022). 건강한 인간관계를 위한 의사소통 기술3판, 한국간호연구학회편. 서울 : 퍼시픽북스.

❷ 대화방식의 차이

여성과 남성의 대화방식에는 여러 가지 요인에 의해서 의사소통 양상이 많은 차이를 보인다. 같은 성으로서는 이해하기 어려운 점들이 나타나기 때문에 남녀 간 의사소통 양상을 이해하면 원활한 인간관계를 유지하고 갈등을 예방할 수 있다**[표 7-2]**.

표 7-2 성차이에 의한 의사소통 방식의 차이

항목	남성	여성
대화 목적	• 정보 전달, 문제 해결	• 감정 공유, 관계 형성
언어적 표현	• 간결하고 직접적	• 세부적이고 감정 중심 • 비언어적인 신호 해설 잘함
비언어적 표현	• 제스처·표정 활용이 상대적으로 적음	• 표정·몸짓 등 비언어적 표현이 풍부함
듣기 방식	• 해결책을 제시하며 듣기 • 결과와 목표 관점에서 접근	• 공감하며 듣기 • 상호이해와 지지
어법	• 단순하고 명령적 • 상·하관계를 따짐	• 완곡한 수사적 표현, 질문형 • 서로 존중하고 팀워크 중심
자세	• 비스듬히 앉아 시선 피함 • 도전적 또는 공격적 모습을 드러내지 않음	• 유대관계 고려하며 눈 맞추고 번갈아가며 말함
갈등해결	• 논리적 접근 • 해결책 중시	• 감정 표현 및 공감 원함
요구/응답	• 말하지 않으면 잘 모름 • 구체적으로 부탁하지 않으면 모름	• 상대가 알 것이라고 당연하게 생각함 상세히 부탁하지 않고 응답을 기다림

참고: John Gray(1998). Men are from mars, Women are from venus, 김경숙 역(2010). 화성에서 온 남자 금성에서 온 여자. 친구미디어.
양경희 외(2022). 건강한 인간관계를 위한 의사소통 기술, 3판. 한국간호연구학회편. 서울: 퍼시픽북스.

남성과 여성은 일반적으로 서로 다른 의사소통 스타일을 보이는 경향이 있다. 남성은 논리적이고 해결 중심적인 접근을 선호하며, 비언어적 신호를 해석하는 것이 중요하고 자율성을 존중하는 방식의 대화를 더 편안하게 여기는 경우가 많다. 반면, 여성은 감정 중심의 공감적 피드백을 선호하며, 반영 기법을 활용한 소통이 효과적이고, 비언어적 표현을 보다 풍부하게 사용하는 경향이 있다. 성차이로 인한 의사소통의 어려움이 발생하지 않기 위해서는 남성에게는 조언을 삼가고 직접적이고 구체적으로 간명하게 요청한다. 여성의 말에는 귀 기울여 감정을 읽으며 공감해준다.

의사소통 스타일은 성별에 따른 의사소통 스타일의 영향이 크지만, 개인의 성격과 경험에 따라 다르게 나타날 수 있기 때문에, 대상자의 개별적인 의사소통 방식을 감안하여 유연하고 적절한 메타커뮤케이션을 활용하면 보다 신뢰적 관계를 맺고 효과적인 의사소통을 실현할 수 있다.

3 갈등적 대화 예시와 수정

갈등 대화 예시 1

- 여성 : "요즘 회사에서 너무 스트레스 받아."
- 남성 : "그럼 회사 그만둬. 거기 말고 회사 없나?"
- 여성 : "내가 해결책을 바란 게 아니야. 그냥 내 이야기를 들어줬으면 좋겠어."
- 남성 : "그럼 왜 말해?"

✓ 왜 문제인가?

- 남성은 문제 해결 중심으로 접근하지만, 여성은 공감을 원한다.
- 여성은 자신의 감정을 공감받고 싶지만, 남성은 즉각적인 해결책을 제시하여 대화가 단절된다.

✓ 효과적인 대화 예시(공감적 의사소통)

- 여성 : "요즘 회사에서 너무 스트레스 받아."
- 남성 : "일하면서 스트레스가 많았구나."
- 여성 : "상사가 너무 까다롭고 일이 많아서 너무 힘들어."
- 남성 : "그랬구나, 많이 힘들었겠다."
- 여성 : "응, 들어줘서 고마워."
- 남성 : "혹시 내가 도와줄 수 있는 부분이 있을까?"

✓ 왜 해결적인가?

남성이 즉각적인 여성의 공감 기대를 충족시키며, 여성은 "그냥 내 이야기를 들어줬으면 좋겠어."라고 구체적으로 요청하여 대화 목적을 명확히 한다.

갈등 대화 예시 2

- 여성 : "날씨가 춥네."
- 남성 : "그래."
- 여성 : "추운데 왜 히터 안 켜?"
- 남성 : "히터 켜 달라고 하면 되잖아. 돌려 말하지 말고."

✓ 왜 문제인가?

여성이 히터를 켜 달라는 의도를 완곡하게 표현했지만, 남성은 이를 눈치 채지 못한다.

✓ 효과적인 대화 예시(서로의 스타일 존중하기)

- 여성 : "날씨가 춥네. 히터 좀 켜 줄 수 있어?"
- 남성 : "아, 추운가 보네. 알았어, 켤게!"

✓ 왜 해결적인가?

여성이 더 명확하게 요청하여 남성의 이해를 도움

성차이에 대한 의사소통 어려움이 발생할 때 대화 방법은…

1) 자신의 감정을 읽는다.
2) 자신의 의사소통 방식을 점검해본다.
   - 의사소통 기법이 효과적인가?
   - 비효과적인 기법을 사용하나?
   - 사티어의 의사소통 유형의 어디에 속하나?
3) 메타커뮤케이션을 사용하여 서로의 의도와 감정 그리고 서로 편안한 대화방식에 대해 이야기 한다.

R/E/F/E/R/E/N/C/E

- 김진웅(2020). 메타커뮤니케이션. 서울 : 커뮤니케이션북스.
- 김경일, 배진희, 이창환. KLIWC를 사용한 남녀의 언어·심리적 특성 차이 분석, Journal of the Korean Data Analysis Society, Vol. 11, No. 3 (B), June 2009, pp.1307-1318.
- 반두환(2020). 남녀차이의 비밀. 꿈공장플러스,
- 안효자(2018). 인간관계와 의사소통, 제3판. 서울 : 수문사.
- 양경희, 강서영, 김명희, 김윤주, 김은자 외(2019). 건강한 인간관계를 위한 의사소통 기술. 한국간호연구학회, 서울 : 퍼시픽북스.
- 양경희, 강서영, 김정호, 김한나, 문인오 외(2021). 건강한 인간관계를 위한 의사소통 기술 2판. 서울 : 퍼시픽북스.
- 양경희, 강서영, 김정호, 김한나, 박선정 외(2022). 건강한 인간관계를 위한 의사소통 기술 3판. 한국간호연구학회, 서울 : 퍼시픽북스.
- 양승희, 손정남, 박정원 외(2018). 의사소통과 인간관계론, 제4판. 서울 : 고문사.
- 한금선, 양승희, 손정남, 박정원 외(2018). 의사소통과 인간관계론, 제4판. 서울 : 고문사.
- Bienvene, M. J.(1970). Measurement of marital communication. The coordinator, 19(29). 26-31.
- Gottman, J. M., & Gottman, J. S.(2008). Gottman method couple therapy. In A. S. Gurman(Ed.), Clinical handbook of couple therapy(pp.138-164). New York : Guilford Pres,
- John Gray(1998). Men are from mars, Women are from venus, 김경숙 역(2010). 화성에서 온 남자 금성에서 온 여자. 친구미디어.
- Madhura Ingalhalikar, Alex Smith, Drew Parker, and Ragini Verma(2013). Sex differences in the structural connectome of the human brain 111 (2) 823-828. https://doi.org/10.1073/pnas.1316909110
- Michele Weiner-Davis(2007). Divorce Busting, 이인수, 최대헌, 최명구 역(2007). 부부의 심리학. 서울 : 학지사.
- Noller & Fitzpatrick(1990). Marital communication in eight. Journal of Marriage and the family, 52(4). 832-842.
- Satir. V.(2000). Satir Model Family Therapy and Beyond. 한국버지니아사티어 연구회 역. 서울 : 김영애 가족치료연구소
- https://en.wikipedia.org/wiki/Schramm%27s_model_of_communication

08 장

의사소통에 부정적 영향을 주는 요인

의사소통에 도움이 되는 환경인지, 아니면 방해 요인(Hindering Factors)이 존재하는가는 의사소통의 성공 여부를 결정하는 핵심 요소이다.

의사소통이 효과적으로 이루어져서 공동의 목표에 도달하려면 먼저 조력자의 자세와 의사소통에 대한 기술과 자질이 갖추어져 있어야 한다. 그리고 안락하고 편안하며, 조용하고 방해요소가 없는 공간 등을 포함한 상담실의 물리적 환경이 필요하다. 이런 조건이 갖추어진 상태에서 조력자와 대상자의 긍정적인 상호작용이 좋은 환경이 될 것이다.

그러나 조력활동을 하는 상황에서 의사소통을 방해하는 많은 요소들이 존재함으로써 조력자나 대상자들은 어려움을 겪는다.

본 장에서는 내·외적 요인, 개인요인, 그리고 역동적인 영역으로 구분하여 정리한다.

학·습·목·표

1. 의사소통에 영향을 주는 환경요인을 이해한다.
2. 의사소통에 방해가 되는 개인적 요인을 이해한다.
3. 전이와 역전이를 설명할 수 있다.

주·요·용·어

- 환경 요인
- 개인적 요인
- 심리적 요인
- 관계적 요인
- 전이
- 역전이
- 메시지 요인

08 의사소통에 부정적 영향을 주는 요인

1 외부적 요인

의사소통 방해요인의 외부적 요인으로는 환경적 요인과 문화적 요인이 있다.

① 환경적 요인

의사소통이 이루어지는 물리적 또는 기술적 환경에서 발생하는 문제로 상담실의 소음, 조명 부족, 물리적 거리, 인터넷 연결이 불안정한 상태 등이다.

주요 방해 요소로는 시끄러운 소음, 불편한 좌석, 부적절한 조명 등의 물리적 환경과 상담실이 너무 좁거나 환기가 안 되어 불편을 초래하는 기술적 문제가 있을 수 있다. 원격 의사소통 시에는 화상 대화 중 끊김 현상이 발생하거나 음질 상태 불량으로 소통이 단절될 수 있다. 이에 대한 방안은 조용하고 편안한 환경을 조성하고, 기술적 장비 점검, 충분한 시간 확보 및 시간 관리가 필요하다. 상담 시간이 충분하지 않을 경우 의사소통이 표면적으로 흘러 진정성이 전달될 수 없거나 정보의 왜곡이 일어나기 쉽다.

② 문화적 요인

상담자와 내담자가 속한 문화적 차이에서 비롯된 방해 요소이다. 언어 장벽, 가치관 차이, 비언어적 표현, 해석의 어려움 등으로 발생한다.

주요 방해 요소로는 대상자가 사용하는 언어를 상담자가 충분히 이해하지 못하는 경우 문화적 맥락의 오해가 발생하며, 가족, 종교, 전통에 대한 가치관 차이, 남녀, 노소 등의 차이에서 갈등이 발생한다.

내담자의 문화적 배경을 무시하거나 간과하여 눈맞춤, 몸짓 등이 다르게 해석되는 경우가 있다. 미국의 경우 눈을 맞추어야 하며, 다른 문화권에서는 눈을 마주치지 않는 것이 예의이기도 하다. 이에 대한 대처 방안으로는 내담자의 문화적 배경을 사전에 파악하고 이해하는 것이 좋다. 또한 비판적인 태도와 언어 습관을 변화시켜 무의식중에 비효과적인 의사소통기술을 사용하지 않도록 유의한다.

2 내부적 요인

의사소통 방해요인의 내부적 요인으로는 조력자 또는 대상자의 개인적 요인과 관계적 요인 등이 있다.

1 개인적 요인

조력자나 대상자 개인의 특성에서 발생하는 방해 요소나 의사소통 당사자의 성격, 감정적 저항, 낮은 의사소통 능력 등이 포함된다.

1) 대상자의 요인

(1) 심리적 요인

대상자는 여러 상황에서 감정적인 저항을 보일 수도 있다. 상담에 대한 불신이나 문제를 다루고 싶지 않은 마음이 내재되어 있어 "나는 얘기하고 싶지 않아요."라는 거부 반응을 보일 수 있으며, 의사소통 능력이 없어 자신의 생각을 효과적으로 표현하지 못할 경우가 있다.

(2) 전이(Transference)

전이는 대상자가 과거의 중요한 인물(부모, 배우자 등)에 대한 감정을 조력자에게 무의식적으로 투사하는 현상이다. 예를 들어, 대상자가 상담자를 부모처럼 느끼며 지나치게 의존하거나 반감을 품고 투사하는 경우를 볼 수 있다. 이때 조력자의 의도와는 무관하게 감정적 반응으로 인해 대화가 왜곡될 수 있다. Jung은 전이는 투쟁의 대상이 아니라, 자신의 무의식의 갈등을 성찰하여 자기 이해가 깊어지며 성장의 기회가 될 수 있다고 하였다.

2) 조력자 요인

조력자는 의사소통을 이끄는 사람이기 때문에 많은 요인들을 고려하고 유의하여 의사소통을 해야 한다. 조력자는 의사소통 기법을 잘 습득하여 대상자와 신뢰적 관계를 맺고 의사소통을 진행해야 한다. 또한 다른 직무로 인하여 의사소통 시에 겉으로만 반응하거나, 다른 일을 하면서 건성으로 반응하거나, 내적 갈등으로 대상자에게 집중할 수 없으면 면담을 중단해야 한다. 또한 조력자의 자질을 갖추어 메시지를 전달해야 한다. 의사소통이 발신자와 수신자가 상호작용을 할 때 메시지의 내용이나 발신자의 반응에 의해 방해받을 수 있다. 다음은 의사소통에 흔히 방해되는 조력자의 메시지 요인을 제시한다.

(1) 메시지 요인

✓ **대상자에게 혼란과 불신을 갖게 하는 메시지**

- 이중적인 메시지(double message) : 조력자의 상반된 두 가지의 메시지가 동시에 전달되는 경우, 혼란과 불신을 초래할 수 있다
- 모호한 메시지(ambiguity) : 정확하게 인지하지 못하거나 다른 의미로 추측할 수 있게 만드는 메시지 또는 언어적 메시지와 비언어적 메시지가 다르게 전달되는 경우
- 선택적 주의와 해석 : 메시지의 왜곡과 의미의 혼란을 가져올 수 있는 경우
- 과잉 메시지(information overload) : 너무 많은 양의 메시지가 전달되는 경우
- 문화적 차이로 인한 의미 왜곡(cultural misinterpretation) : 미국에서는 'yes'가 동의인데, 한국에서는 상황에 따라 '알겠다.' 정도로 사용함. '괜찮아요.'는 젊은이는 '아니다.'인데, 고령층은 좋지만 사양하는 것으로 이해하는 경우이다.
- 불완전한 정보(incomplete message) : 정확한 정보를 빠뜨려서 대상자가 정확한 결정을 내리지 못하게 되는 경우. 치과에서 치위생사가 "환자분 양치질을 아주 잘 하시는 것은 아닙니다."
- 메시지의 일관성 부족(inconsistency message) : 같은 내용을 다르게 전달하거나, 앞뒤가 맞지 않은 경우

- 부정적인 메시지(negative message) : 부정적이고 위협적인 메시지, “이 치료를 받지 않으면 큰일 나요.”
- 불필요한 반복(redundancy) : 같은 내용을 여러 번 다른 말로 반복하여 핵심내용이 흐려진다.
- 순서의 부조화(disorganized message) : 메시지의 전달 순서가 비논리적인 경우. “공부를 잘하려면 부담이 없어야 해요, 그런데 책을 펴면 왜 머리가 아프지요?”
- 호환성의 부재 : 발신자의 눈맞춤, 말씨 또는 잘 듣고 있다는 비언어적 표현이 없어 수신자가 알아채지 못하거나 이해가 안 되어 상호 교환이 안 되는 경우
- 전문용어 사용(jargon) : 수신자가 이해하기 어려운 전문용어나 기술적인 단어 사용
- 감정적으로 민감한 메시지 전달(emotionally sensitive message) : 환자에게 나쁜 소식을 전달할 때 표현이 부족한 경우

✓ 대상자를 수동적으로 만들거나 불신, 저항 또는 불안감 등을 갖게 하는 메시지

- 권위적 태도 : 지나치게 전문가적 태도로 권위를 보이거나 명령적인 언어적 반응은 상대방과의 대화와 관계 형성에 부정적이고 부작용을 초래할 수 있다.
- 도덕적 반응 : “네가 그렇게 하는 게 아니야.”와 같은 도덕적이며 규범적인 반응은 상대방이 자기방어를 강화시킬 수 있다.
- 논리적 설득 : 논리를 들면서 강하게 설득하거나 지적하는 것은 상대방으로부터 자기방어의 강화와 논쟁을 유발시킬 수 있다.
- 비판과 비난적 반응 : “당신이 그렇게 말했어요?”라고 표현하여 비판하는 것 같이 보이는 반응은 상대방의 저항과 공격을 유발시킬 수도 있다.
- 위협, 경고적 반응 : “이렇게 하지 않으면 후회할 건데요.”와 같은 반응은 상대방에게 비난이나 지시로 받아들여져 저항, 공격, 적개심 등을 유발시킬 수 있다.
- 성급한 조언과 해결책 제시 : 대상자에게 재빨리 해결책을 알려주거나 판단을 내려주면 대상자는 수동적이 되거나 권위적으로 받아들여 저항하게 되거나 대상자의 성장을 막을 수 있다.
- 부적절한 질문유형 : ‘예’나 ‘아니요’로 답하는 폐쇄형 질문을 자주하거나, 여러 질문을 한꺼번에 많이 하는 중첩형 질문, 일정한 답을 유도하는 유도질문 등은 의사소통에 부정적인 요인이 될 수 있다.

- **겉치레적인 지지반응**: "잘 하고 있어요.", "정말 안됐군요."와 같은 겉치레 반응은 진심이 느껴지지 못하여 신뢰감이 깨지며 대상자는 희망과 의욕을 잃거나 저항하기 쉽다.
- **추리적 해석**: 발신자가 대상자를 공감하지 않아 왜곡된 해석을 하는 경우, 불쾌감과 저항을 유발시킬 수 있다.
- **라벨링(labelling)**: '주의집중결핍'과 같이 전문적인 진단을 내리거나 '의지가 약하다.' 또는 '성의가 없다.' 등의 라벨링(딱지를 매기는 것)은 대상자는 자신을 무가치하게 생각하거나 무력감을 느끼거나 억울하거나 상대방에게 저항할 수 있다.
- **소극적 반응**: 조력자의 소극적 반응과 태도는 대상자에게 신뢰감과 진정성을 주지 못한다.
- **과도한 자기개방**: 조력자가 지나치게 자신에 대해서 이야기하는 것은 전문성에 대한 신뢰감 상실을 초래한다.
- **사교적 대화**: 날씨 등의 가벼운 대화는 처음 면접 단계에서 긴장 완화나 개방을 유도할 수 있지만, 되풀이 되면 성의가 없게 보인다.
- **지나친 풍자와 유머**: 유머는 긴장을 푸는데 필요하나, 일부러 웃음을 유발하거나 존중감을 잃으면 부정적인 감정을 일으킨다.
- **끼어들기**: 메시지의 내용을 명료화해주기 위해 개입하는 것은 적절하지만, 지나친 개입과 시점이 적절하지 않으면 흐름이 깨치고 대상자가 저항한다.
- **과거나 미래에 집착하는 메시지**: 현재 감정을 무시당하거나 현재의 변화를 미루게 되고 자기탐색의 기회가 부족하며, 방어적 반응을 유발하여 현실 문제의 해결이 잘 되지 않는다.
- **감정적인 반응**: 화를 내거나 짜증난 반응은 대상자를 위축시키거나 저항을 일으킨다.

(2) 역전이(Counter-transference)

역전이는 조력자가 대상자에게 과거 경험이나 감정을 투사하는 현상이다. 대상자의 특성이 면담자의 과거경험과 관련된 인물의 특성과 유사할 때 조력자의 내부에서 일어나는 대상자에 대한 정서적 반응이다. 이유 없이 대상자가 좋게 느껴지거나 밉거나 싫어하는 마음이 일어날 때, 조력자는 자기 마음을 살펴서 역전이 반응임을 깨달아야 한다. Jung은 조력자도 자신의 역전이 감정을 성찰함으로써 자기 인식이 깊어지고, 내담자와의 관계에서도 더 진실되고 균형 잡힌 접근이 가능해진다고 했다.

소력자가 특정 내담자에게 지나치게 친밀감을 느끼거나 거리감을 두는 경우에는 조력자의 편견이나 감정이 상담 과정에 개입되어 공정성을 잃을 위험이 있다.

대처 방안으로는 조력자는 자신의 감정을 지속적으로 점검(self-monitoring)하며, 전문 슈퍼비전(supervision)을 통해 역전이를 관리하며 이를 상담의 진전 요소로 활용한다.

대상자의 과거 행동을 바탕으로 판단하는 경우에는 조력자가 대상자의 이야기를 충분히 듣지 않은 것이므로 대처방안으로 대상자의 감정을 존중하고, 열린 태도로 대화를 하고 자기 점검을 통해 편견을 제거한다.

3) 관계적 요인

조력자와 대상자 간의 관계에서 발생하는 신뢰 부족, 권위적 태도, 의존성 문제 등이 있는 경우이다. 조력자가 지나치게 권위적인 태도를 보일 경우 내담자가 소극적으로 변하며, 의존성이 생길 수 있다. 과도하게 의존하면 자율적 사고와 소통이 방해받는다. 초기 상담에서 신뢰 형성을 위한 라포를 형성하고 자율성을 존중하며, 내담자가 스스로 문제를 해결하도록 격려해야 한다.

R/E/F/E/R/E/N/C/E

- 안효자(2018). 인간관계와 의사소통, 제3판. 서울 : 수문사.
- 양경희, 강서영, 김명희, 김윤주, 김은자 외(2019). 건강한 인간관계를 위한 의사소통 기술. 한국간호연구학회, 서울 : 퍼시픽북스.
- 양경희, 강서영, 김정호, 김한나, 문인오 외(2021). 건강한 인간관계를 위한 의사소통 기술 2판. 서울 : 퍼시픽북스.
- 양경희, 강서영, 김정호, 김한나, 박선정 외(2022). 건강한 인간관계를 위한 의사소통 기술 3판. 한국간호연구학회, 서울 : 퍼시픽북스.
- 이광자, 고성희, 이숙, 김경희 외(2018). 인간관계와 의사소통의 실제, 서울 : 신광출판사.
- 이부영(2012). 분석심리학 제3판. 서울 : 일조각.
- 이숙, 권명진, 김순오, 김효정 외(2014). 인간관계와 의사소통. 서울 : 대한나래출판사.
- 한금선, 양승희, 손정남, 박정원 외(2018). 의사소통과 인간관계론, 제4판. 서울 : 고문사.
- Baucom, D. H., Epstein, N. B., LaTaillade, J. J., & kirby, J.(2008). Cognitive-behavioral couple therapy.
- Irvin D. Yalom. 최예림, 정성숙 역(2001). 최신 집단정신치료의 이론과 실제, 제4판. 서울 : 하나의학사.
- Jeffrey E. Young(2003), Janet S. Klosko, & Marjorie E. Weishaar, Schema therapy : conceptual model, Guilford Publications.

4 단원

의사소통 적용의 실제

제9장 세대에 따른 의사소통 적용 | 제10장 돌봄의 의사소통
제11장 보건의료 현장에서의 의사소통

앞 단원들에서 개인의 성향과 선호도 및 의사수통이 특성을 이해하고 의사소통의 원리와 여러 기법, 전략 및 자기 주도적이며 건강한 소통 방식 그리고 의사소통 촉진요인과 방해요인 등 건강한 의사소통에 대한 필수적인 지식과 기술들에 대해 다루었다. 또한 조력자의 역할과 의사소통의 자질 등에 대해 제시하였다.

본 단원에서는 이를 대상자의 세대 주기와 보건의료 상황에 따른 특별한 실제 사례들을 다루고, 의사소통의 원칙들을 상황에 대처하는 역량과 날로 발전하는 시대적 요구에 부응하는 의사소통의 적용 및 AI와의 의사소통 활용을 소개하고자 한다.

09 장

세대에 따른 의사소통 적용

인간은 개인의 고유한 특성을 가지고 있지만, 자신이 속한 연령대별로 시대의 변화와 문화 그리고 개인이 겪는 발달 단계에 따라 의사소통을 하는 데에 많은 차이를 나타낸다.

이 장에서는 아동, 청소년, 성인, 그리고 노인의 세대로 구분하여 그 특징에 따라 고려할 상황에서의 실례를 제시하고자 한다.

학·습·목·표

1. 아동의 발달 단계에 따른 의사소통을 이해한다.
2. 청소년기의 의사소통을 이해한다.
3. 성인기의 의사소통을 이해한다.
4. 대인관계 형성 단계를 이해한다.
5. 감각장애가 있는 노인과의 의사소통 방법을 이해한다.
6. 인지장애가 있는 노인과의 의사소통 방법을 이해한다.

주·요·용·어

- 아동
- 청소년기
- 성인기
- 노인
- 옹알이
- 인지발달
- 비계
- 감각장애
- 인지장애
- 심리변화
- 독순술

09 세대에 따른 의사소통 적용

1 아동과의 의사소통

1 아동의 인지발달

인간의 의사소통에는 언어적, 비언어적인 표현이 존재하지만, 언어의 영향은 매우 지대하다. 특히, 아동의 의사소통은 인지발달과 매우 관계가 깊다. 아동의 인지발달은 시각, 촉각적 자극과 언어적 상호작용을 하는 것이 필요하다. 아동이 사용하는 어휘 수와 발달의 속도도 시기별로 많은 차이를 보이는데, 따라서 아동에 대한 적절한 의사소통 방식을 적용하기 위해서는 피아제(Piaget)의 인지 발달이론과 비고츠키(Vygotsky)의 사회문화적 인지이론[1)]이나 브루너(Bruner)의 비계[2)]이론을 참고하여 아동의 인지발달과 대화방식을 이해하는 것이 매우 유용하다. 이 이론들을 적용하여 아동의 의사소통에 관련된 인지 발달 단계와 어휘 수준 및 대화방식은 다음과 같다**[표 9-1][표 9-2]**.

---

1) 사회문화적 인지이론 : 인지발달은 사회적 상호작용을 통해 이루어진다고 보고, 대화가 아동의 사고발달에 결정적인 역할을 한다고 여기는 이론
2) 비계(scaffolding) : 비계는 건축할 때 임시로 설치하는 발판임. 아동이 이해할 수 있는 수준에서 비계(발판)를 제공하여 점진적으로 높은 수준으로 사고할 수 있도록 자율성을 제공해야 한다.

표 9-1 아동의 인지 발달 단계와 어휘수준

연령	발화 특징	단어수	주요 특징 및 예시
0~3개월	울음, 옹알이 전 단계	0	• 울음으로 의사 표현(배고픔, 불편함) • 반사적인 소리 내기
4~6개월	옹알이(babbling) 시작	0	• "마마", "바바" 같은 반복적인 소리 • 소리 높낮이 변화 가능
7~9개월	모국어 음운에 맞는 옹알이	0	• "다다", "빠빠" 같은 소리 발화 • 주변소리에 반응(이름 부르면 반응)
10~12개월	첫 단어(holophrase) 사용	1~3개	• "엄마", "빠빠", "까까" 등 단어 사용 • 몸짓과 함께 의미 전달(손가락으로 가리키며 "저거")
12~18개월	단어 폭발기 전단계	3~50개	• 단어 하나로 의미 전달("우유" = 우유 주세요) • 간단한 지시 이해("안녕해 봐")
18~24개월	단어 폭발기 (vocabulary spurt)	50~200개	• 하루 10개 이상의 단어 습득 가능 • 2단어 문장 사용("엄마 가", "공 줘")
24~36개월	문장 형성 시작	200~1000개 이상, 3~4단어 문장 ("나는 밥 먹어")	• 질문하기("이거 뭐야?") • 과거형, 복수형 사용 시도

참고: 정옥분. 발달심리학. 서울: 학지사, 2021. pp.229-231.
양경희 외. 의사소통 기술. 3판. 한국간호연구학회 편. 서울: 퍼시픽북스, 2022. pp.167-171.

표 9-2 Piaget의 아동의 인지발달과 대화방식

연령	인지 발달 특징	권장하는 대화 방식
영유아기 (0~2세, 감각운동기)	• 직관적 이해 • 단순한 감각적 반응 • 비언어적 의사소통 • 언어 습득 초기	• 반복적인 표현 사용 • 감정과 동작을 함께 활용 • 짧고 명확한 문장 사용
유아기 (2~7세, 전조작기)	• 상징적 사고 • 자기중심적 사고 • 구체적 언어 사용	• 구체적인 예시와 그림 사용 • 감정을 직접 표현하도록 유도 • 지나치게 추상적인 개념은 피하기
아동기 (7~11세, 구체적 조작기)	• 논리적 사고 가능 • 어휘 확장 • 서열, 순서 나열	• "왜?"에 대한 설명을 논리적으로 제공, 구체적인 예시 필요 • 질문을 통해 생각을 확장할 기회 제공 • 비유나 추상적 표현은 상황과 연결해서 설명
청소년기 (12세 이상, 형식적 조작기)	• 추상적 사고 가능 • 자기표현 강화 • 논리적 토론 가능	• 의견을 존중하며 대화 • 자율성을 키울 수 있는 열린 질문 활용 • 감정을 나누는 대화 강조

참고: 정옥분. 발달심리학, 서울: 학지사, 2021. pp.229-231.
양경희 외. 의사소통 기술 3판. 한국간호연구학회 편, 서울: 퍼시픽북스, 2022. pp.167-171.

❷ 아동과의 대화 사례

아동의 의사소통 발달은 개인의 유전, 환경 등의 차이가 있어 개인차가 크다. 부모와의 상호작용이 많을수록 언어 발달이 빠르며, 아동 초기에는 말보다 제스처(손짓, 표정)로 의사소통이 활발하다.

어린아이와 대화할 때는 아동의 발달단계에 맞추어 적절한 표현을 하면서 다음과 같은 방법을 활용하면 아이와의 소통이 더욱 효과적이고, 신뢰를 쌓을 수 있다.

1) 평가, 비난, 낙인찍기 피하기

비난하거나 낙인찍기보다 감정을 표현하면서 해결책을 함께 찾는 방식이 효과적이다.

- "넌 왜 이렇게 말을 안 들어?" [비난]
- "네가 그렇게 행동하면 속상해. 어떻게 하면 서로 기분 좋게 이야기할 수 있을까?" [I-message]

2) 아이의 감정과 생각을 존중하기

아이가 표현하는 감정을 대수롭게 여기지 말고, 존중하며 공감적으로 반응한다.

- "별거 아닌데 왜 울어?" [감정 무시]
- "지금 많이 속상한가 보구나. 어떤 일이 있었는지 말해줄래?" [공감적 듣기]

3) 아이의 수준에 맞게 표현하기(어휘 조설)

아이의 인지 수준에 맞게 쉬운 단어를 사용하고, 구체적인 예시를 제시하는 것이 좋다.

- "그렇게 하면 친구가 속상할 수 있어. 다른 방법을 생각해볼까?" [쉬운 표현]

4) "왜?"보다는 구체적인 질문하기

"왜?"라는 질문은 아이가 방어적으로 반응할 가능성이 높아 보다 개방적 질문이 효과적이다.

- "왜 그렇게 했어?" [아이를 방어적으로 만듦]
- "그렇게 하면 어떤 일이 생길까?" [사고를 유도하는 질문]

5) 지시보다 선택권 주기

선택권을 주면 아이가 주체적으로 행동할 가능성이 높아진다.

- "당장 정리해!" [강압적인 명령]
- "책을 먼저 정리할까, 장난감을 먼저 정리할까?" [선택권 제공]

6) 거짓말로 달래지 않기

거짓말로 달래면 신뢰가 깨질 수 있으므로, 사실을 전달하되 긍정적으로 표현하는 것이 좋다.

- "주사 하나도 안 아파!" [거짓말]
- "조금 따끔할 수도 있지만, 끝나고 나면 더 건강해질 거야." [사실 전달 & 긍정적인 메시지]

7) 아이가 스스로 생각할 수 있도록 유도하기

아이가 문제를 스스로 해결할 기회를 주면 자율성이 향상된다.

- "이렇게 하면 돼!" [답을 바로 제시]
- "어떻게 하면 더 좋은 방법일까?" [사고를 유도]

8) 비계를 적용한 아동과의 대화의 사례

새로운 개념을 배우는 아동에게 적용

- 선생님 : (비계 제공) "여기 있는 그림을 보고, 어떤 이야기가 떠오르는지 말해볼래?"
- 아동 : "어… 강아지가 있어요!"
- 선생님 : "그렇지! 강아지가 어디에 있을까? 나무 옆인가? 길 위인가?"
- 아동 : "나무 옆에 있어요!"
- 선생님 : (비계 제거) "좋아! 이제 네가 이 그림을 보고 또 다른 이야기를 만들어볼래?"

❸ 아동과 대화할 때 주의할 점

1) 추상적인 표현을 피하고 구체적으로 말하기

- "착하게 행동해야 해." [추상적 표현]
- "친구가 말할 때 차례를 기다려 주는 게 착한 행동이야."

2) 질문을 통해 사고 확장 유도하기

- "이건 이렇게 해야 해." [지시적 표현]
- "이걸 어떻게 하면 더 좋을까?"

3) 부드럽고 친근한 말투 사용하기

- "빨리 정리해!" [명령적 표현]
- "정리를 하면 기분이 더 좋아질 거야. 같이 해볼까?"

4) 감정을 인식하고 표현하도록 돕기

- "그렇게 화내지 마!" [감정 무시]
- "지금 불편한 것 같아. 왜 그런지 이야기해 줄 수 있어?"

위의 사례들을 보면 어른들은 주의하지 않으면, 무의식적, 통상적으로 아동들에게 명령 내지 지시적인 비효과적인 표현을 한다.

2 청소년과의 의사소통

❶ 청소년의 특징

청소년은 자율성이 커지고, 정체성을 형성하는 시기이다. 자율성과 독립성을 강조하는 시기이므로 성인과 다른 의사소통 스타일을 보이는 경우가 많다. 특히 청소년들의 경우 독립성과 자기만의 영역을 유지하려는 욕구가 강하기 때문에 비밀유지에 대한 약속을 잘 지켜준다.

청소년들은 정서적 변화가 크고, 부모나 교사 등 권위적인 존재와의 대화를 거부하거나 반항적으로 반응하는 경우가 많기 때문에 청소년과의 의사소통은 아동과의 대화보다 더 어려울 수 있다.

그러나 청소년기에는 논리적 사고와 자기표현 능력이 발달하므로, 청소년의 특성을 이해하고 강요하기 보다는 공감과 자율성을 존중하는 태도로 대하는 등 적절한 대화 방식과 존중하는 태도로 접근하면 효과적인 소통이 더 원활하게 이루어진다.

청소년들의 주요 의사소통 스타일은 다음과 같은 몇 가지 특성이 있다.

1) 반항적 스타일

부모나 교사의 말을 반박하고, 권위적인 태도를 거부하며, 공격적인 말투나 무시하는 반응을 보이기도 한다.

"내가 알아서 할게!", "왜 맨날 간섭하세요?" 같은 표현 사용할 때, 대처 방법은 감정적으로 대응하지 않고 차분한 태도를 유지한다.

"내가 걱정돼서 그래. 네 생각을 듣고 싶어." 라고 공감적으로 접근하고 협상 가능한 부분을 찾으며 자율성을 존중한다.

2) 폐쇄적 스타일

질문을 해도 짧게 대답하거나 대화를 피하며, 감정을 표현하지 않고 속마음을 잘 드러내지 않는다.

"몰라.", "괜찮아." 같은 단답형 답변만 하는 경우에는 억지로 대화를 강요하지 않고 편안한 환경을 조성하며, 활동(산책, 게임 등)을 함께 하면서 자연스럽게 이야기를 유도한다.

"요즘 기분이 어떤지 말해주면 좋겠어."처럼 관심을 표현한다.

3) 과장 또는 극단적 표현 스타일

감정 기복이 심해 극단적인 표현을 사용한다.

"완전 최악이야!", "다 망했어!" 같은 말을 자주 하며, 작은 일에도 강한 반응을 보이며 감정을 쉽게 폭발하는 경우에 감정을 평가하거나 무시하지 않고 공감적으로 반응한다.

"그렇게 느낄 수 있겠다. 어떤 점이 가장 힘들었어?"라고 질문하며, 감정을 차분히 조절할 수 있도록 도와준다.

4) 디지털 중심 스타일

대면 대화보다 SNS, 메시지를 통한 소통을 선호하고, 이모티콘, 줄임말 등을 많이 사용한다. 디지털 환경에서 다른 사람과 소통할 때는 디지털 소통 방식을 존중하되, 직접 대화의 중요성도 강조한다. 온라인에서 부정적인 영향을 받지 않도록 주의 깊게 살펴본다.

5) 또래 중심 스타일

친구들과의 대화를 중요하게 생각하며, 부모보다 친구 의견을 더 신뢰하고, 가족보다 또래 집단과 더 많은 시간을 보내고 싶어 한다. 부모의 조언을 듣기보다 친구들의 의견이나 경향을 따르는 경우에는 또래 관계를 인정하고 존중하며 지나친 통제는 피한다.

"친구들과는 어떻게 이야기해?"처럼 대화의 기회를 만들어 준다.

또래와의 갈등이 생겼을 때 조언하기보다는 경청 후 질문하기로 반응한다.

❷ 청소년과의 의사소통 실제

1) 청소년과의 의사소통에서 고려해야 할 점

(1) 충고나 명령보다는 열린 대화하기

청소년은 스스로 선택하고 싶어 하므로, 대화를 강요하기보다는 스스로 답을 찾도록 유도하는 것이 좋다.

- "그렇게 하면 안 돼! 무조건 공부해야 해." [일방적 명령]
- "네가 원하는 미래를 위해 어떤 준비가 필요할까?" [자율적인 사고 유도]

(2) 비난, 평가, 훈계 피하기

비난이나 평가보다는 관심과 공감을 먼저 표현하면 대화가 더 원활해진다.

- "넌 왜 그렇게 게으르니?" [낙인찍기]
- "요즘 피곤해 보이는데, 혹시 무슨 일 있어?" [관심과 공감]

(3) 즉각적인 해결보다는 공감과 경청하기

청소년은 자신의 감정을 이해받고 싶어 하므로, 해결책을 강요하지 말고 먼저 들어주는 태도가 중요하다.

- "그렇게 하면 해결될 거야, 그냥 내 말대로 해." [해결책 제시]
- "그런 일이 있었구나. 네 생각은 어때?" [경청과 공감]

(4) 감정적인 대화 피하기

감정적으로 대응하면 대화가 단절될 가능성이 크므로, 차분하게 소통하려는 태도가 중요하다.

- "너랑 말하면 답답해!" [감정적 반응]
- "조금 진정하고 우리 서로의 생각을 이야기해볼까?" [차분한 대화 유도]

(5) 청소년의 자율성과 독립성을 존중하기

청소년은 독립적인 존재로 인정받고 싶어 하므로, 스스로 결정할 수 있도록 존중하는 자세가 필요하다.

- "무조건 내 말대로 해야 해." [권위적인 태도]
- "네가 이렇게 선택한 이유가 궁금해. 어떻게 결정하게 되었어?" [자율성 존중]

2) 청소년과의 의사소통에서 활용할 수 있는 대화 방식

(1) I-message 활용하기(비난이 아니라 감정 중심으로 말하기)

I-메시지를 사용하면 청소년이 방어적으로 반응하지 않고, 자신의 행동을 돌아볼 수 있다.

- "넌 너무 무책임해!" [비난]
- "네가 약속 시간을 지키지 않으니 내가 학교에 늦을까 나는 속상해." [I-message]

(2) 개방형 질문 사용하기(Yes/No 질문보다는 생각을 유도하는 질문)

개방형 질문은 청소년이 더 많이 이야기할 기회를 제공한다.

- "숙제 다 했어?" [단답형 질문]
- "오늘 숙제를 하면서 어려운 점은 없었어?" [생각을 확장하는 질문]

(3) 공감적 듣기 실천하기

공감적으로 들으면 청소년이 자신의 감정을 안전하게 표현할 수 있다.

- "그건 별거 아니야. 다 그런 거야." [감정 무시]
- "그렇게 느낄 수 있겠구나. 그래서 네 생각은 어때?" [공감 표현]

3 성인대상 의사소통

1 성인의 의사소통 특성

성인은 사회적 역할과 관계가 다양하고, 경험과 책임이 많기 때문에 의사소통 방식이 보다 논리적이고 정교해지는 경향이 있다. 또한, 연령대(청년기, 중년기, 노년기)에 따라 의사소통 스타일과 수요 관심사 및 환경에 따라 다를 수 있다.

에릭슨(Erik Erikson)의 심리사회적 발달이론에 의한 연령대별로 나눈 성인기 의사소통의 스타일은 역할과 관심사에 따라서 다음과 같은 특징을 보인다**[표 9-3]**.

표 9-3 성인의 연령대별 의사소통 특징

연령대	Erikson의 발달 과업	주요 특징	의사소통 방식
청년기(20~30대)	친밀감 – 고립감	• 독립적이고 자기주장이 강함 • 관계 형성이 중요하다.	• 또래 및 직장 내 원활한 소통, 자기표현 강조
중년기(40~50대)	생산성 – 정체	• 가족과 직장 내 책임 증가 • 현실적·실용적 대화를 한다.	• 업무 조율과 가족 문제 해결 중심, 감정 절제
장년기·노년기(60대~)	자아통합 – 절망	• 경청과 조언 중심 • 공감형 대화가 증가한다.	• 경험 공유, 사회적 관계 유지 강조

성인의 주요 의사소통 특성은 직장, 가족, 사회적 역할에 따른 다양한 대화 방식으로 책임있는 역할을 수행한다. 감정적 반응보다 이성적이고 논리적인 대화를 선호하며 설득하고, 사회 구성원으로서 규범을 반영하고 예의를 차리고 공손하며, 비언어적 표현을 중요하게 여긴다.

또한 개인적 감정보다는 관계 유지와 협력을 고려한 소통방식을 취하며, 타인의 의견을 존중하고 피드백을 주고받는 태도를 갖는다.

❷ 관계형성이론

네프(Mark L.Knapp, 2005)는 관계형성이론을 통해 인간관계가 발전하는 과정을 단계별로 설명하였다. 관계형성의 5단계와 관계종료 5단계를 거친다. 각 단계에서 나타나는 특징을 이해하고, 관계를 발전시키거나 유지하는 방법과 의사소통 특징을 의미있게 생각해 볼 수 있다.

1) 관계 형성의 5단계

(1) 만남(Initiating)

첫인상과 초기 접촉 단계. 서로 인사하거나 간단한 질문을 통해 대화를 시작하는 단계. 상대방에 대한 호감이나 관심이 생기면 다음 단계로 나아간다.

대화 특징 표면적인 대화. "안녕하세요.", "어디 사세요?" 등 간단한 자기소개나 상호 탐색, 비언어적 신호(표정, 톤, 태도 등)는 첫인상을 형성하는 데 중요한 역할을 한다. 상대방이 호감을 갖게 될 것인가에 대해 평가하며, 거절당하지 않으려 신중한 태도를 취한다.

(2) 실험(Experimenting)

서로에 대해 간단한 정보를 교환하며 공통 관심사를 찾아가는 단계. 서로의 취향이나 성격을 알아가는 과정으로, 대화가 자연스러워지면 관계가 더 발전한다.

대화 특징 가벼운 주제. "취미가 뭐예요?", "주말에 뭐 하세요?" 등으로 공통 관심사 발견, 상대방과 유대감을 형성하기 위한 정보 교환, 대화 주제와 반응을 통해 관계 발전 가능성을 평가한다.

(3) 강화(Intensifying)

감정이 깊어지며, 사적인 이야기나 고민을 나누는 단계. 자주 연락하거나 함께 시간을 보내는 등 친밀감이 커지고, 서로에게 감정적 의지를 가진다.

대화 특징 감정 공유. 자신의 감정, 과거 경험, 희망 등 더 깊은 개인적 이야기를 나누고, 언어적 친밀감을 보이며, 별칭 사용, 안부 확인 등 친밀감을 반영하는 언어적 표현과 신체적 접촉(손잡기, 포옹 등) 등 비언어적 접촉이 증가한다.

(4) 통합(Integrating)

삶이 하나로 엮이기 시작하는 단계. 친구나 가족에게 관계를 인정받거나 함께 활동하는 등 일상에서 중요한 존재가 되며, 생각이나 감정에 서로 큰 영향을 주고받는다.

대화 특징 '우리'라는 표현을 빈번히 사용하고 의견 조정 및 계획을 공유하여 협력적인 대화가 증가한다. 친구와 가족에게 관계를 공개하여, 관계를 인정받는 사이가 된다.

(5) 결속(Bonding)

관계가 공식적으로 강화되는 단계. 연인 사이에서는 약혼이나 결혼 또는 서로의 관계를 공식적으로 인정하는 순간이 되며, 관계가 매우 안정적이고 깊이 연결된다.

대화 특징 의미 있는 약속, 결혼, 계약 등을 통해 관계의 영속성이 강화된다. "우리는 평생 함께할 거야."와 같은 대화를 하고 미래에 내해 구체적인 의논을 하고 목표를 공유한다.

2) 관계 종료의 5단계

(1) 관계 차별화(Differentiating)

각자가 독립성을 찾으려는 단계. 서로 다른 점이나 차이점에 초점을 맞추기 시작한다. 개인적 관심사나 생활방식에 차이를 보이게 되며 독립적 활동을 더 선호한다.

대화 특징 "나는 이렇게 생각해" 등 개인적, 독립적 의견을 강조하며, 자주 갈등으로 이어지고, '우리'보다 '나'라는 표현을 사용하여 거리를 두는 표현을 한다.

(2) 제한(Circumscribing)

대화와 만남의 빈도가 줄고, 피상적인 대화만 나누는 단계. 감정 표현을 피하고 서로 거리감을 느끼기 시작하며, 중요한 주제는 피하거나 최소한의 소통만 하려는 경향이 있다.

대화 특징 갈등을 피하려고 "왔어?", "응." 같은 형식적인 대화만 지속되고 민감한 주제나 갈등이 예상되는 주제를 피한다.

(3) 정체(Stagnating)

서로가 더 이상 발전이 없다고 느껴 대화가 거의 없는 단계. 대화 자체가 더 이상 의미 없다고 느껴지는 경우가 많고, 관계가 단절되기 쉽다.

대화 특징 소통이 부재하여 상대방의 반응을 예측하고 대화를 시도하지 않으며, 감정적 거리감이 생긴다. 대화중에도 감정적 연결이 느껴지지 않으며, 무의미한 상호작용이 이루어지고 의례적이거나 필요한 경우에만 대화한다.

(4) 회피(Avoiding)

서로 만나는 것을 피하거나 연락을 끊는 단계. 서로 물리적, 정서적 거리를 두며 사실상 관계를 끝내려 한다.

대화 특징 "지금 바빠.", "나중에 얘기하자." 등 회피적 언어로 대화하며, 냉담하고 서로의 존재를 무시하거나 감정을 자제하고 전화, 메시지, 만남 등을 피하거나 최소화한다.

(5) 종결(Terminating)

관계를 공식적으로 종료하거나 서로의 관계에 대한 마지막 대화를 나누는 단계. 친구 사이에서는 이별을, 부부 사이에서는 이혼으로 관계가 종료된다.

대화 특징 종결 대화. "우리 그만 하자.", "우리는 이쯤에서 끝내는 게 좋을 것 같아." 라고 말하게 된다.

Knapp의 관계형성이론은 관계의 단계별 특성을 이해하고, 관계를 긍정적으로 발전시키기 위한 단계별 전략을 마련하는 데 유용하다. 관계가 정체되거나 회피 단계로 들어섰을 때는 이를 인식하고 적극적인 소통을 시도해야 한다.

부부의사소통의 문제는 단원1에서 Satir의 의사소통 유형과 단원3에서 제시된 남녀 의사소통의 차이를 확인하고 서로를 배려하고 이해하는 자세가 필요하다.

4 노인대상 의사소통

노인의 의사소통은 신체적, 인지적, 정서적 변화의 영향을 받으며, 이에 맞는 접근이 필요하다. 노인의 경험과 가치관을 존중하면서, 효과적인 의사소통 방식을 적용해야 한다.

❶ 노인이 겪는 신체기능 저하와 인지 장애

1) 신체기능 저하와 감각기관의 변화

- **청각 저하**: 배경 소음이 있으면 대화 이해가 어려움. 난청(특히 고주파 소리 인식 어려움), 대화 이해력 감소
- **시력 저하**: 노안, 백내장, 녹내장 등으로 인해 글씨를 읽기 어렵거나 시야가 좁아짐. 특히 작은 글씨를 못 읽음
- **미각·후각 저하**: 음식 맛 구별이 어려워짐
- **구강 기능 변화**: 입이 마르거나 치아 문제로 발음이 부정확할 수 있음
- **촉각 둔화**: 온도나 통증 감지 감소

2) 인지 장애

- **경도 인지 장애(MCI, Mild Cognitive Impairment)**: 기억력 저하로 같은 대화를 반복하거나, 단어 회상이 어려움
- **치매**: 언어 유창성 감소, 이해력 저하, 맥락 없는 대화
- **집중력 저하**: 대화 중 쉽게 주의가 분산됨

인지 장애가 있는 노인의 의사소통 특징

- 말이 느려지고, 표현이 제한적 → 단순한 문장으로 대화
- 단어나 사람 이름을 기억하기 어려움 → 대화의 맥락을 놓칠 수 있음
- 반복적인 질문이나 이야기를 함 → 같은 내용을 반복적으로 발함
- 주의력이 약해져 대화의 지속이 어려움 → 한 가지 주제에 오래 집중하지 못함
- 감정적 반응이 예측하기 어려움 → 혼란, 불안, 화를 내는 반응

② 감각기관변화와 인지장애 노인 대상 의사소통 대처 방법

1) 감각기관 변화에 따른 의사소통 대처 방법

(1) 청각 장애 노인

- 입을 보고 따라 읽을 수 있도록 정면에서 천천히 말하기(독순술)[3]
- 큰 소리보다는 또박또박 말하기(큰 소리는 오히려 소음처럼 들릴 수 있음)
- 중요한 단어를 반복하거나 글로 적어 보여주기

(2) 시력 저하 노인

- 명확한 손짓이나 제스처 사용
- 글씨는 크고 선명하게 쓰기, 중요한 정보는 말로도 설명
- 밝은 조명 아래에서 대화하기

(3) 구강 기능 저하

상대방이 안심하고 천천히 말을 끝까지 할 수 있도록 기다려 주며 대화 중 의도를 확인하며 듣는다.

2) 인지 장애가 있는 노인과의 의사소통 대처 방법

(1) 단순하고 명확한 문장 사용

한 번에 하나의 정보만 전달하며, 천천히 말하고 기다려주고, 바로 대답하지 않아도 재촉하지 않는다.

- "이제 식사할 시간입니다." [효과적]
- "배고프지 않아요? 밥 먹을까요?" [비효과적]

(2) 반복적으로 질문하면 같은 어조로 대답해주기

- "오늘은 몇 월 며칠이야" …… "오늘은 몇 월 며칠이야" [반복 질문]
- "오늘은 2월 22일입니다." [차분한 어조로 반복해서 답변]

---

3) 독순술(lip reading) : 청각장애가 있는 경우, 입술, 얼굴, 혀의 움직임을 보고 상대방의 말을 알아듣는 기술

(3) 익숙한 주제로 대화 유도

- "예전에 어디서 일하셨죠?"
- "젊었을 때 어떤 음악을 좋아하셨어요?"

(4) 비언어적 의사소통 활용

- 손을 잡거나 눈을 맞추며 안정감을 주고, 미소와 긍정적인 표정을 짓는다.

(5) 의사 표현을 도울 수 있는 보조 도구 활용

- 그림 카드, 손짓, 글씨를 써서 의사소통을 돕는다.

3 노인의 심리 변화와 의사소통에 미치는 영향

많은 노인은 신체기능 저하, 신체적 질병, 배우자의 죽음, 경제 능력 악화, 가족이나 사회로부터의 소외와 고립 및 일상생활에 대한 자기 관리 능력의 저하, 그리고 지난 세월에 대한 회한 등을 경험한다.

이러한 이유들은 노인이 쉽게 외로워하거나 불안 또는 우울감에 빠지게 한다. 이럴 때 부정적인 감정을 안전히 없애려 하기보다, 공감하고 수용하는 태도로 대하는 것이 중요하다**[표 9-4]**.

표 9-4 노인의 심리적 변화에 대한 대처방법

감정 변화	의사소통에서의 어려움	해결 방법
외로움	대화할 기회가 적어 말수가 줄어들고, 사회적 관계에서 소극적이 됨	• 먼저 말을 걸고, 노인의 경험을 존중하며 경청한다. • 대화 주제를 노인의 관심에 맞추어 유도한다.
우울감	자기 비하, 부정적 표현이 많아지고 대화 참여 의지가 낮아짐	• 긍정적인 피드백을 주고, 정서적 지지를 표현한다. • 의료진이나 가족과 협력하여 심리적 지원을 제공한다.
불안감	새로운 환경이나 변화에 적응하기 어려워하며, 쉽게 당황하거나 걱정이 많아짐	• 안정감을 주는 말투와 친숙한 환경을 조성한다. • 갑작스러운 정보 전달을 피하고, 천천히 설명한다.

참고 : 김주희, 양경희, 안수연, 서문숙, 정주연 외(1998). 서울: 현문사.

4 노인과의 효과적인 의사소통 방법

노인의 신체적·정서적 변화를 고려한 맞춤형 의사소통이 중요하며, 경청하기, 천천히 말하기, 시각적 보조 활용, 감정 공감이 핵심 전략이다.

1) 경청과 공감적 반응

- "네, 어르신께서 그렇게 느끼셨군요."
- "그 당시에는 많이 힘드셨겠어요. 어떤 점이 가장 어려우셨나요?"

2) 천천히, 명확하게 말하기

- "약은 하루에 세 번, 아침, 점심, 저녁 드시면 됩니다."
- "외출하실 때 지팡이를 챙기시면 안전해요."

3) 시각적 보조 활용

- 중요한 내용은 글씨를 크게 써서 전달한다.
- 손짓, 그림 등을 활용하여 쉽게 이해할 수 있도록 돕는다.

4) 반복해서 확인하기

- "제가 드린 설명이 이해되셨나요?"
- "다시 한 번 요약해 드릴게요."

5) 긍정적인 대화 분위기 조성

- "어르신, 오늘 얼굴이 좋아 보이세요!"
- "예전에 하시던 이야기 들려주시면 좋겠어요."

R/E/F/E/R/E/N/C/E

- 강문희, 이광자, 박경(2003). 인간관계의 이해. 서울: 학지사.
- 곽금주(2016). 발달심리학. 서울: 학지사. 118-130.
- 곽윤경, 김윤경, 노지영, 배영주 외(2017). 인간관계와 의사소통. 의학서원.
- 권민균, 문혁준, 황혜신(2012). 아동발달. 창지사. 174-186, 244-259.
- 권석만(2018). 젊은이를 위한 인간관계의 심리학, 제3판. 서울: 학지사.
- 김선희(2011). 가까운 사람들과 편하게 지내는 법(부부관계를 중심으로 한 인간관계의 법칙). 나무생각 힐링.
- 김윤정(2025). AI와 화법, 커뮤니케이션북스
- 김주희, 양경희, 안수연, 서문숙, 정주연 외(1998). 노인간호학, 서울: 현문사.
- 김혜숙(2013). 가족치료 이론과 기법, 제2판. 서울: 학지사.
- 박명화 외(2013). 노인간호학, 제3판. 서울: 정담미디어. 320-365.
- 박예숙(1990). 인간의 성장발달과 건강증진, 서울: 수문사.
- 서윤희(2018). 부부 상호작용 변인이 역기능적 의사소통에 미치는 영향에 관한 연구. 중앙대학교 임상상담심리학전공 석사학위 논문.
- 신경림 외(2010). 노인간호학 입문. 서울: 현문사. 74-81, 108-121, 205-207.
- 심인옥, 김은영, 박소현, 지은아(2023). 인간 성장과 발달, 서울: 학지사 메티컬.
- 안경숙, 유수정, 유지은(2016). 영유아발달. 공동체. 196-202, 329-335.
- 안효사, 이영내, 김명자, 배영주 외(2013). 인간관계와 의사소통. 서울: 수문사.
- 양경히, 강서영, 김정호, 김한나, 박선정 외(2022). 건강한 인간관계를 위한 의사소통 기술 3판. 한국간호연구학회, 서울 : 퍼시픽북스.
- 오현주(2010). 부부의사소통 유형과 아동의 자존감에 관한 연구. 제주대학교 상담심리학전공 석사 학위논문.
- 오혜림, 이주영(2018). 청소년이 지각한 부부갈등이 내면화 문제행동에 미치는 영향에서 스트레스 대처방식이 매개효과와 부모－자녀 의사소통의 조절효과. 청소년상담연구, 26(1). 23-46.
- 윤영애, 강순비, 조대현(2012). 아동발달. 태영출판사. 191-199, 229-234, 259-262.
- 이명선(2009). 치매노인환자와 간호사의 대화분석 : 대화의 구조와 연속체 형태를 중심으로. 대한간호학회지, 39(2). 166-176.
- 이영자, 이금구(2018). 영유아 언어교육 이론과 실제. 양서원. 49-53, 84-88.
- 정옥분(2021). 발달심리학, 서울: 학지사.

R/E/F/E/R/E/N/C/E

- 정옥분(2022). 아동발달의 이해. 3판 서울: 학지사.
- Gloria Leifer & Eve Fleck 공저, 이수연, 구현명, 박성희 외 역(2022). 생애주기별 성장과 발달, 서울: 학지사 메디컬.

10 장

돌봄의 의사소통

돌봄은 보건의료, 교육, 종교, 복지 업무를 수행하는 활동이며, 이러한 역할을 수행하는 사람들은 다른 직업군 보다 공감, 윤리의식 및 전문성이 요구된다. 사람을 돌보는 전문직은 단순한 직업이 아니라, 타인의 삶에 긍정적인 변화를 주는 것을 소명으로 하고 있다.

따라서 돌봄을 제공하는 전문직들에게는 건강한 의사소통과 인간관계가 더욱 중요하다. 대상자와의 관계에서 신뢰형성을 하며, 감정적인 지지와 공감, 효과적인 정보를 전달해야 한다. 대상자나 동료와의 갈등이 발생되지 않고, 문제가 있을 때 감정적으로 대립하지 말고 원만하게 해결하며 협력과 조정을 통해 자신과 대상자의 복지를 지원할 수 있어야 할 것이다. 만일 돌봄의 역할을 수행하는 사람이 이러한 자세가 되어있지 않다면 직업적 윤리를 위반한 것이다.

의사소통기술을 포함한 의사소통 전략은 단원3에서, 대상자에 대한 의사소통 접근방식은 앞 장에서 다루었으므로, 본 장에서는 돌봄의 의사소통 유형별 분류와 통합적 분류를 제시한다.

돌봄의 전문직들은 돌봄의 목적과 맥락에 따라 여러 유형으로 분류할 수 있다. 이러한 의사소통 유형은 돌봄 대상자의 신체적, 정서적, 사회적 필요를 충족시키고 돌봄 대상자와의 관계를 강화하는 데 중점을 둔다.

돌봄의 영역별 분류 기준은 환자, 노인, 어린이 등의 대상에 따라, 돌봄의 목적이 신체적 돌봄인가, 정서적 지지인가, 그리고 의사소통의 접근방식이 지시적, 협력적인가에 따라 구분할 수 있다.

학·습·목·표

1. 돌봄의 의사소통을 이해한다.
2. 의사소통과 상담활동의 차이를 이해한다.
3. 조력자의 자질을 설명할 수 있다.
4. 간호면담활동의 단계를 설명할 수 있다.

주·요·용·어

- 신체적
- 정서적
- 교육적
- 협력적
- 위기관리
- 상담활동
- 간호면담활동

10 돌봄의 의사소통 (Caring communication)

1 돌봄의 의사소통 유형

1 유형 분류

1) 신체적 돌봄 의사소통

정의 돌봄 대상자의 신체적 건강과 안전을 보장하기 위해 정보제공 및 지시하는 의사소통

특징 명확하고 구체적인 표현이 중요하며, 대상자의 환경과 이해도를 고려한다.

예시
- "약은 식후에 드셔야 합니다."
- "밖에 나가실 때는 선생님과 함께 가셔야 됩니다."

적용 상황 유아시설, 환자간호, 재활치료, 약물복용 안내

2) 정서적 지지 의사소통

정의 돌봄 대상자의 상황과 감정을 이해하고, 심리적 안정을 주기 위한 의사소통

특징 경청, 공감을 통한 감정을 표현하도록 하는 게 중요하다.

예시
- "많이 힘드시지요. 제가 도와드릴게요."
- "지금 느끼는 감정이 아주 자연스러운 거예요."

적용 상황 스트레스 상담, 입원 중 환자와 가족상담

3) 교육적 의사소통

정의 돌봄 대상자에게 필요한 지식, 정보 및 기술을 전달하여 자율성을 높이는 의사소통

특징 쉬운 언어 사용, 시각자료 활용, 반복적 설명으로 이해를 돕는다.

예시
- "혈당관리가 얼마나 중요한지 설명해드리겠습니다."
- "혈당측정기 사용법을 설명해드리겠습니다."
- "이제, 천천히 한 번 해보시겠어요?"

적용 상황 외래환자교육, 자가관리훈련, 건강증진프로그램

4) 협력적 의사소통

정의 돌봄 제공자가 대상자와 함께 문제를 해결하기 위해 협력하는 의사소통

특징 대상자의 의견과 선택을 존중하며, 의사결정과정에 참여하도록 유도한다.

예시
- "어떤 치료방법이 더 마음에 편안하게 생각되세요?"
- "어떻게 하고 싶은지 목표를 정하고, 함께 계획을 세워볼까요?"

적용 상황 외래, 입원실, 재활, 치료 계획수립, 장기요양 프로그램

5) 위기관리 의사소통

정의 돌봄대상자의 위기상황에서 안전을 보장하고, 빠르게 조치를 취하기 위한 의사소통

특징 명확한 메시지를 신속하고 지시적으로 전달하는 것이 중요하다.

예시
- "이 약을 삼키세요, 효과가 빠르게 나타날 것입니다."
- "깊게 숨을 쉬세요. 코로 들이마시고 입으로 내쉬세요."

적용 상황 응급 상황, 고위험환자관리

6) 관계 형성 의사소통

정의 돌봄제공자와 대상자 간의 신뢰와 유대감을 형성하기 위한 의사소통

특징 인간적이고 진정성 있는 접근이 핵심

예시
- "오늘 기분은 어떠세요?"
- "이야기 하고 싶으실 때 언제든 말씀해 주세요."

적용 상황 입원실, 장기 요양, 노인 돌봄, 호스피스 병원, 상담 및 심리치료

❷ 통합적 적용과 예시

입원환자도 정서적 지지가 중심이 되어 최적의 치료나 처치를 받아서 치유를 도울 수 있도록 정보 등을 제공받고 협력적으로 활동해야 하므로 정서적 지지와 정보 제공 및 참여를 목적으로 이루어져야 한다. 응급실의 경우에는 위기관리 의사소통과 정서적으로 안정하도록 하는 의사소통이 동시에 필요하다. 따라서 개별 목적 보다는 목적에 따른 적용 방식에 대상자의 상황 등 요구에 대해 능동적이거나 수용적인 방식을 균형있게 통합하여 실시하는 것이 바람직하다**[표 10-1]**.

표 10-1 대상자별 요구에 따른 통합적 방식 의사소통 유형

목적 \ 방식	능동적 방식	수용적 방식
정보 및 참여방식	알아봐줌, 동참함, 공유함, 동행함	경청
정서적 지지 중심	칭찬함, 희망을 불어넣음	안위 제공, 용서(이해), 수용

1) 정보 및 참여 중심 의사소통

- 알아봐줌 : 상대방의 상황과 감정을 세심하게 관찰하고 이해한다.
  예 "제가 확인해보니 이 부분에서 어려움이 있으신 것 같아요."
- 동참함 : 상대방의 경험과 활동에 적극적으로 참여하여 함께 한다.
  예 "같이 이 문제를 해결해 봐요."
- 공유함 : 상대방과 정보를 공유하거나 대화를 통해 상호 이해를 높인다.
  예 "제가 알게 된 내용을 함께 나눠드릴게요."
- 경청 : 상대방의 이야기를 진심으로 듣고, 비언어적 신호까지 이해한다.
  예 "계속 말씀해 주세요. 듣고 있어요."

• 동행함 : 상대방의 여정에 물리적/정신적으로 함께하며 지지한다.
  예 "필요하면 제가 곁에 있을게요."

2) 정서적 지지 중심 의사소통

• 칭찬함 : 상대방의 성취와 노력에 대해 긍정적으로 표현한다.
  예 "긴 시간 힘드셨을텐데 정말 애쓰셨어요."

• 안위 제공 : 상대방의 불안과 고통을 완화하는 행동을 한다.
  예 "치료를 계속 받으시면 증상이 좋아질 거예요. 제가 옆에서 도움을 드릴께요."

• 희망 불어넣음 : 상대방이 긍정적인 미래를 상상할 수 있도록 격려한다.
  예 "앞으로 더 나아질 겁니다. 믿으세요."

• 용서(이해) : 상대방의 실수나 잘못을 이해해주고 관계를 유지한다.
  예 "그럴 수도 있죠. 괜찮아요."

• 수용 : 있는 그대로의 상대방의 모습을 받아들이고 실수나 잘못을 수용하고 지지한다.
  예 "당신은 지금도 충분히 괜찮아요. 누구나 실수할 수 있어요."

의사소통 유형 활용 시 기본적으로 가장 유의할 점은 대상자별로 대상자의 연령, 건강 상태, 특성, 문화적 배경에 따라 의사소통 방식을 조정하고 적절하게 혼합하며 여러 의사소통 유형과 기술들을 조합하여 돌봄의 효과를 극대화하는 것이다.

2 대상자와의 의사소통 활동

❶ 돌봄 활동에서의 의사소통과 상담활동

상담활동에서의 상담기술이 의사소통 기술과 동일하게 사용되기 때문에 상담과 의사소통의 중첩성에 기인하여 혼돈할 수 있지만, 상담과 의사소통은 구별된다. 상담은 의사소통의 일종으로 언어적, 비언어적 상호작용에 의존하고, 두 영역 모두 신뢰적 관계 형성이 매우 중요하지만,

범위와 목적에 있어 차별이 있다.

상담활동은 구조화된 과정과 전문성을 바탕으로 내담자의 성장을 목표로 하는 반면, 의사소통은 보다 광범위하게 일상적 대화와 상호작용을 포함한다. 상담은 의사소통 기술을 활용해 심화된 문제 해결과 변화를 지원하는 특별한 형태의 상호작용이라 할 수 있다.

물론 정신과 파트에서는 내담자의 문제 해결, 자기 성장 등의 전문심리상담활동이 필요하겠지만 일반적인 돌봄의 의사소통에서는 치료활동을 지원하고 안위를 돕는 정보제공과 정서적 지지를 목적으로 하며, 이를 통해 대상자가 치료적 상황에 잘 적응하고 순응하여 자율적, 참여적인 태도로 치유와 성장을 꾀하도록 한다. 건강과 관련된 건강상담이 필요한 경우는 상담활동으로 고려할 수 있다.

2 조력적 관계와 조력자의 태도

조력자는 내담자가 자신의 어려움의 원인을 잘 파악하여 스스로 해결하도록 안내한다. 코시니(Corsini, 2005)는 상담기술 보다도 누가 누구를 상담하는가가 중요하다고 하였다. 칼 로저스(C. Rogers)는 대상자를 대할 때 치료적 관계 또는 조력적 관계를 맺는 조력자의 자질(helping personality)을 중요하게 생각하였다. 조력자는 대상자와의 관계에서 인간 대 인간의 깊은 신뢰와 공감이 바탕한 관계여야 한다고 하며, 조력자의 진정성(genuineness)과 자기성찰(self-awareness) 및 공동목표 달성을 위한 신뢰와 협력으로 치료적 동맹의 중요성을 강조하였다. 인본주의에서 실존주의 및 과정 경험적 접근을 한 Rogers의 제자이면서 내담자였던 Corsini에 의하면, Rogers는 사회생활을 할 때와 마찬가지로 상담자, 치료자로서도 항상 같은 입장을 취했다고 한다. 다음은 Rogers의 조력자의 자질을 적용한 임상상황에서의 사례를 제시한다.

1) 공감적 이해(Empathic Understanding)

단순히 듣는 것이 아닌 내담자의 입장에서 감정을 깊이 있게 이해하고 반영한다.

- 환자 : "암 진단을 받고 너무 무섭고 혼란스러워요."
- 설명간호사 : "당연한 감정이에요. 이런 상황에서 불안과 두려움을 느끼는 건 자연스러운 일이죠."

해설 환자의 감정을 인정하고, 충분히 이해하고 있음을 표현한다. 의료진도 환자의 심정을 이해하고 최선을 다하고 있다고 표현한다.

2) 무조건적 긍정적 존중(Unconditional Positive Regard)

대상자를 판단하지 않고, 있는 그대로 수용하고 존중하며, 내담자가 자신을 솔직하게 성찰할 수 있는 환경을 제공한다.

- **환자**: "저는 술을 끊을 수 없어요. 솔직히 시도해도 실패할 것 같아요."
- **간호사**: "금주가 쉽지 않다는 점을 이해해요. 하지만, 작은 변화도 중요합니다. 한 걸음씩 함께 가보죠."

해설 환자를 판단하거나 비난하지 않고, 있는 그대로 수용하며 지지하는 태도를 갖는다.

3) 진정성(Congruence or Genuineness)

조력자는 자신의 감정과 행동이 일치하며, 가식 없이 솔직해야 한다.

- **환자**: "의사 선생님, 저는 이 치료가 두렵고 효과가 있을지 모르겠어요."
- **의사**: "당신의 걱정이 이해됩니다. 이 치료가 쉽지는 않지만, 우리가 함께 노력하면 긍정적인 결과를 기대할 수 있어요."

해설 진정한 태도로 환자의 불안을 인정하고, 현실적인 정보를 제공한다.

4) 적극적 경청(Active Listening)

대상자의 말뿐만 아니라 비언어적 신호까지 주의 깊게 듣고 반응해야 한다.

- **환자**: "진료 시간이 너무 짧아서 제 증상이 다 전달되지 않는 것 같아요."
- **의사**: "그렇군요. 중요한 부분을 놓치지 않도록 제가 메모하면서 들을게요. 걱정되는 증상부터 말씀해 주세요."

해설 환자의 말을 끊지 않고 경청하며, 이해하려는 노력을 보인다.

5) 감정 조율(Emotional Attunement)

조력자는 자신의 감정을 절제하고 대상자의 감정에 휩쓸리지 않아야 한다. 대상자의 감정을 깊이 공감하면서도 객관성을 유지해야 한다.

- **환자**: (큰 소리로) "왜 진료가 이렇게 늦어요! 기다리다 지쳤어요!"

• 간호사 : (차분한 목소리로) "기다리시느라 힘드셨지요. 좀 더 빠른 진료시간을 찾아보겠습니다."

해설 감정적으로 반응하지 않고, 침착하게 대응하여 환자의 불안을 줄인다.

6) 비판단적 태도(Nonjudgmental Attitude)

대상자의 가치관, 감정, 경험을 평가하거나 판단하지 않는다.

• 환자 : "저는 현대의학적 치료보다 자연요법을 시도하고 싶어요."
• 의사 : "자연요법에 관심이 많으시군요. 다만, 안전을 위해 병행 가능한 치료법을 함께 찾아보는 게 좋겠습니다."

해설 환자의 선택을 비난하지 않고, 열린 태도로 접근하여 신뢰를 형성한다.

7) 개방적 태도(Openness and Flexibility)

상담자는 내담자의 다양한 감정과 관점을 열린 마음으로 받아들일 수 있어야 한다.
예상치 못한 상황에서도 유연하게 대처할 수 있어야 한다.

• 환자 : "그 치료법의 부작용이 염려가 됩니다."
• 의사 : "부작용을 최소화할 수 있는 치료 방법을 함께 찾아보겠습니다."

해설 의료진이 고정된 치료방식을 강요하지 않고, 환자의 요구를 반영하여 유연하게 대처한다.

8) 신뢰 형성(Trust-building Ability)

대상자가 안심하고 도움을 받을 수 있도록 신뢰를 구축한다.

• 환자 : "이 수술이 성공할 확률이 얼마나 되나요?"
• 의사 : "수술 후 부작용에 대해 많이 불안하시군요. 우리는 최선을 다해 안전하게 진행할 것입니다."

해설 과장 없이 현실적인 정보를 제공하며, 환자가 신뢰할 수 있도록 솔직한 태도를 보인다.

9) 성장 가능성에 대한 신뢰(Belief in Growth Potential)

대상자가 스스로 문제를 해결하고 성장할 수 있는 잠재력을 가지고 있음을 믿어주어 내담자가 자신을 신뢰하며 긍정적인 변화를 추구하게 한다.

- 환자: "제가 이 병에서 회복할 수 있을까요?"
- 간호사: "치료 가능성에 대해 불안하군요, 당신은 문제해결 잠재력이 강한 분이에요. 치료를 통해 충분히 회복할 수 있도록 저희가 함께 돕겠습니다."

해설 환자에게 희망과 긍정적인 기대를 심어준다.

10) 자율성 존중(Respect for Autonomy) → 환자의 결정권을 존중하기

- 환자: "이 치료를 받을지 고민되는데, 시간이 좀 필요해요."
- 의사: "충분히 이해합니다. 치료에 대해 고민이 많군요. 치료계획을 결정하는 것은 중요한 일이니, 충분한 정보를 드리고 함께 고민해 볼 수 있도록 도와드릴게요."

해설 환자가 자기 결정권을 가질 수 있도록 지지하고, 강요하지 않는다.

3 의료 환경에서 유의할 점

병원에서 조력자의 자질은 환자가 겪는 불안과 스트레스를 줄이는 데 결정적인 역할을 하고, 신뢰를 형성하여 치료에 순응도를 높이는 데 큰 도움이 된다. 환자가 존중받고 있다고 느낄 때 치료 효과가 향상될 가능성이 높은 것은 당연한 일이며, '좋은 의료서비스'는 단순한 치료 기술이 아니라, '인간적인 돌봄과 소통'에서 시작된다. 따라서 돌봄의 의사소통을 잘 적용하는 것은 의료인의 본분이며 윤리적인 덕목이다. 임상에서 의료인이 대상자를 대하는 상황에서 빈번이 발생할 수 있는 문제 상황을 고려하여 기본적으로 유념할 사항은 다음과 같다.

- 일관된 태도를 보여 신뢰를 형성한다: 일관성 있는 정보 제공, 약속 지키기
- 비언어적 의사소통에 유의한다: 눈맞춤, 부정적인 표정·태도 등 주의
- 대상자의 감정과 입장을 존중한다: 감정을 무시하지 않고 공감 표현하며 '비협조자' 등의 낙인을 찍지 않음
- 대상자의 자율성을 인정한다: 치료선택권 보장과 강압적인 태도 지양 및 과잉보호하지 않음

- **명확한 정보를 전달한다**: 쉬운 용어 사용, 질문 받고 명료한 답변, 설교식으로 말하지 않기
- **윤리적 경계를 유지한다**: 사생활 보호, 전문적 거리 유지, 의료인의 요구 충족을 위한 결정을 하지 않기
- **문화적 차이와 특성을 존중한다**: 종교·문화적 배경, 선호도 고려
- **자기돌봄(self-care)을 실천한다**: 의료인 자신의 소진 예방, 자기성찰, 감정조절능력 키우기

3 간호면담활동 단계

❶ 소개하기

친근한 눈맞춤과 목례를 한 후 언어적 인사를 한다.

예 • "안녕하세요. 저는 김ㅇㅇ님의 담당 간호사 박ㅇㅇ입니다."

❷ 면담 목적 제시하기

효과적인 상담은 상담의 목표를 명확하게 알려주는 것에서부터 시작한다.

예 • "안녕하세요. 저는 김ㅇㅇ님의 담당 간호사 박ㅇㅇ입니다. 오늘은 김ㅇㅇ님의 건강에 대해 함께 이야기하고 싶어요. 혹시 불편한 점이나 궁금한 것이 있다면 언제든지 편하게 말씀해 주세요."

❸ 면담에 대한 대상자의 동의 구하기

간호사는 상담에 대한 대상자의 동의를 먼저 구해야 하며, 대상자가 원하지 않는 상담은 중지해야 한다. 전에 상담을 허락했더라도 현재 원하지 않으면 중지해야 하고, 상담에 응하도록 어떠한 압력을 가해서도 안 된다.

예 • "저는 간호사 박ㅇㅇ입니다. 지금 잠시 김ㅇㅇ님의 건강을 위해 면담을 해도 될까요?"

- "제가 김○○님을 담당하게 된 간호사입니다. 앞으로 1주 동안 김○○님의 빠른 회복을 위해 매일 30분 정도의 면담 시간을 가지고 싶습니다. 이에 대해 어떻게 생각하시는지요?"

❹ 친밀한 유대관계 형성하기

친밀한 유대관계를 형성하는 것은 초기 면담의 핵심이다. 이를 위해서 대상자에게 인간적인 관심을 보여주어야 한다. 대상자의 비언어적 행동을 보고 대상자의 마음을 읽어준다면 친밀한 유대관계를 형성하는 데 더욱 효과적이다. 대상자들은 자신의 힘든 부분을 공감하려고 노력하는 간호사를 친근하게 느낀다.

❺ 대상자를 편안하게 해주기

초기에 대상자와 친밀한 유대관계를 형성한 후 면담을 시작하기 전 대상자를 편안하게 해주어야 한다.

예
- "김○○님의 건강 문제에 대해 질문하기 전에 지금 기분이 어떤지 알고 싶습니다."

❻ 신뢰감 형성하기

효과적인 면담을 위해서는 대상자와의 신뢰관계 형성이 필요하다. 이를 위해 간호사는 대상자의 언어적 의사소통뿐만 아니라 비언어적 의사소통을 잘 관찰하면서 이에 적절한 치료적 반응을 해야 한다. 신뢰관계 형성을 위해서 공감, 지지, 동반자 의식, 존중하기 등을 적절하게 적용할 수 있다.

예
- "김○○님께서 그 일로 지금 매우 힘드시군요."
- "제가 도와드릴 일이 있는지 말씀해주세요."
- "건강문제를 좀 더 상의한 후에 우리 함께 간호계획을 세워 봅시다."
- "심한 통증이 있는데도 잘 이겨내고 계시는군요."

7 문제 평가하기

1) 개방형 질문

"어떻게 오셨어요?"

"통증에 대해 조금 더 자세하게 설명해 주시겠습니까?"

2) 경청과 격려

"아, 네. 그렇군요. 통증에 대해 더 자세하게 말씀해보세요."라고 말하거나, "아, 어깨가 쿡쿡 쑤시듯이 아프시군요."하고 대상자의 진술 중 마지막 몇 단어를 간호사가 따라서 말하는 것도 좋은 대화 촉진 방법이다.

3) 공감

"통증으로 인해 많이 힘드셨겠어요."

4) 명료화와 확인

"통증에 대해 원인을 알 수 없다고 하셨지요? 좀 더 구체적으로 말씀해 주시겠습니까?"

"지금까지 하신 말씀을 확인해보겠습니다."

5) 다른 문제 파악

"통증 외에 다른 문제들이 있을까요?"

8 문제 표현 격려하기

대상자의 간호문제를 부위, 양상, 정도, 시간 순서, 상황, 악화와 완화 요인, 동반 증상에 대해 표현하도록 격려한다.

9 문제 관리하기

1) 질병교육

간호사는 문제의 원인에 대한 대상자의 생각을 알아내고 기초 간호진단을 알려주어야 한다. 또한 간호진단에 대한 대상자의 감정을 읽어주고 질병에 대한 사전지식을 검토하고 간호문제에 대한 대상자의 이해도를 점검한다.

예 "어떻게 해서 이러한 문제가 생겼다고 생각하십니까?"
"제가 고혈압의 원인과 합병증에 대해 설명을 드리기 전에 김○○님이 고혈압에 대해 알고 계신 것을 말씀해 주십시오."

2) 간호계획과 협상 유지

대상자가 간호에 대해 이미 알고 있거나 믿는 것이 무엇인지 확인한 후 간호목표와 계획을 설명하고 대상자의 이해도를 점검해야 한다. 그 다음 대상자의 선택과 실천 약속을 이끌어 내고, 간호계획 수행 시 발생 가능한 장애물을 확인하고 해결책을 모색한다. 다음으로 간호사는 대상자의 기대나 의도를 이끌어 내고, 건강유지 및 재발방지를 위한 계획을 수립한다.

예 "간호방법에 대한 설명을 드렸는데 어떻게 이해하고 있는지 다시 한 번 말씀해주시겠습니까?"

3) 동기 부여하기

대상자의 순응도를 관찰하고 순응도에 특별히 문제가 있는지 확인한다. 다음으로 대상자의 감정을 읽어주고 '개인적인 선호도를 확인하고 약속하기', '계획에 대해서 협상하기', '대상자의 의도와 재방문 확인하기'를 통해 동기를 부여한다.

예 "평생 고혈압 관리를 해야 하는데 어려움이 있지요? 고혈압약을 투약하고 지속적인 운동을 하는데 불편한 점이 있습니까?"

⑩ 면담 종료하기

다음 면담에 대한 일시와 주제 등을 알려주고 면담을 마무리 한다.

R/E/F/E/R/E/N/C/E

- 강문희, 이광자, 박경(2003). 인간관계의 이해. 서울: 학지사.
- 곽윤경, 김윤경, 노지영, 배영주 외(2017). 인간관계와 의사소통. 의학서원.
- 권혜진 외(2016). 정신건강간호학. 서울: 수문사. 512.
- 김수진 외(2018). 정신건강간호학. 서울: 현문사. 196-201
- 안효자, 이영내, 김명자, 배영주 외(2013). 인간관계와 의사소통. 서울: 수문사.
- 안효자, 이영내, 김명자, 김현미 외(2015). 인간관계와 의사소통 제2판, 서울: 수문사.
- 양경희, 강서영, 김정호, 김한나, 박선정 외(2022). 건강한 인간관계를 위한 의사소통 기술 3판. 한국간호연구학회, 서울 : 퍼시픽북스.

11 장

보건의료 현장에서의 의사소통

보건의료현장에는 여러 분야의 보건의료인력들이 협업하고 있으며, 의료를 제공받는 대상자들이 있다. 이러한 전문 인력이나 대상자간의 의사소통은 개인의 성취감 뿐 아니라 대상자의 건강증진과 회복에 매우 중요한 자원으로서의 역할이 크다.

보건의료현장에서의 의사소통은 대상자와 보건의료인 간, 서로 다른 보건의료인 간의 '사실, 생각, 의견 또는 감정'을 교환하여 공통적 이해를 갖고, 건강전문직 간의 '의식이나 태도 또는 행동의 변화'를 일으키는 일련의 언어적, 비언어적 행동이다. 효과적인 의사소통을 하기 위해서 단원 3에서 제시한 조력자들의 의사소통을 활용하여 보건의료조직이라는 집단에서 원활한 상호작용을 통하여 구성원들의 대인관계 증진을 통해 기관의 전문인력이나 비전문인력들 그리고 대상자 개인의 성장과 건강증진에 기여할 수 있다.

본 장에서는 보건의료인 간의 관계의 특성과 대상자와의 관계의 특성 및 일반 대상자와 특수 상황에서 대상자와의 의사소통 적용 사례를 제시하고자 한다.

학·습·목·표

1. 보건의료인의 의사소통 상황을 이해한다.
2. 외과병동의 의사소통을 이해한다.
3. 산모와의 의사소통을 이해한다.
4. 정신병원에서의 의사소통을 이해한다.
5. 호스피스대상자와 의사소통을 이해한다.
6. 중환자실에서의 의사소통을 이해한다.
7. 지역사회 거주 대상자와의 의사소통을 이해한다.
8. 다문화대상자와의 의사소통을 이해한다.
9. 의료현장에서 AI의사소통을 이해한다.

주·요·용·어

- 보건의료인
- 외과병동
- 산모
- 호스피스
- 정신병원
- SBAR
- 폐쇄 루프 커뮤니케이션
- 다문화
- 지역사회
- AI

The Art of Healthy Communication

11 보건의료 현장에서의 의사소통

1 보건의료인의 의사소통

❶ 보건의료인의 의사소통의 중요성

보건의료 현장에서는 다양한 전문 직종(의사, 간호사, 물리치료사, 약사, 사회복지사 등)이 함께 협력하여 대상자의 건강을 증진해야 하기 때문에, 각 직군 간 원활한 의사소통이 이루어지지 않으면 진료 오류, 치료 지연, 대상자의 불안 증가 등의 문제가 발생할 수 있다. 또는 원활하게 시스템이 작동하지 못하여 대상자의 이득을 손상시킬 수 있다. 따라서 효과적인 의사소통을 통해 팀워크를 강화하고, 최적의 대상자 중심 건강관리 서비스를 제공해야 한다.

❷ 보건의료인의 의사소통의 특징

1) 대상자(환자)[1] 중심 의사소통을 해야 한다. 모든 보건의료인의 의사소통 목표는 대상자의 건강 증진에 초점이 맞춰져야 하며, 의료진 간의 원활한 정보 공유가 필수적이다.
2) 명확하고 정확한 정보 전달을 해야 한다. 의료 용어는 정확히 사용하되, 불필요한 복잡한 표현은 피한다. 오해를 방지하기 위해 반복 확인 의사소통법(Closed-loop communication)을 사용한다.
3) 팀 내 역할과 책임을 존중하여, 직종 간 전문성을 인정하고, 상호 존중하는 태도를 유지한다. 보건의료팀 간 권위적 태도를 배제하여 상·하 관계가 아닌 협력적인 관계를 형성

1) 보건의료환경(병원 등)에서의 환자는 간호대상자의 신분일 경우, 환자를 대상자로 칭한다.

해야 한다.

4) 적극적인 경청과 피드백을 제공한다. 즉 상대방의 의견을 존중하고, 경청하는 태도가 중요하다. "이해했습니다.", "다시 확인하겠습니다." 등 피드백을 통해 의사소통 오류를 예방한다.

5) 비언어적 의사소통을 활용한다. 의료 현장에서는 바쁜 일정으로 인해 눈맞춤, 표정, 몸짓 등이 생략되지 않도록 비언어적 표현을 적절히 하여 신뢰를 형성하고 정확하고 협력적인 소통이 이루어지도록 한다.

3 직종 간 협력을 위한 의사소통 시 중요한 점

1) 직종별 역할과 책임을 존중하는 의사소통

의사, 간호사, 응급구조사, 방사선사, 약사 등이 협력해야 하는 상황에서, 직종 간의 역할을 이해하고 존중하며, 협력적인 태도를 유지해야 하며, 상대방이 맡고 있는 업무를 존중하며 협업을 원활히 진행한다.

"그건 간호사 담당이 아니니까 의국에서 알아서 하세요." 또는 "그거 당연히 의국에서 알아야 하는 거 아니에요?"라는 비효과적인 의사소통하는 방식을 지양하며, 다음과 같이 효과적인 의사소통을 사용한다.

- "환자 상태를 정리했어요. 추가로 필요한 검사나 처치가 있으면 치료지시를 내주세요."
- "이 부분은 제가 맡을 테니, 다른 필요한 지원이 있으면 말씀해 주세요."

2) SBAR(Situation, Background, Assessment, Recommendation) 기법 활용

SBAR 기법은 체계적 의사소통으로, 의료진 간 정보 전달을 명확하고 간결하게 하기 위한 표준화된 의사소통 방식이다. 명확한 구조로 정보를 전달하여 오해를 방지하고 빠른 의사 결정이 가능하다. 특히 긴급 상황에서 신속하고 효과적인 의사소통이 필수적이다. 예를 들어 인턴이 전공의에게 대상자의 상태를 다음과 같이 보고한다.

S(상황, Situation)

"박○○님은 현재 혈압이 80/50으로 낮아지고 있으며, 의식이 혼미한 상태입니다."

B(배경, Background)

"이○○님은 고혈압과 당뇨병 병력이 있으며, 오늘 새벽부터 복통을 호소했습니다."

A(평가, Assessment)

"혈압이 지속적으로 떨어지고 있어, 쇼크 상태로 진행될 가능성이 있습니다."

R(권장 사항, Recommendation)

"추가적인 수액 치료 및 혈압 상승 등에 대한 치료가 필요할 것으로 보입니다. 어떻게 할까요?"

3) 폐쇄루프 커뮤니케이션(Closed-loop Communication, 반복, 또는 되묻기 확인법)[2] 활용

의료진 간의 중요한 정보 전달 시, 명확한 확인을 위해 "반복 확인"을 해야 한다. 중요한 정보는 반복 확인하여 오류를 방지한다. 특히 약물 전달, 수술 지시, 응급상황에서 필수적인 의사소통 방법이다. 예를 들어 수술실에서 간호사가 의사에게 약물을 전달하는 상황을 다음과 같이 정리해본다.

비효과적인 의사소통으로 의사가 "아드레날린 1mg Ⅳ주세요." 했을 때 간호사가 듣고 바로 약물을 투여하는 것을 효과적인 폐쇄루프 커뮤니케이션으로 적용해본다.

- 의사 : "아드레날린 1mg Ⅳ 주세요."
- 간호사 : "네, 아드레날린 1mg Ⅳ 준비하겠습니다."
- 간호사 : (약물을 전달하면서) "아드레날린 1mg Ⅳ 투여합니다."
- 의사 : "확인했습니다."

4) 보건의료인의 업무 인수인계

보건의료현장에서의 안전한 업무수행을 위해서는 업무 계획단계에서부터 효과적인 의사소통 체계를 세워야 한다. 안전하고 효과적인 업무를 수행하기 위해서는 명확한 의사소통 전달체계와 지침이 필요하다.

업무 인수인계 상황에서의 오류가 많이 발생하는 요인은 불충분한 의사소통이며, 그로인해 직장 내 안전에 대한 위협 및 사고가 증가될 수 있다.

---

2) 폐쇄루프 커뮤니케이션(Closed-loop communication) : 반복확인 의사소통 또는 되묻기 확인법이라고 하며, 전달한 내용을 다시 확인하는 의사소통 방식 또는 상대방이 이해했는지 되묻고 확인하는 방법이다.

직장 내 안전을 보장하기 위한 의사소통 환경을 조성하기 위해, 리더십과 팀워크 문화 조성, 신속하게 보고할 수 있는 시스템 정착 및 표준화된 점검표를 통한 의사소통 지침과 문서화 실행이 중요하다.

4 대상자 및 보호자와의 효과적인 의사소통

대상자 및 보호자와의 의사소통은 신뢰 형성과 치료 협조를 높이는 데 중요한 요인이다. 설명할 때 전문 용어를 피하고 쉬운 언어로 설명하며, 보호자의 불안을 해소할 수 있도록 공감과 배려하는 태도를 유지한다.

대상자와의 면담에서 다음과 같은 지침을 지켜야 한다.

1) 보건의료인과 대상자 사이의 신뢰와 친밀관계 형성을 위해 적극적 경청, 공감을 통해 전달하고자 하는 바를 언어적, 비언어적으로 잘 표현해야 한다.
2) 면담은 면담 준비, 면담 시작, 정보 수집, 문제 확인, 계획과 수행, 면담 종료의 과정이 있다.
3) 면담을 촉진하기 위해 편안한 분위기 제공, 개인적인 특성에 관심을 갖고, 방문 목적과 간호문제를 명확하게 파악하며, 간호수행 과정을 설명하면서, 적극적 경청을 통해 정보를 정확하게 이해해야 한다.
4) 면담 시 주의할 점은 이야기에 비중을 두고 정확하게 증상을 파악하면서 자료 사정, 간호문제 규명, 간호진단을 명료화하는 것이다. 또한 대상자의 이해도를 파악하고, '왜' 로 시작되는 질문을 '어떻게'로 하면서 암시적 질문을 피한다. 화제를 바꿀 때는 예고를 하고, '섣부른 충고하기', '무조건적 안심시키기'는 피하며, 대상자를 무시하거나 당황하게 만드는 질문이나 말은 하지 않는다.

또한 대상자나 보호자가 치료계획에 대해 불안해하는 상황에서 비효과적으로 의사소통하는 방식으로 "그냥 믿고 따라오시면 돼요.", "저희가 알아서 할 테니까 걱정하지 마세요.", "기다리세요. 다 알아서 해드려요."라고 할 수 있다.

이를 효과적인 의사소통으로 수정해보면, "김○○님, 치료에 대해 걱정이 많군요. 현재 치료계획을 설명해 드릴 테니 궁금한 점이 있으면 질문해 주세요.", "이 치료를 하는 이유는 김○○님의 증상을 완화시키고 회복을 돕기 위함입니다. 이해되셨을까요?"

2 외과병동에서의 의사소통

❶ 외과병동의 의사소통의 특징

외과환자들은 외래나 입원대상자를 불문하고 외과적 처지 또는 수술이 필요한 경우이다. 따라서 외과병동의 경우, 시술 전·후 또는 수술 전·후 대상자 관리가 핵심이다. 특히 응급상황이 많고 다직종 간 협력이 필수적인 환경에서 활동이 이루어진다. 효과적인 의사소통이 이루어지지 않으면 대상자 안전과 치료 과정에 심각한 영향을 미칠 수 있다. 따라서 신속하고 명확한 정보 전달, 팀워크, 대상자의 심리적 안정을 위한 의사소통이 중요하다**[표 11-1]**.

표 11-1 외과병동에서의 의사소통 특징 및 중요성

구분	특징 및 중요성
1. 신속하고 명확한 정보 전달 필요	• 외과병동은 응급상황(출혈, 감염, 수술 후 합병증 등)이 자주 발생한다. • 의료진의 빠르고 정확한 의사소통이 필수적이다.
2. 다직종, 다부서의 협업 필수	• 수술 전 준비 및 수술 후 회복을 위해 다양한 직종, 부서가 협력해야 한다. • SBAR 기법, 폐쇄 루프 커뮤니케이션 활용이 중요하다.
3. 대상자의 심리적 안정을 위한 의사소통 필요	• 외과적 처치는 대상자에게 신체적·심리적 스트레스를 유발할 수 있다. • 대상자 및 보호자와의 신뢰 형성을 위한 공감적 의사소통이 중요하다.
4. 통증 및 증상 관리에 대한 정확한 의사소통 필요	• 수술 후 대상자의 통증, 출혈, 감염 여부를 신속히 파악하고 보고해야 한다. • 대상자가 자신의 증상을 효과적으로 표현할 수 있도록 유도한다.

❷ 외과병동에서의 효과적 의사소통

1) 의료진 간의 정보 전달 : SBAR 기법 활용

간호사가 수술 후 혈압이 급격히 떨어진 대상자를 보고해야 하는 경우

비효과적인 의사소통

- 간호사 : "박○○님 상태가 안 좋아 보여요. 어떻게 해야 할까요?"
- 의사 : "어떤 부분이 안 좋은데요?"

- 간호사 : "그냥 혈압이 좀 낮아요."
- 의사 : "얼마나 낮아요?"

이 대화는 정보가 구체적이지 않아 대상자의 상태를 명확하게 전달하지 못한다. 의사가 추가 질문을 계속해야 하므로 신속한 대처가 어렵다.

효과적인 의사소통 (SBAR 기법 적용)

- S (상황) : "박○○님의 혈압이 80/50으로 급격히 떨어졌고, 얼굴이 창백합니다."
- B (배경) : "박○○님은 3시간 전에 복강경 담낭 절제술을 받았고, 당뇨 및 고혈압 병력이 있습니다."
- A (평가) : "출혈 가능성이 있으며, 산소포화도는 92%로 떨어졌습니다."
- R (권장 사항) : "수액 보충과 혈압 상승제 투여가 필요할 것으로 보입니다. 추가 처치 지시해 주세요."

이 대화는 SBAR 기법을 활용하여 필요한 정보를 빠르고 명확하게 전달함으로써 불필요한 질문을 줄이고 즉각적인 대처가 가능하다.

2) 수술 전 대상자와의 대화

대상자가 수술 전 준비 과정에서 불안해하며, 수술 방법과 마취에 대해 질문하는 경우, 대상자가 수술 방법과 마취 과정에 대해 명확히 이해했는지 확인해야 한다. 대상자의 말을 다시 듣고 반복하여 확인하여 의사소통 오류를 방지한다.

비효과적인 의사소통

- 환자 : "제가 받는 수술이 어떤 건지 다시 설명해 주실 수 있나요?"
- 의사 : "위 내시경 수술이에요. 걱정하지 마세요. 간단한 수술입니다."
- 환자 : "마취는 어떻게 하나요?"
- 의사 : "전신마취할 거예요."

이 대화는 대상자가 정확한 정보를 이해했는지 확인하지 않고, "걱정하지 마세요."라는 말만 하였다. 이 대화는 불안을 해소하기 어렵다. 대상자가 마취 방법과 수술 절차를 제대로 이해했는지 확인할 기회가 부족하다.

효과적인 의사소통 (되묻기 확인법)

- **환자**: "제가 받는 수술이 어떤 건지 다시 설명해 주실 수 있나요?"
- **의사**: "네, 김○○님께서는 위 내시경 수술을 받으십니다. 내시경을 입으로 삽입하여 위 내부를 치료하는 방식입니다. 이해되셨나요?"
- **환자**: "네, 내시경을 입으로 넣고 치료하는 수술이군요."
- **의사**: "네, 맞습니다."
- **환자**: "마취는 어떻게 진행되나요?"
- **의사**: "김○○님께서는 전신마취를 받으시게 됩니다. 마취 후에는 의식이 없고, 수술이 끝난 후 회복실에서 서서히 깨어나게 됩니다. 이해되셨나요?"
- **환자**: "네, 저는 전신마취를 받고, 수술 후에는 회복실에서 깨어나는군요."
- **의사**: "네, 정확합니다. 혹시 더 궁금한 점이 있으신가요?"

이 경우 "이해되셨나요?"라고 물어 대상자가 직접 내용을 반복하도록 유도하며 "혹시 더 궁금한 점이 있으신가요?"라고 질문하여 추가 질문할 기회를 제공한다.

2-1) 수술 전 대상자의 불안감 해소를 위한 추가 전략

(1) 공감 표현 사용하기

- "수술 전에 긴장되실 수 있어요. 많은 분들이 긴장감을 느끼십니다."
- "하지만 저희가 안전하게 진행할 수 있도록 철저히 준비하고 있습니다."

(2) 비언어적 의사소통 활용

- 차분한 목소리와 부드러운 표정으로 안정감 제공
- 대상자의 눈을 맞추며 설명하여 신뢰 형성

반복 확인 의사소통을 활용하여 대상자의 불안감을 줄이기 위해 명확한 의사소통이 필수적이다. 대상자가 수술 과정과 마취 절차를 정확히 이해할 수 있고, 대상자가 이해한 내용을 다시 표현하도록 유도하면 의사소통 오류를 방지하고 신뢰를 형성할 수 있다.

3) 수술 후 대상자와의 대화

비효과적인 의사소통

- 환자 : "너무 아파요."
- 간호사 : "조금 참아 보세요. 나중에 약 드릴게요."
- 환자 : "언제요?"
- 간호사 : "조금 이따요."

이 대화는 대상자의 통증 강도나 유형을 제대로 파악하지 않고 대상자의 고통을 공감하지 않으며, 불명확한 시간 표현("조금 이따")으로 대상자의 불안감이 증가한다.

효과적인 의사소통 (되묻기 확인법 적용)

- 환자 : "너무 아파요."
- 간호사 : "많이 아프군요. 어떤 통증인가요? 찌르는 느낌인가요, 쑤시는 느낌인가요?"
- 환자 : "찌르는 듯한 통증이에요."
- 간호사 : "통증점수는 1에서 10점 중 어느 정도인가요?"
- 환자 : "10점 만점에 8점 정도 돼요."
- 간호사 : "알겠습니다. 처방된 진통제를 지금 투여하겠습니다. 15분 후에 통증이 완화되는지 다시 확인하겠습니다."
- 환자 : "네, 감사합니다."

이 대화는 대상자의 통증을 구체적으로 평가하고(통증 강도, 유형), 명확한 시간 표현으로 신뢰를 형성하며, 대상자의 고통에 대해 공감하여 지지해주고, 정보 전달이 정확하게 이루어진다.

4) 보호자와의 대화

보호자가 대상자의 상태에 대해 불안해하는 경우 공감적 의사소통을 활용한다.

비효과적인 의사소통

- 보호자 : "환자가 너무 아파 보이는데 괜찮은 건가요?"
- 의료진 : "문제없어요. 너무 걱정하지 마세요."
- 보호자 : "정말요? 그런데 얼굴이 창백한데요?"

- **의료진**: "괜찮다니까요. 수술하면 다 그래요."

이 대화는 보호자의 불안을 해소해주지 않고, 일방적인 안심만 시키며, 수술하면 누구나 다 그렇다고 말하여 보호자의 고통에 공감하지 않았다. 보호자가 의료진을 신뢰하지 못하고, 추가 질문이 계속 발생할 가능성 높다.

효과적인 의사소통 (공감적 의사소통 적용)

- **보호자**: "환자가 너무 아파 보이는데 괜찮은 건가요?"
- **의료진**: "네, 보호자님이 걱정되시는 게 당연합니다. 현재 박○○님의 혈압과 산소포화도는 안정적이며, 통증 조절을 위해 추가적인 진통제를 투여할 예정입니다."
- **보호자**: "얼굴이 창백한데 괜찮을까요?"
- **의료진**: "수술 후에는 일시적으로 창백해질 수 있지만, 혈압이 정상 범위 내에 있고 지속적인 관찰을 하고 있습니다. 혹시 추가로 궁금한 점이 있으신가요?"

이 대화는 보호자의 불안을 인정하고 공감한 후, 구체적인 정보를 제공하여 신뢰를 형성하며 추가 질문을 유도하여 보호자가 충분히 이해할 수 있도록 한다.

3 산모와의 의사소통

❶ 분만 전·후 산모와의 의사소통 특징

산모는 분만 전·후에 신체적 변화뿐만 아니라 심리적 스트레스도 크므로, 의료진의 의사소통 방식이 산모의 불안과 두려움을 줄이는 데 중요한 역할을 한다. 출산 과정에서 산모의 요구와 감정을 존중하는 공감적이고 명확한 의사소통이 필수적이다. 산모의 신체적·정신적 상태에 따라 적절한 언어 사용이 필요하며, 불안감을 최소화하는 방식으로 접근해야 한다**[표 11-2]**.

표 11-2 산모와의 의사소통 전략

구분	전략
1. 공감적 의사소통	산모의 불안과 통증을 인정하고 감정을 먼저 공감하기
2. 짧고 명확한 안내	분만 중에는 간결한 지시어를 사용하여 효과적인 협조 유도
3. 긍정적인 강화	"잘하고 계세요!" 등의 긍정적 피드백을 활용하여 산모의 자신감 향상
4. 실질적인 대처 방법 제공	단순한 안심이 아니라, 구체적인 행동(호흡법, 통증 완화 방법) 안내
5. 비언어적 의사소통 활용	부드러운 목소리, 차분한 표정으로 산모의 심리적 안정을 도모

1) 분만 전 산모와의 의사소통

산모는 진통과 출산에 대한 두려움과 불안을 가질 수 있으므로 안심시키며, 현실적인 정보 제공이 필요하고, 의료진의 지시를 효과적으로 따르도록 명확하고 차분한 설명이 필요하다.

(1) 산모가 분만에 대한 두려움을 표현하는 경우

공감적인 반응을 먼저 보인 후, 구체적으로 안내하고, 산모가 의료진을 신뢰할 수 있도록 정서적 안정감을 주는 표현을 사용한다.

- 산모 : "너무 무서워요. 진통이 시작되면 어떻게 해야 할지 모르겠어요."
- 의료진 : "너무 걱정하지 마세요. 다들 그렇게 해요."

이 대화는 산모의 감정을 충분히 인정하지 않고, 일반적인 조언으로 불안을 해소하려 한다. "다들 그렇게 해요."라는 표현은 산모가 자신의 감정이 존중받지 못한다고 느끼게 만들 수 있다.

효과적인 의사소통 (공감적 반응 및 명확한 안내)

- 산모 : "너무 무서워요. 진통이 시작되면 어떻게 해야 할지 모르겠어요."
- 의료진 : "네, 처음 겪는 일이니 당연히 불안하실 수 있어요. 하지만 저희가 곁에서 계속 도와드릴 거예요."
- 의료진 : "진통이 시작되면 호흡을 조절하면서 천천히 힘을 주시면 됩니다. 호흡법을 연습해 볼까요?"

(2) 진통이 심해지는 상황에서 산모가 불안을 느끼는 경우

- 산모 : "너무 아파요. 진통이 심해지면 견딜 수 없을 것 같아요!"
- 의료진 : "이건 정상적인 과정이니까 참아야 해요."

이 대화는 단순히 "참아야 한다."라고 하면 산모가 자신의 고통이 무시당했다고 느낄 수 있다. 산모가 불안해하면 더 긴장하여 진통이 심해질 수도 있다.

효과적인 의사소통 (공감적 반응 & 대처 방법 제시)

- 산모 : "너무 아파요. 진통이 심해지면 견딜 수 없을 것 같아요!"
- 의료진 : "네, 진통이 심해지고 있군요. 지금 숨을 천천히 들이마시고 내쉬어 보세요. 제가 함께 할테니 따라 해 보실까요?"
- 의료진 : "필요하면 진통 완화시키는 방법도 함께 고려할 수 있어요. 불편한 점 있으면 언제든지 말씀해 주세요."

2) 분만 중 산모와의 의사소통

산모는 극도의 통증과 긴장 상태에 놓이므로 짧고 명확한 언어로 안내해야 한다. 산모의 협조가 필요하므로 긍정적이고 힘이 되는 표현을 사용한다.

분만 중 산모가 힘을 제대로 주지 못하는 경우에는, 산모의 행동을 긍정적으로 강화하는 표현을 사용하여 자신감을 심어 주고, 구체적인 동작 설명을 통해 효과적인 협조를 유도한다.

- 의료진 : "왜 힘을 제대로 안 주세요? 이렇게 하면 아기가 나오기 힘들어요."

이런 표현은 산모에게 부담을 주고, 위축되게 만들 수 있다. 부정적인 표현보다 산모가 올바르게 힘을 줄 수 있도록 유도하는 것이 중요하다.

효과적인 의사소통 (긍정적 강화 및 구체적 안내)

- 의료진 : "아주 잘하고 계세요! 이제 숨을 들이마시고 천천히 힘을 주세요."
- 의료진 : "지금처럼 조금만 더 힘을 주시면 돼요. 좋아요, 하나, 둘, 셋!"

3) 분만 후 산모와의 의사소통

산모는 출산 후 극도의 피로와 감정 변화(산후 우울감 등)를 경험할 수 있다. 산후 회복과 신생아 돌봄에 대한 불안감을 해소할 수 있도록 친절한 안내가 필요하다.

(1) 산후 출혈과 통증으로 불안해하는 경우의 의사소통

단순한 안심이 아니라, 객관적인 정보와 함께 의료진이 적극적으로 대응하고 있음을 보여주어야 한다.

- 산모 : "배가 너무 아파요. 출혈이 심한 것 같아요. 괜찮은 건가요?"
- 의료진 : "그 정도 출혈은 정상이에요. 너무 걱정하지 마세요."

이 대화는 환자의 불안을 단순히 무시하거나 일반적인 답변으로 일축하면 신뢰가 낮아질 수 있다.

효과적인 의사소통 (안심시키며 객관적 정보 제공)

- 산모 : "배가 너무 아파요. 출혈이 심한 것 같아요. 괜찮은 건가요?"
- 의료진 : "네, 출산 후 어느 정도 출혈은 정상이에요. 하지만 제가 상태를 확인해 드릴게요."
- 의료진 : "출혈량을 체크하면서 필요한 처치를 바로 해 드릴 테니 걱정 마세요."

4 정신병원에서의 의사소통

❶ 정신병원에서의 의사소통 특징

정신병원의 대상자는 인지, 정서, 행동에 다양하고 복잡한 증상이나 행태가 나타날 수 있으므로 그 특성을 고려한 의사소통이 필수적이다. 대상자의 상태에 따라 일반적인 대화 방식이 효과적이지 않을 수도 있으며, 비언어적 의사소통이 매우 중요한 역할을 갖는다. 의료진의 태도와 의사소통 방식이 대상자의 치료 효과 및 신뢰 형성에 큰 영향을 미친다. **[표 11-3]**에서 정신병원에서의 의사소통의 특징 및 중요성을 제시한다.

표 11-3 정신병원에서의 의사소통 특이사항

구분	특징 및 중요성
1. 대상자의 인지 및 감정 상태 고려	• 정신질환에 따라 사고방식이 다르므로 일반적인 대화 방식이 통하지 않을 수 있다. • 대상자의 상태(망상, 환청, 우울, 조증 등)에 따라 적절한 의사소통 전략이 필요하다.
2. 비언어적 의사소통이 중요	• 대상자는 의료진의 말보다 표정, 목소리 톤, 몸짓 등을 더 민감하게 받아들일 수 있다. • 차분하고 일관된 태도를 유지해야 신뢰 형성이 가능하다.
3. 감정적인 반응을 자제해야 함	• 공격적이거나 불안정한 대상자와 대화 시 의료진이 감정적으로 반응하면 갈등이 악화될 수 있다. • 대상자의 말에 감정적으로 대응하지 않고, 냉정하면서도 공감적인 태도 유지가 필요하다.
4. 대상자의 현실 검증 능력 부족 가능	• 망상이나 환청을 경험하는 대상자에게 직접적인 논쟁("그건 사실이 아니에요")을 하면 오히려 불신을 초래할 수 있다. • 대상자의 경험을 인정하되, 현실적인 방향으로 유도하는 기술이 필요하다.
5. 단순하고 명확한 언어 사용	• 대상자가 혼란스러워하지 않도록 짧고 명확한 문장을 사용한다. • 지시적이거나 위협적인 말투는 피하고, 부드러운 어조를 사용한다.

2 정신병원에서의 효과적인 의사소통

정신병원에서 특이 증상을 보이는 대상자별로 의사소통 시 대상자와의 비효과적인 대화를 효과적인 대화로 수정하여 제시한다.

1) 망상을 보이는 대상자와의 대화

조현병 대상자가 의료진에게 “비밀 조직이 나를 감시하고 있어요!”라고 이야기하는 경우

비효과적인 의사소통

- 환자 : “비밀 조직이 나를 감시하고 있어요!”
- 간호사 : “그런 거 없어요. 당신이 잘못 생각하는 거예요.”
- 환자 : “아니에요! 왜 나를 속이세요? 당신도 그 조직원이죠?”

이 대화는 대상자의 망상을 즉각적으로 부정하면 방어적인 태도가 강화된다. 오히려 의료진에 대한 불신이 커지고 공격적인 반응을 보일 수도 있다.

효과적인 의사소통

- 환자 : “비밀 조직이 나를 감시하고 있어요!”

- **간호사**: "누군가 계속 감시하는 느낌이군요."
- **환자**: "네, 정말 무서워요."
- **간호사**: "이 병원에서는 안전하니까 걱정하지 마세요. 도움이 필요하면 언제든 말씀해 주세요."

이 대화는 망상을 직접 부정하지 않고, 대상자의 감정을 인정하며 공감하는 방식으로 접근한 것이다. 대상자가 병원 환경에서 안전하다는 느낌을 가질 수 있도록 유도한다.

2) 우울증 대상자와의 대화

심한 우울증을 앓고 있는 대상자가 "나는 아무런 가치가 없어. 살아갈 이유가 없어."라고 말하는 경우이다.

비효과적인 의사소통

- **환자**: "나는 아무런 가치가 없어. 살아갈 이유가 없어."
- **간호사**: "그렇게 말하면 안 돼요. 가족들이 슬퍼할 거예요."
- **환자**: "그럼 나까지 죄책감을 느껴야 하나요?"

이 대화는 대상자의 감정을 무시하고 논리적으로 설득하려 한다.
"그렇게 말하면 안 돼요"는 대상자가 더 큰 좌절감을 느끼게 만들 수 있다.

효과적인 의사소통

- **환자**: "나는 아무런 가치가 없어. 살아갈 이유가 없어."
- **간호사**: "자신이 아무런 가치가 없어 살아갈 이유가 없다고 생각하시는군요. 많이 힘드셨겠어요."
- **환자**: "네, 너무 힘들어요."
- **간호사**: "이런 감정을 누구에게든 이야기하는 게 쉬운 일이 아닌데, 저에게 이야기해 주셔서 감사해요. 조금 더 이야기 나눠볼까요?"

이럴 때는 논리적 설득보다 감정을 먼저 인정하고 경청하는 것이 중요하며 대상자가 자신의 감정을 안전하게 표현할 수 있도록 유도한다.

3) 공격적인 대상자와의 대화

대상자가 감정이 격해져 큰 소리로 의료진을 위협하는 경우이다.

비효과적인 의사소통

- 환자: "당장 나가게 해 줘! 왜 날 여기 가둬 두는 거야!"
- 간호사: "진정하세요! 여기서 이러시면 안 됩니다!"
- 환자: (더욱 격앙됨) "당신도 내 적이야!"

이 대화는 감정적으로 반응하면 대상자의 공격성이 더 심해질 수 있다는 것이다. "진정하세요." 같은 명령형 표현은 오히려 반감을 초래한다.

효과적인 의사소통

- 환자: "당장 나가게 해 줘! 왜 날 여기 가둬 두는 거야!"
- 간호사: "지금 많이 화가 나신 것 같아요. 어떤 점이 가장 답답하세요?"
- 환자: "내 말을 아무도 안 들어 줘!"
- 간호사: "제가 듣고 있습니다. 원하시는 게 무엇인지 말씀해 주세요."

일단, 대상자의 감정을 먼저 인정하고, 공격적인 반응을 피한다. 대상자가 말할 기회를 주어 감정을 조절할 수 있도록 유도한다.

5 호스피스대상자와의 의사소통

❶ 호스피스대상자와의 의사소통의 특징

호스피스 활동은 말기 질환으로 치료적 목표가 '완치'가 아닌 '호스피스완화의료' 또는 '호스피스완화간호'라는 개념으로 '삶의 질 향상'에 초점이 맞춰져 있다. 대상자의 신체적·심리적·정서적·영적 상태를 고려한 세심한 의사소통이 필요하며, 대상자뿐만 아니라 가족과의 의사소통도 매우 중요하다**[표 11-4]**. 호스피스대상자와의 효과적인 의사소통은 단순한 치료를 넘어, 존엄한 삶을 지원하는 중요한 과정이다.

표 11-4 호스피스대상자와의 의사소통의 전략

구분	설명
1. 공감적·경청 중심의 의사소통	• 대상자의 감정을 존중하고 충분히 경청하는 것이 중요하다. • 대상자가 자신의 감정을 표현할 수 있도록 유도해야 한다.
2. 희망과 현실의 균형 유지	• 무조건적인 희망 고문("곧 좋아질 거예요")이 아니라, 현실적인 정보 제공이 필요하다. • 지나치게 냉정한 표현은 피하고, 희망적인 요소를 함께 전달해야 하다.
3. 대상자의 가치와 존엄성을 존중하는 대화	• 대상자의 삶의 의미, 중요한 관계, 원하는 치료 방향 등을 존중하는 자세가 필요하다.
4. 대상자의 신체적·심리적 고통 완화에 초점	• 통증, 불안, 우울감 등 대상자의 어려움을 경청하고 적절한 대처법을 안내해야 하다.
5. 가족과의 의사소통이 필수	• 보호자는 심리적·정서적으로 큰 부담을 갖고 있으므로, 가족의 감정까지 배려하는 소통이 필요하다.

❷ 호스피스대상자와의 효과적인 의사소통

1) 대상자가 죽음에 대한 불안을 표현하는 경우

대상자의 감정을 인정하고 죽음에 대한 두려움을 표현할 수 있도록 경청한다.

비효과적인 의사소통

- **환자**: "나 이제 얼마 남지 않은 거죠? 너무 두려워요."
- **의료진**: "그런 생각하지 마세요. 기운 내셔야죠!"

이 대화는 대상자의 감정을 무시하고 회피하는 태도를 보여 대상자는 자신의 감정을 솔직하게 표현하기 어렵다는 점이다.

효과적인 의사소통 (공감적 반응 및 감정 인정)

- **환자**: "나 이제 얼마 남지 않은 거죠? 너무 두려워요."
- **의료진**: "얼마남지 않은 생에 대해 많이 두려우시군요. 어떤 점이 가장 걱정되세요?"

라고 반응한다. 공감과 질문을 하여 대상자가 자신의 감정을 더 이야기할 기회를 제공한다.

2) 대상자가 삶의 의미에 대해 이야기하는 경우

자신의 삶을 되돌아볼 수 있도록 유도하여 삶의 의미를 찾도록 돕는다. 대상자가 과거의 좋은 기억을 떠올릴 수 있도록 질문을 던진다.

비효과적인 의사소통

- 환자: "내 삶은 무슨 의미가 있었을까요?"
- 의료진: "그런 생각하지 마세요. 가족들도 힘드니까 기운 내셔야 해요."

이 대화는 대상자의 내면적 고민을 회피하는 태도를 보이는 점이다. 대상자의 정서적 고통을 충분히 이해하지 못하고 단순한 위로를 하였다.

효과적인 의사소통 (대상자의 경험 존중)

- 환자: "내 삶은 의미가 있었을까요?"
- 의료진: "삶의 의미에 대해 고민하고 계시는군요.. 가장 소중했던 순간은 언제였나요?"

3) 통증과 신체적 고통을 호소하는 경우

대상자의 통증을 구체적으로 평가하고 해결책을 함께 고민하는 태도가 필요하다. 단순한 위로보다, 실질적인 대안(진통제 조절, 이완 방법 등)을 제시한다.

비효과적인 의사소통

- 환자: "몸이 너무 아파요. 도저히 견딜 수 없어요."
- 의료진: "조금만 참아 보세요. 원래 이 시기에는 통증이 심해질 수 있어요."

이 대화는 대상자의 고통을 무시하는 듯한 태도를 보인 점이다. 단순한 조언보다는 적극적인 경청과 해결책 제시가 필요하다.

효과적인 의사소통 (적극적 경청 & 해결책 제시)

- 환자: "몸이 너무 아파요. 도저히 견딜 수 없어요."
- 의료진: "네, 많이 아프시지요. 어디가 가장 아프신가요?"
- 의료진: "진통제를 조절할 수도 있고, 통증 완화 방법을 찾아볼 수 있습니다. 불편한 점이 있으면 언제든 말씀해 주세요."

4) 대상자가 침묵하는 경우

- 자신의 감정을 표현하기 어려워서
- 죽음에 대한 두려움이나 불안감 때문
- 말로 표현할 힘이 없거나 지쳐서
- 가족에게 부담을 주고 싶지 않아서

호스피스대상자가 침묵하는 이유는 다양하다. 이런 상황에서는 강요하지 않고, 대상자가 스스로 이야기할 수 있도록 배려하는 태도가 필요하다. 손 잡아주기, 눈맞춤, 미소 등의 비언어적 의사소통이 중요한 역할을 한다.

(1) 대상자가 죽음에 대해 불안을 느껴 침묵하는 경우

대상자가 편하게 이야기할 수 있도록 일상적인 주제부터 대화를 시작한다. 직접적으로 죽음에 대한 이야기를 꺼내지 않고, 자연스럽게 감정을 표현하도록 유도한다.

- 환자 : (침묵하며 창밖을 바라봄)
- 간호사 : (잠시 기다린 후) "창밖 풍경이 참 아름답네요. 이○○님께서 좋아하는 계절은 어느 계절인가요?"
- 환자 : (한참 있다가) "봄이요. 꽃이 피면 참 예뻐요."
- 간호사 : "그렇죠. 봄이 되면 따뜻한 바람도 불고요. 어떤 꽃을 가장 좋아하세요?"

(2) 대상자가 말할 힘이 없어 침묵하는 경우

굳이 말을 강요하지 않고, 손 잡아주는 비언어적 의사소통을 활용한다.
대상자가 원하는 것이 있다면 언제든 표현할 수 있도록 개방적인 태도를 유지한다.

- 환자 : (눈을 감고 가만히 있음)
- 간호사 : (손을 가볍게 잡아주며) "오늘 많이 피곤하신가 봐요. 곁에 있을게요."
- 환자 : (고개를 천천히 끄덕임)
- 간호사 : (잠시 함께 머물러 있다가) "필요한 거 있으면 언제든 알려 주세요. 편안하게 쉬세요."

(3) 대상자가 가족에게 부담을 주기 싫어 침묵하는 경우

대상자의 감정을 먼저 공감한 후, 부드럽게 마음을 열 수 있도록 돕는다. "괜찮아요, 말하세요."라고 강요하지 않고, 자연스럽게 대화를 이어간다.

- **환자**: (가족이 왔을 때 아무 말도 하지 않음)
- **간호사**: "가족분들이 오셨네요. 참 많이 걱정하고 계세요."
- **환자**: (눈물 글썽이며 침묵)
- **간호사**: "걱정 끼치고 싶지 않으신 거죠?"
- **환자**: (천천히 고개 끄덕임)
- **간호사**: "이○○님 마음을 이해할 것 같아요. 그래도 가족분들은 이○○님과 함께하는 시간이 매우 소중할 것입니다."

호스피스대상자가 침묵할 때 의사소통 전략으로는 침묵하는 이유를 이해하고, 강요하지 않는 태도가 중요하다. 말하지 않고 비언어적 의사소통(손 잡아주기, 따뜻한 미소, 함께 있어줌)으로 대하는 것이 효과적이다. 대상자가 부담을 느끼지 않도록 가벼운 주제부터 시작해 자연스럽게 감정을 표현하도록 유도한다. 가족과의 관계를 고려하여 대상자의 마음을 대변해 주는 역할도 필요하다. 침묵도 하나의 대화 방식이라는 점을 이해하고, 기다려 주는 것이 가장 중요한 의사소통 방법이다.

5) 가족이 대상자의 상태에 대해 불안해하는 경우

보호자의 감정을 인정하고, 대상자를 위해 할 수 있는 실질적인 도움을 주기 위해 고민하는 태도로 대한다. 보호자가 의료진과 협력하여 대상자의 삶의 질을 높일 수 있도록 유도한다.

비효과적인 의사소통

- **보호자**: "환자가 너무 힘들어하는데, 우리가 더 해줄 수 있는 게 없나요?"
- **의료진**: "우리가 할 수 있는 건 다 했어요. 너무 걱정하지 마세요."

해설 이 대화는 보호자의 감정을 충분히 고려하지 않고, 단순한 답변을 제공한 점이다. 보호자가 느끼는 무력감을 해소하는 데 도움이 되지 않는다.

효과적인 의사소통

- **보호자**: "환자가 너무 힘들어하는데, 우리가 더 해줄 수 있는 게 없나요?"
- **의료진**: "보호자님께서 많이 걱정되시겠어요. 이○○님이 편안함을 느낄 수 있도록 어떤 부분을 더 도와드릴지 함께 고민해 볼까요?"

해설 공감적 반응 & 실질적 도움을 제공한다.

6) 임종대상자의 가족에게 임종을 알리는 경우

직설적인 표현보다는 공감과 배려있는 표현으로 부드럽게 임종을 알린다.

비효과적인 의사소통

"이○○님은 곧 돌아가실 겁니다. 가족분들도 준비하셔야 합니다."

효과적인 의사소통

"이○○님의 상태가 많이 위중합니다. 남은 시간이 많지 않을 것으로 보입니다. 가족분들이 함께할 수 있도록 정성을 다하겠습니다."

해설 대상자의 상태를 알려서 준비하게 하면서도 가족들의 정서를 배려한다.

7) 가족들이 희망을 버리지 못하며 사정하는 경우

절박한 가족의 감정을 무시하는 태도를 버리고 현실을 직설적으로 강요하지 않고, 공감하면서 부드럽게 설명한다.

비효과적인 의사소통

- **가족**: "정말 방법이 없나요? 선생님, 잘 좀 보아주세요."
- **의료진**: "현실을 받아들이셔야 합니다. 더 이상 할 수 있는 게 없습니다."

효과적인 의사소통 (희망을 존중하면서 현실을 전달)

- **가족**: "정말 방법이 없나요? 선생님, 제 아내를 잘 좀 보아주세요."
- **의료진**: "저희도 정○○님을 위해 최선을 다하고 있습니다. 이 상황에서 가장 중요한 것은 정○○님이 마지막 순간을 편안하게 보내실 수 있도록 돕는 것입니다."

해설 "할 수 있는 게 없다" 대신 "마지막 순간을 편안하게"라는 긍정적 방향 제시한다.

8) 질문에 대해 모호하거나 피하는 대답하는 경우

비효과적인 의사소통

- 가족 : "환자분이 얼마나 버틸 수 있을까요?"
- 의료진 : "그건 알 수 없습니다. 기다려 보셔야 합니다."

효과적인 의사소통 (명확한 정보 제공+가족이 대비할 수 있도록 도움)

- 가족 : "환자분이 얼마나 버틸 수 있을까요?"
- 의료진 : "정확한 시간을 예측하기는 어렵지만, 현재 상태로 보았을 때 남은 시간이 길지 않을 가능성이 높습니다. 가족분들이 함께 시간을 보내시면서, 정○○님께 사랑을 표현하시는 것이 중요합니다."

해설 불확실성을 인정하면서도 최대한 명확한 정보 제공하며, 가족이 임종에 대비할 수 있도록 정서적 조언을 한다.

9) 임종대상자 가족에게 기계적으로 응대함

비효과적인 의사소통

- 가족 : "환자분이 너무 고통스러워 보여요. 어떻게 해야 하죠?"
- 의료진 : "이미 최선을 다하고 있습니다. 저희도 어쩔 수 없습니다."

효과적인 의사소통 (공감 표현+해결책 안내)

- 가족 : "환자분이 너무 고통스러워 보여요. 어떻게 해야 하죠?"
- 의료진 : "많이 걱정되시겠어요. 저희도 정○○님이 최대한 편안하실 수 있도록 돕고 있습니다. 필요하시면 통증조절치료를 조정할 수도 있으니 언제든 말씀해 주세요."

해설 "어쩔 수 없다"는 단호한 표현 대신 공감 표현("많이 걱정되시겠어요.")을 하면서, 가족이 할 수 있는 행동을 안내하여 불안감을 완화시킨다.

6 중환자실(ICU) 대상자와의 의사소통

❶ 중환자실대상자 의사소통의 특징

중환자실(ICU)에 있는 대상자는 의식이 있더라도 반응이 제한적일 수 있으며, 의식이 없는 대상자도 감각을 일부 인지할 가능성이 있다. 따라서 대상자의 신체 상태에 따라 적절한 의사소통 방법을 적용해야 하며, 촉각이나 청각 자극 등 비언어적 의사소통을 적극 활용하여 대상자의 정서적 안정과 치료적 효과를 높일 수 있다. 대상자가 반응하지 않는다고 대화가 필요 없는 것은 아니다**[표 11-5]**. 중환자실에서도 안정을 줄 수 있는 편안하고 간단한 언어적 표현이 대상자의 회복과 정서적 안정에 큰 도움이 된다.

대상자의 반응 여부와 관계없이 존중하는 태도로 계속해서 소통하려는 노력이 중요하며, 청각·촉각 자극을 통해 심리적 안정을 유도할 수 있다.

표 11-5 중환자실 대상자 상황별 의사소통 원칙

상황	의사소통 방법
1. 의식이 있는 중환자	• 천천히, 명확한 언어로 짧고 간결하게 말하기 • 대상자의 반응(눈 깜빡이기, 손가락 움직임) 확인하기 • 감정적 지지 표현 및 긍정적 피드백 제공
2. 의식이 없는 대상자(혼수 상태, 인공호흡기 사용 등)	• 대상자가 들을 수 있다고 가정하고 말 걸기 • 평소처럼 존중하는 말투 사용 • 손 잡아주기, 쓰다듬기 등의 촉각적 자극 활용
3. 의식은 있으나 인공호흡기 착용 등으로 언어 표현이 어려운 대상자	• 눈 깜빡이기(한 번=예, 두 번=아니요)로 반응 유도 • 그림 카드, 알파벳보드, 화이트보드 활용 • 필요하면 가족과 협력하여 대상자의 의사 파악

❷ 상황별 의사소통 예시

1) 의식이 있는 중환자와의 의사소통 예시

상황 대상자가 인공호흡기를 착용하여 말을 할 수 없지만, 눈을 뜨고 반응하는 경우

대상자가 말을 못 해도 눈 깜빡이기, 손가락 움직임 등으로 의사 표현을 유도하고, 짧고 명확한 문장으로 설명하며, 불안감을 줄일 수 있도록 노력해야 한다.

비효과적인 의사소통 (무반응 전제)

- **간호사**: (무언가를 설명하지 않고 침묵)
- **환자**: (불안해하지만 표현할 수 없음)

이 의사소통의 문제점은 대상자가 말을 못 한다고 해서 설명 없이 행동하면 불안감이 증가하고, 대상자의 반응을 확인하려는 노력이 부족하다.

효과적인 의사소통 (대상자의 반응 확인)

- **간호사**: "박○○님, 지금 체온을 재겠습니다. 편안하게 계세요."
- **간호사**: "지금 불편하시면 눈을 한 번 깜빡여 주세요."
- **환자**: (눈을 깜빡임)
- **간호사**: "네, 불편하셨군요. 어떻게 도와드릴까요?" (그림 카드 또는 가족과 협력하여 의사 파악)

2) 의식이 없는 대상자와의 의사소통 예시

상황 혼수상태로 반응이 없지만, 간호사가 돌보는 경우

대상자가 듣고 있다고 가정하고 차분한 목소리로 설명하면 심리적 안정감을 줄 수 있다. 촉각적 자극(손잡기, 어깨 토닥이기 등)도 긍정적인 영향을 준 사례를 많은 대상자들이 깨어난 뒤에 진술하고 있다.

비효과적인 의사소통 (침묵)

- **간호사**: (말없이 대상자의 팔을 들어 수액을 연결함)

이 의사소통의 문제점은 대상자가 반응하지 않는다고 해서 소리 내어 설명하지 않으면 존중받지 못하는 느낌을 줄 수 있다. 의식이 없어도 청각이나 촉각이 남아 있을 가능성이 높으므로, 말을 걸어 주는 것이 중요하다.

효과적인 의사소통 (청각적 자극 활용)

- **간호사**: (손을 가볍게 잡으며) "김○○님, 저는 간호사 이○○입니다. 지금 수액을 맞고 계세요. 기운이 좀 나시길 바랍니다."
- **간호사**: "혈압을 확인해 드릴게요. 저는 곁에 있으니까 편안하게 계세요."

3) 불안해하는 중환자에게 정서적 안정 제공

상황 ICU에서 치료 중인 대상자가 불안감을 느끼는 경우

단순히 "괜찮아요."라고 하는 것보다 대상자의 감정을 인정하고, 안정감을 주는 것이 중요하다. 대상자가 불안할 때 적극적으로 반응하고 신뢰감을 줄 수 있도록 노력해야 한다.

비효과적인 의사소통 (간단한 응대만 함)

- **환자**: (불안한 표정)
- **간호사**: "괜찮아요, 조금만 참으세요."

이 의사소통의 문제점은 단순한 위로만 하면 대상자가 충분히 이해하거나 안심하기 힘들다.

효과적인 의사소통 (공감 표현+정보 제공)

- **간호사**: "김○○님, 지금 많이 힘드시죠?"
- **환자**: (눈으로 힘들다는 신호를 보냄)
- **간호사**: "제가 계속 곁에 있을 테니 걱정하지 마세요. 힘드시면 신호를 주세요."

중환자실 및 의식이 없는 대상자와의 의사소통 핵심 전략은 **[표 11-6]**과 같다.

표 11-6 중환자실 및 무의식 대상자와의 의사소통 전략

전략	설명
1. 의식이 없더라도 말 걸기	"이○○님, 지금 혈압을 재겠습니다." (존중받는 느낌을 주기 위해 설명)
2. 비언어적 의사소통 활용	손 잡아주기, 부드러운 표정, 촉각 자극 활용
3. 짧고 명확한 문장 사용	어려운 말보다 간단한 설명으로 대상자가 이해하기 쉽게 전달
4. 대상자의 반응 확인하기	눈 깜빡이기, 손가락 움직임 등으로 의사 표현 유도
5. 정서적 지지 제공	"곁에 있으니 편안하게 계세요." (안정감 제공)

7 지역사회 거주 대상자와의 의사소통

1 지역사회 거주 대상자와의 의사소통 특징

지역사회에서 거주하는 대상자는 병원과 달리 다양한 환경에서 생활하며, 건강관리가 지속적으로 이루어질 수 있도록 의사소통을 해야 한다. 대상자의 질병 상태뿐만 아니라, 생활 습관, 가정환경, 사회적 지원 등을 고려한 접근이 필요하며, 지역사회 간호사, 방문 간호사, 보건소 직원, 사회복지사, 지역 의료진 등이 협력하여 효과적인 의사소통을 해야 하고 무엇보다 정보전달과 대상자가 생활 속에서 건강을 실천하여 자기관리를 잘 할 수 있도록 돕는 것이 핵심이다[**표 11-7**].

표 11-7 지역사회 거주 대상자와의 의사소통 전략

전략	내용
1. 대상자의 생활환경을 고려한 접근	• 병원과 달리 대상자의 가정 및 지역사회 환경이 건강에 영향을 미칠 수 있다. • 생활 속에서 실천할 수 있는 건강관리 방법을 강조해야 한다.
2. 지속적이고 신뢰 기반의 의사소통	• 방문간호, 보건소 상담, 지역 병원과의 연계를 통해 꾸준한 건강 모니터링이 필요하다. • 대상자와 의료진 간의 신뢰 형성이 필수적이다.
3. 다양한 건강 수준과 인식 차이 고려	• 대상자의 지식수준에 따라 이해하기 쉬운 언어로 설명한다. • 노인, 장애인, 만성질환자 등 대상자의 특성을 반영한 맞춤형 의사소통이 필요하다.
4. 가족 및 지역사회 자원 활용	• 가족, 이웃, 지역 복지기관과 협력하여 대상자의 건강관리를 지원한다.
5. 대상자의 자율성 존중	• 대상자가 자신의 건강관리를 스스로 할 수 있도록 동기를 부여하는 의사소통 방식을 적용한다.

2 지역사회 대상자와의 효과적인 의사소통

1) 만성질환을 가진 노인 대상자와의 의사소통

(1) 고혈압을 앓고 있는 75세 노인이 약 복용을 자주 잊어버리는 경우

대상자의 어려움을 먼저 듣고, 맞춤형 해결책을 제시하고, 단순히 "약을 먹으세요."가 아니

라, 대상자가 실천할 수 있는 방법을 함께 고민한다.

비효과적인 의사소통

- **보건소 직원**: "약을 안 드시면 혈압이 위험해질 수 있어요. 꼭 챙겨 드세요!"
- **환자**: "알겠어요." (하지만 여전히 약을 빼먹음)

이 대화는 단순한 지시는 대상자의 행동 변화를 유도하기 어려우며, 노인의 인지 능력과 복약 습관을 고려하지 않았다.

효과적인 의사소통 (행동 변화 유도)

- **보건소 직원**: "어르신, 약을 챙겨 드시기 어려운 점이 있으세요?"
- **환자**: "가끔 잊어버려요. 언제 먹어야 할지도 헷갈려요."
- **보건소 직원**: "그럼 약통에 날짜별로 정리해 드릴까요? 가족 중에서 약 챙기는 걸 도와주실 분이 계신가요?"
  "핸드폰 알람을 설정해드릴게요."

2) 정신 건강 문제가 있는 지역사회 대상자와의 의사소통

우울증으로 인해 사회적 고립이 심한 40대 남성이 치료를 거부하는 경우에 대상자의 감정을 인정하고, 부담을 덜 느낄 수 있는 방법을 함께 모색한다. 치료를 강요하기보다, 작은 변화를 시도할 수 있도록 유도한다.

비효과적인 의사소통

- **사회복지사**: "왜 치료를 안 받으세요? 그러면 상태가 더 나빠질 수 있어요."
- **환자**: "상관하지 마세요."

이 대화는 대상자의 감정을 인정하지 않고 치료만 강요하는 강압적인 태도로 대상자가 방어적으로 반응하게 만든 것이다.

효과적인 의사소통 (공감적 접근)

- **사회복지사**: "요즘 많이 힘드신가 봐요. 어떤 점이 가장 괴로우세요?"

- 환자 : "사람 만나는 게 부담스러워요."
- 사회복지사 : "어떤 상황에서 사람을 만날 때 부담스러운신가요?"

3) 건강검진을 꺼리는 다문화 가정 대상자와의 의사소통

건강검진이 필요하지만, 언어 장벽과 문화적 차이로 인해 병원 방문을 꺼리는 이주민 여성 대상자의 문화적 배경을 이해하고, 맞춤형 해결책을 제시하고, 통역 서비스, 동반 방문 등 대상자가 편하게 느낄 수 있도록 배려한다.

비효과적인 의사소통

- 보건소 직원 : "무료 검진인데 왜 안 받으세요? 그냥 병원 가시면 돼요."
- 환자 : "괜찮아요. 저는 필요 없어요."

이 대화는 대상자의 문화적 배경과 언어적 장벽을 고려하지 않았다. 건강검진이 중요한 이유를 충분히 설명하지 않았다.

효과적인 의사소통 (문화적 감수성 반영)

- 보건소 직원 : "이 검진은 건강을 유지하는 데 아주 중요한 검사예요. 남편이나 친구와 함께 오셔도 괜찮아요."
- 환자 : "저는 한국어가 서툴러서 병원 가는 게 불편해요."
- 보건소 직원 : "통역서비스도 제공할 수 있어요. 필요한 부분이 있으면 알려주세요."

4) 지역사회 재활 대상자와의 의사소통

뇌졸중 후유증으로 거동이 불편한 60대 대상자가 재활치료를 포기하려는 경우, 대상자가 자신의 어려움을 솔직하게 표현할 수 있도록 유도하고, 작은 목표부터 시작할 수 있도록 동기 부여한다.

비효과적인 의사소통

- 의료진 : "재활치료를 계속해야 합니다. 안 하면 더 나빠질 수 있어요."
- 환자 : "힘들어서 못하겠어요."

이 대화는 대상자의 어려움을 충분히 고려하지 않고, 일방적으로 치료를 강요하는 태도를 보인다. 이는 대상자의 치료 동기를 높일 수 있는 대화 방식이 아니다.

효과적인 의사소통 (동기부여 중심 접근)

- **의료진**: "재활이 힘드실 수 있지만, 조금씩 나아지고 계세요. 무엇이 가장 힘드세요?"
- **환자**: "혼자서는 할 수 없을 것 같아요."
- **의료진**: "가족과 함께 할 수 있는 간단한 운동부터 시작해 볼까요?"

8 다문화 대상자와의 의사소통

❶ 다문화 대상자(이주민, 외국인 대상자)와의 의사소통 특성

보건의료 현장에서 다문화 대상자는 언어, 문화, 종교 등의 차이로 인해 의사소통이 어려울 수 있다. 다문화 대상자와의 효과적인 의사소통은 단순한 언어 문제가 아니라, 문화적 감수성을 바탕으로 한 배려가 핵심이다. 언어적 장벽뿐만 아니라 문화적 차이를 이해하고 존중하는 태도가 필수적이며, 의료진이 문화적 감수성을 갖추고 적절한 의사소통 방법을 활용하면 대상자의 신뢰와 만족도가 향상될 수 있다[표 11-8].

표 11-8 다문화 대상자와의 의사소통 전략

구분	내용
1. 언어적 장벽 극복	• 통역 서비스(의료 통역사, 번역 앱)를 활용한다. • 쉬운 언어와 명확한 문장을 사용한다(의료 용어 최소화).
2. 문화적 차이 존중	• 대상자의 종교, 가치관을 존중한다. • 신체 접촉, 시선 접촉 등 비언어적 요소도 주의한다.
3. 건강 신념 및 의료 인식 차이 고려	• 일부 문화에서는 현대 의학보다 전통적 요법을 선호할 수 있다. • 치료 방법을 강요하기보다 설명하고 협력하는 방식이 중요하다.
4. 가족 중심의 의사결정 가능성	• 어떤 문화에서는 개인보다 가족이 중요한 결정을 내릴 수 있다. • 대상자의 가족 관계 및 의사결정 방식을 고려하여 조율한다.
5. 편견과 선입견 배제	• 특정 국적·인종에 대한 편견을 가지지 않고 열린 태도로 대한다.
6. 비언어적 의사소통 활용	• 친절한 표정, 손짓, 시선 맞추기로 신뢰를 형성한다.

❷ 다문화 대상자와의 효과적 의사소통

1) 언어 장벽이 있는 대상자와의 대화

한국어를 거의 하지 못하는 외국인 대상자가 진료를 받으러 온 경우, 번역기, 의료 통역사, 그림 자료 등을 활용하여 대상자가 이해할 수 있도록 도움을 제공한다. 미소짓거나 손짓 등의 친절한 비언어적 표현도 안정감을 느끼도록 하는데 중요하다.

비효과적인 의사소통

- 의료진 : "여기 기록지에 작성하세요. 이거 다 읽고 적어야 해요."
- 환자 : (이해하지 못하고 당황)

이 대화는 한국어를 이해하지 못하는 대상자에게 설명없이 서류 작성을 요구한 점이다. 의료진이 불친절하게 느껴질 수 있으며, 대상자가 의료서비스를 이용할 때 당황되고 두려움을 겪을 가능성이 높다.

효과적인 의사소통 (비언어적 도움 및 번역 활용)

- 의료진 : (환자에게 미소를 보이며) "이 서류를 작성해야 합니다."
- 의료진 : (번역 앱 또는 그림 카드 활용) "이 부분은 이름, 여기는 주소를 적어주세요."
- 의료진 : (천천히 말하며) "어려운 점이 있으면 도와드릴게요."

2) 문화적 차이를 존중하는 의사소통

무슬림(이슬람교 신자) 여성 환자가 남성 의료진의 진료를 거부하는 경우, 대상자의 문화적 배경과 종교적 신념을 존중하는 태도를 유지한다. 이럴 때는 여성 의사를 배정하거나 보호자가 동반하게 하여 대상자가 편안하게 진료받을 수 있도록 돕는다.

비효과적인 의사소통

- 의료진 : "여기서는 남녀 구분 없이 진료를 받아야 합니다. 괜찮으시죠?"
- 환자 : (불편해하며) "아니요, 여성 의사에게 진료받고 싶어요."

이 대화는 대상자의 종교적 신념을 고려하지 않은 점이다.
또한 "괜찮으시죠?"라는 표현은 환자가 자신의 신념을 강하게 주장하기 어렵게 만들 수 있다.

효과적인 의사소통 (문화적 배려 반영)

- 의료진 : "이해합니다. 혹시 여성 의사와 상담을 원하시면 조정해 드릴 수 있습니다."
- 의료진 : (현재 여성 의료진이 없을 경우) "보호자 동반 하에 진료받으실 수 있도록 도와드릴까요?"

3) 중국인 대상자가 한약과 침치료를 병행하려고 하는 경우

대상자의 건강 신념을 존중하면서도, 의학적으로 안전한 방향으로 조율하며, 무조건 반대하지 않고, 대화를 통해 적절하게 병행하는 방법을 찾도록 유도한다.

비효과적인 의사소통

- 의료진 : "그런 전통적인 치료법은 효과가 없을 수도 있어요. 그냥 약만 드세요."

이 대화는 대상자의 건강 신념을 무시하고 서양의학 만을 강요하는 태도이며, 대상자가 의료진을 불신하거나 저항할 가능성이 높아진다.

효과적인 의사소통 (의료진과 대상자 간 협력적 접근)

- 의료진 : "한약과 침 치료를 병행하고 싶으시군요. 현재 복용 중인 한약 성분을 확인해 드릴 수 있을까요?"
- 의료진 : "한약과 서양 약물이 함께 복용될 경우 영향을 줄 수 있으니, 조절할 수 있도록 도와 드리겠습니다."

4) 가족 중심 의사결정을 원하는 대상자

몽골출신 대상자가 치료 방법을 본인이 아닌 가족과 상의하려는 경우, 대상자의 문화적 배경을 고려한 유연한 접근 방식이 필요하다.

대상자가 가족과 상의하는 방식을 존중하면서, 의료진과 가족이 함께 협력할 수 있도록 조율한다.

비효과적인 의사소통

- 의료진 : "이○○님 본인이 직접 결정을 내려야 합니다. 가족과 논의할 필요 없어요."

이 대화는 개별주의 문화가 아닌 가족 중심 문화에서는 중요한 결정을 가족이 함께 내리는 경우가 많아서 대상자는 오히려 본인의 권리를 무시당했다고 느낄 수 있다.

효과적인 의사소통 (가족과 협력하는 접근)

- **의료진**: "결정을 내리기 전에 가족과 상의하고 싶으신가요? 가족이 함께 설명을 들을 수 있도록 조정해 드릴게요."

5) 미국인 대상자가 통증을 호소하는 상황

비효과적인 의사소통

- **환자**: "I'm in a lot of pain. Can I get something for it?" (통증이 심해요. 약 좀 받을 수 있을까요?)
- **의료진**: "Your pain medication is being administered now. Don't worry." (지금 통증완화약이 들어가고 있어요. 걱정 마세요.)

해설 이 대화는 대상자의 고통을 인정하거나 공감하지 않는다.

효과적인 의사소통 (공감+대안 제시)

- **환자**: "I'm in a lot of pain. Can I get something for it?"
- **의료진**: "I understand that you're in pain after surgery. Your pain medication is being continuously administered. If you feel pain, press this button to receive an additional dose for relief. If your pain is still not relieved, please let us know." (수술 받아서 아프시지요. 진통제가 지속적으로 투여되고 있어요. 아플 때 이 버튼을 누르시면 한 번 더 진통제가 투여되어 통증을 완화시킬 겁니다. 그래도 통증이 완화되지 않으면 말씀해주세요.)

해설 대상자의 고통에 공감하여 환자가 자신의 감정이 무시되지 않았다고 느껴 스트레스와 불안을 완화시켜준다.

6) 수혈을 거부하는 종교 신자의 경우

비효과적인 의사소통

- **의사**: "정○○님은 수혈을 거부하니 우리가 의학적으로 도울 수가 없어요."

효과적인 의사소통

- 의사 : “종교적인 문제로 수혈을 안 하시는군요. 빈혈을 개선할 수 있는 방법을 함께 찾아봅시다.”

해설 신념을 존중하며 공감적인 태도로 대하며 강압적이지 않는 태도로 대한다.

9 의료현장에서의 AI와의 의사소통

❶ 의료 현장에서 AI 의사소통 적용성

AI와의 의사소통은 신속한 정보를 제공받을 수 있고, 중립적이고 논리적인 답변을 받을 수 있으며, 시뮬레이션 등을 활용하여 상황연습을 할 수 있고, 개인 맞춤형 피드백을 받아 효과적인 대화법을 익힐 수 있다. 만약 활용하는 사람이 질문하는 분야에 고도의 전문적 지식이 있어 세부적으로 적절한 정보와 명령어를 넣는다면, 많은 정보와 적절한 표현을 제공받을 수 있는 이점이 있다. 그러나 목소리의 억양 또는 몸짓 등의 비언어적인 반응을 기대할 수 없으며 맥락적인 이해에 한계가 있고, 공감적 표현은 하여도 실제 사람의 감정과는 달라 인간미가 없어 갈등 해결에 제한적이다.

특히 의료기관에서는 복잡하고 다양한 의료 정보를 효과적으로 처리하기 위하여 컴퓨터 기술의 발전과 더불어, 의료 정보시스템을 활발하게 사용하여 왔다. 초창기의 병원 전산시스템에서부터, 의료진이 직접 처방을 입력하여 종이 처방전이 없는 디지털화된 처방시스템을 구축한 OCS(Order Communication System)[3], 대상자의 의무기록을 디지털화 한 EMR(Electronic Medical Record)[4] 시스템 등 최신의 정보기술이 의료 정보시스템에 활용되었다. 이 뿐만 아니라, PACS (Picture Archiving and Communication System, 의료영상저장전송시스템), CDSS (Clinical Decision Support System, 임상의사결정지원시스템)[5] 등 혁신적인 진료진단과 의료

---

3) OCS(Order Communication System, 처방전달시스템) : 병원에서 의료진이 처방한 진료 내용(약처방, 검사, 수술 일정 등)을 전산화하여 관련 부서(약국, 검사실 등)로 자동 전달하는 시스템. 의료진 간의 협업이 원활해지고, 처방 오류를 줄일 수 있다.

4) EMR(Electronic Medical Record, 전자의무기록) : 병원에서 환자의 진료기록을 종이 차트 대신 전산시스템에 저장하는 디지털의료기록시스템을 의미한다. 이를 통해 환자의 진료 이력, 검사 결과, 처방 내용 등을 효율적으로 관리할 수 있다.

5) 임상의사결정지원시스템(CDSS) : 의료진이 더 나은 진료 결정을 내릴 수 있도록 도와주는 AI 기반 의료 보조 시스템이다. 대상자의 건강기록을 분석하여 진단, 치료 옵션, 약물 처방 등을 추천하는 시스템

서비스 제공을 위한 다양한 의료 정보시스템이 활용되고 있다. 그런데, 이런 의료 정보시스템은 전문 교육을 받은 의료진만이 사용할 수 있었다. 최근, 인공지능 기술이 급속하게 진화되면서, 의료 정보시스템도 급속하게 지능화되었고, 의료 정보시스템의 활용에도 혁신적 변화가 일어나고 있다.

생성형 인공지능을 필두로 하여 지능형 에이전트(Intelligent Agent, IA)[6] 등 최근의 인공지능 기술은 일상에서 사용하는 자연어를 활용하여, 누구나 인공지능 시스템과 대화하면서 업무를 수행할 수 있게 되었다. 전통적인 프로그램 실행이 아니라, 대화 기반의 업무처리로 정보환경이 변화되었다. 이에 따라, 의료 현장에서는 진단 지원, 의료 기록 관리, 대상자 상담, 의료영상 판독 등 다양한 역할을 수행하는 인공지능 시스템과의 의사소통 방식이 중요해지고 있다.

AI 기반 의료 서비스는 의료진과 대상자 간의 소통을 보완하는 역할을 하며, 의료진의 업무부담을 줄이고 환자 경험을 개선하는 데 기여할 수 있지만, AI 의사소통은 윤리적 문제, 신뢰성 확보, 의료진과의 협업 방안 등을 함께 고려해야 한다**[표 11-9]**.

AI에게 전인적 관점에서 다루어야 하는 인간에 대한 통합적 관리나 진단, 치료 등에 대한 전적인 결정권을 맡는 역할은 부여하기 힘들며, 제한점에 대해서는 확실히 알지 못한다.

표 11-9 AI와의 의사소통의 고려사항

고려 사항	이유/내용
1. 대상자와 AI 간의 의사소통 증가	• AI 챗봇이 의료 상담을 제공하거나, 원격 진료에서 대상자와 대화하는 사례가 증가하고 있다. • AI가 대상자와 직접 소통할 경우 신뢰성, 윤리성, 이해도를 고려해야 한다.
2. 의료진과 AI 간 협업 필요	• AI는 진단 보조, 의료영상 판독, 치료계획 추천 등의 정보를 제공한다. • 의료진이 AI의 결과를 해석하고 최종 결정을 내리는 방식이다.
3. 의사소통 방식의 변화	• AI가 대상자와 의료진 간의 정보중재자 역할을 할 수도 있다. • AI 의사소통이 원활하려면 설명력(Explainability)[7]이 있어야 한다.
4. 윤리적 문제 및 신뢰성	• AI가 오진을 하거나 편향된 정보를 제공할 가능성이 있다. • 의료진과 대상자가 AI를 신뢰할 수 있도록 명확한 커뮤니케이션 프로토콜이 필요하다.

6) 지능형 에이전트(IA) : 챗봇, 음성 비서(예 : Siri, Alexa) 등 특정 환경에서 자율적으로 작동하며 학습, 판단, 실행이 가능한 AI 시스템

7) 설명력(Explainability) : AI가 어떤 기준과 논리를 바탕으로 특정 결정을 내렸는지 명확하게 설명할 수 있는 능력. 만약 고위험군이라고 분류되었으면, 명확한 기준과 정확한 수치에 근거해 판정해야 한다. 설명이 필요한 이유는 신뢰 확보, 오류수정 가능, 윤리적 문제해결 및 법적 책임을 명확하게 하기 위함이다.

따라서 본 교재에서 제시하는 바는 AI의 발전 수준과 의료현장의 적용성에 대한 현시점에서 제시하는 것이며, AI의 개혁적인 발전에 따라 그 활용 형태나 활용 수준이 엄청나게 달라질 수 있는 여지가 있다는 점을 밝힌다.

❷ 의료 AI 의사소통에서 다루어야 할 주요 주제

1) AI와 대상자 간 의사소통

생각할 점

- AI 챗봇이나 의료 상담 시스템이 대상자와 소통할 때, 어떤 대화 방식이 효과적인가?
- 대상자들이 AI의 의료 정보를 신뢰할 수 있도록 하려면 어떻게 해야 하는가?
- AI가 대상자의 감정을 이해하고 공감하는 방식으로 의사소통할 수 있는가?

즉, 진단을 확정적으로 내리지 않고, 병원 방문을 유도하는 방식이 적절하다. AI가 정확한 정보를 제공하면서도 대상자의 혼란을 최소화해야 한다.

비효과적 AI 응답 방식

- 대상자 : "요즘 계속 피곤하고 어지러워요. 무슨 문제일까요?"
- AI : "빈혈이 의심됩니다. 철분제를 복용하세요."

이 대화는 AI가 진단을 단정적으로 내리고 대상자에게 치료법을 제시하는 것은 위험하다는 점이다. AI는 진단 보조 도구이지, 독립적인 의료 행위자가 아니다.

효과적인 AI 응답 방식

- AI : "어지럼증과 피로가 지속되시는군요. 철분 결핍이나 혈압 문제가 원인일 수 있습니다. 정확한 진단을 위해 병원을 방문해 보시는 것이 좋겠습니다."

2) 의료진과 AI 간의 의사소통

생각할 점

- AI가 의료진에게 정보를 제공할 때, 어떤 내용과 형식으로 제공하는 것이 효과적인가?
- AI가 분석한 결과의 근거와 내용을 의료진이 쉽게 이해할 수 있는 방법은 무엇인가?

- AI가 의료진과 협업할 때, 신뢰성을 높일 수 있는 방법은 무엇인가?

즉, AI는 의료진의 최종 결정을 돕는 역할을 해야 한다.
AI의 판단 근거를 설명하여 의료진이 신뢰할 수 있도록 해야 한다.

비효과적 AI 보고 방식

- AI : "환자의 X-ray에서 이상이 감지되었습니다. 수술이 필요할 가능성이 높습니다."

이 답변의 문제점은 AI가 의료진에게 단정적인 표현을 사용하면 의료진의 판단을 방해할 수 있다. AI가 어떻게 판단했는지 설명력(explainability)이 부족하다.

효과적인 AI 보고 방식

- AI : "환자의 X-ray에서 3cm 크기의 이상 음영이 발견되었습니다. 과거 유사 사례에서는 75%의 확률로 조직 검사가 필요했습니다. 의료진의 추가 판단이 필요합니다."

3) AI 의료 의사소통의 윤리적 고려 사항

생각할 점

- AI가 의료 정보를 제공할 때 발생할 수 있는 법적, 윤리적 문제는 무엇인가?
- AI가 편향된 데이터를 기반으로 진단을 내릴 가능성을 어떻게 방지할 것인가?
- 대상자의 개인정보 보호와 AI 의사소통의 안전성을 어떻게 보장할 것인가?

즉, AI는 대상자에게 심리적 충격을 줄 가능성이 있는 정보를 직접 제공하지 않도록 설계해야 한다. 즉 대상자가 의료진과 직접 상담하도록 유도하는 방식이 법적으로 타당하고, 윤리적이다

비윤리적 AI 응답

- 대상자 : "제가 암일 가능성이 있나요?"
- AI : "CT 분석 결과, 90% 확률로 암일 가능성이 있습니다."

이 대화는 AI가 대상자에게 직접 중대한 진단을 전달하는 것은 심각한 심리적 충격을 줄 수 있다는 점이다. AI는 진단을 확정적으로 내릴 수 없다.

윤리적으로 적절한 AI 응답

- AI : "현재 검사 결과에서 일부 이상 소견이 발견되었습니다. 더 정확한 진단을 위해 담당 의사와 상담하시는 것이 좋겠습니다."

③ 의료 AI 의사소통을 효과적으로 다루는 방법

AI가 단정적인 진단을 내리지 않도록 시스템을 설계해야 한다. AI에게 혹시 진단을 요구해도, 진단 관련 의료 정보 등을 제시하며 참고하라는 식으로 AI 시스템이 설계되어야 한다 **[표 10-14]**.

즉, AI가 "빈혈이 의심됩니다. 철분제를 복용하세요."와 같은 답변이 나오지 않게 하려면, AI 시스템의 가드레일(guardrail)[8] 또는 시스템 프롬프트(system prompt)[9] 등을 앞서 제시한 여러 사항을 심도 있게 고려하여 설계해야 한다. 즉, 중요한 점은 AI가 단정적인 진단을 내리지 않도록 시스템을 설계해야 한다는 점이다. AI는 단순한 정보 제공 도구이지, 진단을 내리는 의사가 아니기 때문에, AI가 대상자의 상태를 평가하고 즉각적인 처방을 내리는 것을 방지하고, 안내 중심으로 설계해야 한다. 대상자가 AI를 통해 건강 정보를 참고하도록 정보를 제공하며, 자율적으로 판단하도록 유도하고, 최종적으로 의료진과 상담하도록 안내해야 한다.

또한, 질문도 처방과 같은 단정적인 결과를 요구할 것이 아니라, 자율적 판단에 도움이 되는 의료 정보를 요구하도록 하여야 한다. 대상자는 "내 증상이 무엇인가요?"라고 묻기보다, "이런 증상의 일반적인 원인은 무엇인가요?"라고 질문해야 한다. 이에 대하여, AI는 증상에 대한 일반적인 정보를 제공하고, 의료진과 상담을 권장하는 방식으로 답변해야 한다. AI가 특정 치료(약물 복용 등)를 직접 권하지 않도록 설계해야 한다.

AI 의료 의사소통에서 핵심은 '정보 제공'과 '대상자의 자율적 판단 유도'이다. 다음과 같이 프로그램 설계 시 고려해야 한다**[표 11-10]**.

---

8) AI 시스템 가드레일(AI System Guardrail) : AI가 비윤리적이거나 위험한 결정을 내리지 않도록 설계된 보호 장치. 이는 AI의 오류를 방지하고, 윤리적인 기준을 준수하도록 한다.

9) 시스템 프롬프트(System Prompt) : AI 모델이 특정 방식으로 반응하도록 유도하는 사전 설정된 명령어 또는 가이드라인. AI의 응답 방향을 조정하여 더 정확하고 안전한 답변을 제공하도록 돕는다.

표 11-10 AI 의사소통 관련 프로그램 설계 시 고려할 사항

항목	이유/내용
1. AI의 역할 명확히 하기	AI는 의료진의 보조 도구이며, 최종 판단은 의료진이 한다.
2. 대상자에게 직접 진단을 제공하지 않기	AI는 의심되는 증상과 일반적인 정보를 제공하지만, 최종 진단은 의료진이 해야 한다.
3. 설명가능한 AI(explainable AI) 적용	의료진이 AI의 분석 근거를 이해할 수 있도록 투명한 정보 제공한다.
4. 대상자의 감정을 고려한 의사소통 설계	AI가 대상자의 감정을 배려한 응답을 할 수 있도록 설계한다. 예 공감 표현 추가
5. 윤리적·법적 문제 고려	AI가 제공하는 정보가 편향되지 않도록 지속적인 검토 및 개선이 필요하다.

1) 기존 질문의 문제점

- 대상자 : "요즘 계속 피곤하고 어지러워요. 무슨 문제일까요?"
- AI : "빈혈이 의심됩니다. 철분제를 복용하세요."

이 대화는 AI가 진단을 단정적으로 내리고, 대상자에게 특정 치료법(철분제 복용)을 지시하는 점이다. 대상자가 AI의 답변을 의료진의 처방처럼 받아들일 위험이 있다. AI는 대상자의 전체 건강 상태를 종합적으로 평가할 수 없으므로, 의료진의 역할을 대신하면 안 된다.

2) 질문을 개방형으로 바꾸기(정보 탐색 유도)

- 대상자 : "요즘 계속 피곤하고 어지러워요. 이런 증상의 원인은 무엇이 있을까요?"
- AI : "피로와 어지러움은 빈혈, 저혈압, 수면 부족, 스트레스 등 여러 가지 원인으로 발생할 수 있습니다. 정확한 원인을 알기 위해 병원에서 진료 받는 것이 좋습니다."

이 대화는, AI가 진단을 내리지 않고, 일반적인 건강 정보를 제공하며, 대상자가 AI의 답변을 참고할 수 있도록 하고, 의료진과 상담하도록 유도하였다.

3) AI의 답변을 유도하는 질문 설계(병원 방문 유도)

- 대상자 : "요즘 계속 피곤하고 어지러워요. 병원에 가야 할까요?"
- AI : "지속적인 피로와 어지러움이 있다면, 건강 상태를 확인하기 위해 병원에서 검사를 받아보는 것이 좋습니다. 증상이 심해지거나 다른 증상이 동반되면 빠른 진료를 권장합니다."

이 대화는 AI가 대상자의 상태를 판단하지 않고, 일반적인 건강관리 지침을 제공하는 것으로 병원 방문을 제안하되, 단정적인 표현(예 "꼭 가야 합니다.")을 사용하지 않았다.

4) AI가 정보를 제공하되, 대상자의 자율성을 존중하는 질문(건강 정보 제공 중심)

- 대상자 : "요즘 계속 피곤하고 어지러워요. 이런 증상에 대해 알고 싶어요."
- AI : "피로와 어지러움은 여러 가지 원인으로 발생할 수 있으며, 생활 습관, 영양 상태, 수면 질과 관련이 있을 수 있습니다. 일반적인 정보로는 빈혈, 탈수, 혈압 변화 등이 영향을 미칠 수 있습니다. 증상이 지속되면 의료진과 상담해 보세요."

이 대화가 효과적인 이유는 AI가 특정 질병을 단정하지 않고, 일반적인 건강 정보를 제공하고, "증상이 지속되면 의료진과 상담해 보세요."라는 문구를 포함하여 의료진의 역할을 강조하여 대상자가 선택하여 결정할 수 있도록 돕는다.

R/E/F/E/R/E/N/C/E

- 기봉, & 한군희. (2020). 4 차 산업혁명시대의 디지털 헬스케어 산업에 대한 연구. 융합정보논문지, 10(3), 7-15.
- 김윤정(2025). AI와 화법, 커뮤니케이션북스
- 김희걸 외(2020). 지역사회간호학 I . II 개정판, 현문사.
- 노인숙, 전상회, 이명희, 장정미 외(2012). 다문화사회와 건강간호. 서울: 현문사.
- 박영택. (2017). 국내의료기관의 전자의무기록시스템 현황 및 발전방향, HIRA 정책동향, 11권2호, 52-61
- 백성희, 양경희 이삼순, 이순영, 임정남(2000). 호스피스케어, 서울: 정담미디어.
- 손병은, & 정성문. (2022). 의료인공지능 연구/개발 및 실용화를 위한 지능형 병원정보시스템 모델. 한국융합학회논문지, 13(3), 67-75.
- 안옥희, 최혜정, 송이모스 전미순 외(2014). 다문화와 간호. 서울: 정담미디어
- 여성가족부 다문화가족정책과(2015). 다문화가족 자녀의 건강한 성장을 위한 정책과제. 서울: 한학문화.
- 여성건강간호교과연구회(2025). 여성건강간호학 I . II 제 11판, 경기: 수문사.
- 오인수(2015). 다문화 상담. 서울: 박학사.
- 이경혜, 김계숙, 김진향, 김영희 외(2011). 다문화 간호. 서울:엘스비어코리아. 22~23, 31
- 이정열 외(2017). 지역사회간호학 이론과 실제, 서울: 현문사.
- 전시자, 김강미자, 박정숙, 이미화, 조경순 외(2000). 성인간호학 제3판, 서울: 현문사.
- 최준영. (2015). 의료정보시스템 운영에서 생성되는 의료 빅데이터의 활용가치. 한국선사동신학회 논문지, 10(12), 1403-1410.
- 호스피스완화의료학회(2018). 호스피스·완화의료, 경기: 군자출판사.
- Kim, E., Rubinstein, S. M., Nead, K. T., Wojcieszynski, A. P., Gabriel, P. E., & Warner, J. L. (2019, October). The evolving use of electronic health records (EHR) for research. In Seminars in radiation on cology (Vol. 29, No. 4, pp. 354-361). WB Saunders.
- S. B. Lee, J. Song & A. Park. (2020). A Trend of Artificial Intelligence in the Healthcare. The Journal of the Korea Contents Association, 20(5), 448-456.
- Wang, F., & Preininger, A. (2019). AI in health: state of the art, challenges, and future directions. Yearbook of medical informatics, 28(01), 016-026.

The Art of Healthy Communication

가

I/N/D/E/X

아

자

I/N/D/E/X

차

카

I/N/D/E/X

건강한 의사소통

The Art of Healthy Communication

한국간호연구학회 편

Korean Society of Nursing Research

초판발행 2025년 12월 3일
저 자 양경희, 권은하, 문인오, 박요한, 배영주, 이명순, 이은영, 한은주

발행인 이 웅 현
발행처 **퍼시픽북스**
서울특별시 중구 충무로 29 아시아미디어타워 501호
TEL. 02-2272-7766(代) / FAX. 02-2272-7166
www.papu.co.kr

ISBN 979-11-6375-535-7

정가 **29,000원**